JUNIOR WISSEN

Erfindungen

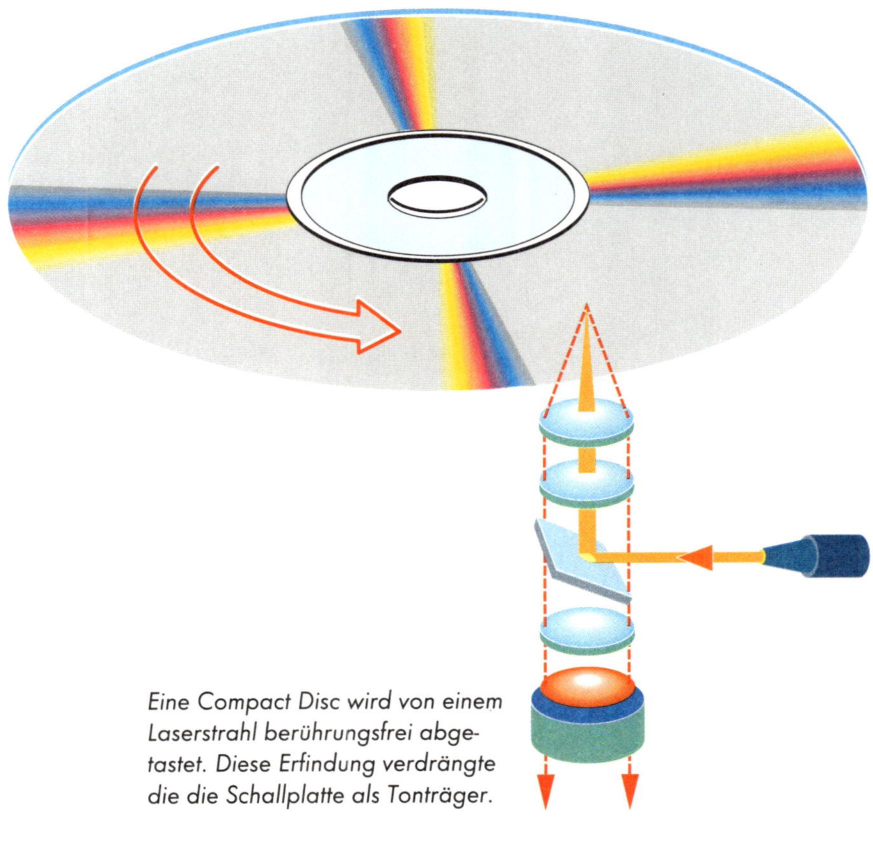

Eine Compact Disc wird von einem Laserstrahl berührungsfrei abgetastet. Diese Erfindung verdrängte die die Schallplatte als Tonträger.

Erdbeobachtung vom Satelliten aus

JUNIOR WISSEN

Erfindungen

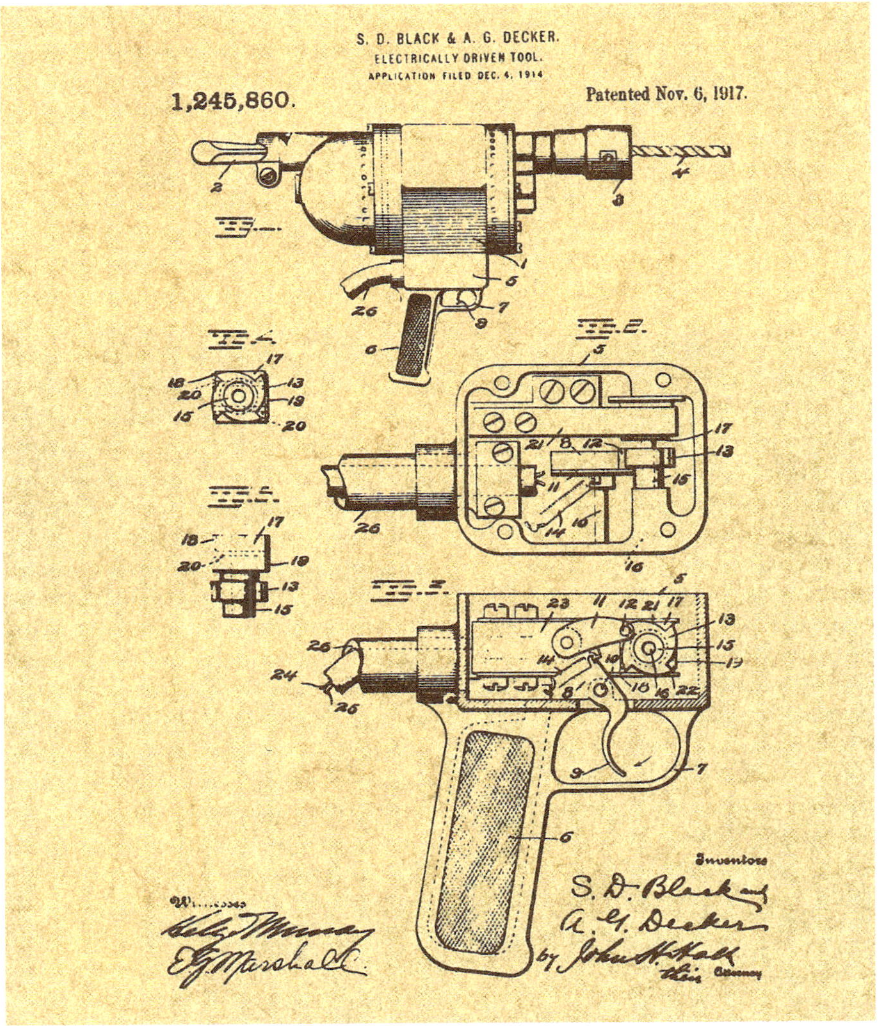

Die Patenturkunde über die Erfindung der elektrischen Bohrmaschine

Unipart -Verlag • Stuttgart

Inhalt

Die Erfindung des Baggers half den Menschen, schwere körperliche Arbeit von Maschinen erledigen zu lassen.

Gunter Haake
Junior Wissen: Erfindungen
(Red. Leitung: Dieter Rex)

Zeichnungen:
Klaus Buergle, 4; Frank E. Clauß, 31; Nelson de Silva, 54;
Fotos und Grafiken:
Archiv f. Kunst und Geschichte, 10; Bayernwerke, 1; Black & Decker, 1; BMW, 6; Deutsche Aerospace, 2; Glaser-Dirks Flugzeugbau, 2; Fichtel & Sachs, 1; W.L. Gore & Associates, 1; Husumer Schiffswerft (i.de Werbeagentur/W. Pepperle), 1; IBM, 7; Leica Mikroskopie, 1; Leitz, 1; Liebherr, 3; Mercedes-Benz, 2; Mannesmann Demag, 2; Max-Planck-Gesellschaft, 1; Polaroid, 1; Schindler, 1; Siemens, 3; Volkswagen, 2; Carl Zeiss, 1;

Produktion: Dieter Rex, Verlagsproduktion, München/Utting a. A.

ISBN 3 8122 3421 1

Der Menschheitstraum vom Fliegen geht in Erfüllung.

Eine Röhrensteckeinheit, der Vorläufer einer Rechenzelle im Computer

Ideen und Forscherdrang

Eine Erfindung ist der Bau von Dingen, die es so vorher noch nicht gegeben hat. Alle technischen Lösungen, mit denen wir umgehen, sind irgendwann einmal erfunden worden. Oft handelt es sich bei einer Erfindung um den Zusammenbau vieler, schon früher erfundender Gegenstände zu etwas Neuem – aber nur wenn dieser neuen Kombination eine einzigartige Idee zugrundeliegt, nennen wir sie eine Erfindung.

Die Entwicklung von Kulturen und Gesellschaften ist an ihren Erfindungen abzulesen. Umgekehrt ist die Entstehung neuer Erfindungen auch immer abhängig vom wissenschaftlichen, technischen und kulturellen Forschritt der Menschen. Viele Ideen, die schon vor Jahrhunderten entstanden, konnten erst in eine Erfindung münden, nachdem andere Voraussetzungen erfüllt waren. So zeichnete Leonardo da Vinci 1490 einen Hubschrauber, der vor der Erfindung des Verbrennungsmotors im Jahre 1860 nicht gebaut werden konnte. Die Idee, stromerzeugende Maschinen zu bauen, konnte erst entstehen, nachdem 1820 Hans Christian Oersted den Zusammenhang zwischen Strom und Magnetismus erforschte und so weiter. Kurz: Viele Ideen kommen erst auf oder machen erst dann einen Sinn, wenn die Bedürfnisse oder die technischen Möglichkeiten ihre Umsetzung ermöglichen.

Manche Bedürfnisse werden erst durch Erfindungen geweckt und neue Erfindungen müssen her, um mit einer existierenden Erfindung einfach umgegehen zu können. So folgte der Erfindung der Konservendose aus dem Jahr 1811 die Erfindung des Dosenöffners im Jahre 1855. Dem Dosenöffner lag eine lange ausgetüftelte Idee zugrunde, viele Erfindungen entstehen aber auch rein zufällig. Der Mikrowellenherd zum Beispiel entstand, als der Wissenschaftler Percy Daron Spencer 1946 über die Wirkung kurzer Wellen forschte – zufällig schmolz ihm beim Experimentieren ein Bonbon in der Tasche, und er kam er auf die Idee, eine neue Art des Kochens zu erfinden.

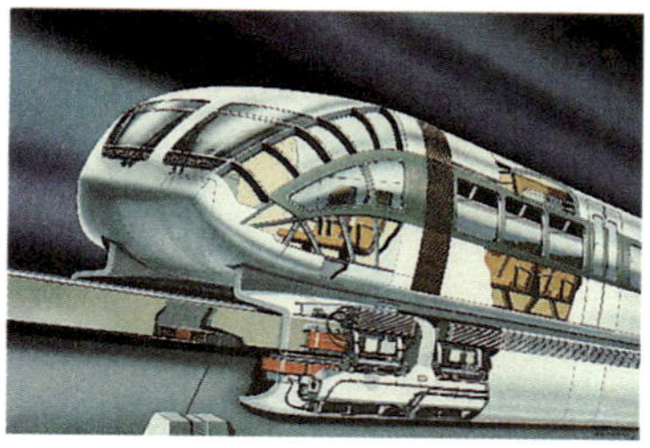

Die Erfindung der Dampfeisenbahn war der wichtigste Schritt zur Entwicklung der modernen Transportsysteme wie dieser Magnetschwebebahn.

In diesem Buch findet ihr neben der Funktionsbeschreibung technischer Gegenstände ihre oft faszinierende Entstehungsgeschichte. Sie ist manchmal spannender als der Gegenstand selbst. Nicht zuletzt, weil an den meisten Erfindungen mehrere Erfinder beteiligt sind – die Erfindung der Glühbirne etwa wird Thomas Alva Edison zugeschrieben, der aber nur von langen Vorarbeiten und vielen gescheiterten Versuchen anderer Erfinder profitierte.

Bei vielen wichtigen Erfindungen, etwa dem Rad, dem Schiff und vielen mehr, ist überhaupt kein Erfinder bekannt. – Diese Dinge wurden benötigt und erfunden, bevor es wichtig wurde, genau zu registrieren, von wem die Erfindung stammt. Erst mit der Einführung des internationalen Patentrechts wurde das bedeutend – mit Erfindungen kann nämlich auch sehr viel Geld verdient werden.

Die wesentlichen Erfindungen, die in diesem Buch vorgestellt werden, entstanden bis zur und in der Zeit der Industrialisierung. Im 20. Jahrhundert kamen – neben herausragenden neuen Erfindungen wie dem Computer – meist nur Verbesserungen und Weiterentwicklungen bestehender Erfindungen hinzu. Aus diesem Grund findet sich übrigens so gut wie keine Frau unter den berühmten Erfindern. Frauen wurden lange Zeit – so auch zur Blütezeit des wissenschaftlich-technischen Fortschritts – kaum ausgebildet, konnten selten studieren und noch seltener Wissenschaftlerin werden. Wie gesagt: die Entwicklung von Kulturen und Gesellschaften ist auch an ihren Erfindungen abzulesen.
Dieses deutlich zu machen und die technische Funktion von Erfindungen leicht verständlich darzustellen, sind die Hauptanliegen dieses Buches.

Von der Erfindung des ersten Ein-Zylinder-Motores von Daimler-Benz bis zur Entwicklung dieses Vier-Zylinder-Benzin-Motores verging mehr als ein Jahrhundert.

Es werde Licht

Licht an jedem Ort, zu jeder Zeit, ist in den Industriestaaten eine Selbstverständlichkeit. Im Haus, im Straßenverkehr, in der Werbung: Überall werden Lichtwellen erzeugt, um Dinge auch bei Dunkelheit sichtbar zu machen. Jahrtausende mußten dazu Feuer, Kerzen, Öl- und Gaslampen entzündet werden. Heute werden zur Lichterzeugung am häufigsten Glühbirnen verwendet. Sie nutzen die Eigenschaft des elektrischen Widerstandes.

Der elektrische Strom wird bei einer Glühbirne durch einen sehr dünnen Draht geschickt. Eine Glühbirne ist also ein gezielter Engpaß im Stromnetz, das ansonsten aus dicken Drähten besteht. Die durch das Stromnetz wandernden Elektronen müssen an der engen Stelle sehr schnell fließen und stoßen an die Atome des Drahtes. Dabei geben diese Atome Licht- und Wärmeenergie ab: Der Draht wird rund 2500°C heiß und beginnt zu glühen. Normalerweise würde ein Draht nun schmelzen und damit der Stromfluß unterbrochen werden. – Genau das passiert übrigens in einer Schmelzsicherung.
Bei einer Glühbirne soll aber das Licht genutzt werden, das beim Glühen des Drahtes entsteht. Es mußte also ein Material gefunden werden, das lange glüht ohne zu schmelzen. Nachdem andere Erfinder bereits mit Glühbirnen experimentiert hatten, entdeckte Thomas Alva Edison die Methode und ein Material zum Bau von

Elektrischer Widerstand

Elektrischer Strom ist ein Fluß von Elektronen (siehe Seite 39), Widerstand ist die Bezeichnung für die Eigenschaft, einen Strom fließender Elektronen zu bremsen. Der Widerstand ist umso größer, je mehr Elektronen fest an einen Atomkern gebunden sind. Gummi zum Beispiel hat einen hohen elektrischen Widerstand, denn im Gummi können sich nur sehr wenige Elektronen bewegen. Gut leitende Materialien wie Silber oder Kupfer dagegen haben viele »freie«, bewegliche Elektronen und damit einen kleinen elektrischen Widerstand.
Der Widerstand hängt neben dem Material davon ab, wie groß die Fläche des leitenden Gegenstandes ist. Bei einer großen Fläche verteilen sich die wandernden Elektronen. Sie halten Abstand voneinander und von den Atomen. Wird die Fläche verkleinert, ohne daß der Druck nachströmender Elektronen nachläßt, müssen die Elektronen schneller fließen und enger zusammenrücken. Sie prallen dabei gegen Atome, die dann schwingen. Bei dieser Hin- und Herbewegung setzen Atome die Aufprallenergie der Elektronen in Licht- und Wärmestrahlen um. – Genau das geschieht im dünnen Draht einer Glühbirne. Dabei wird nur knapp ein Zwanzigstel der Energie als Licht abgestrahlt. 96 % der mit elektrischem Strom eingesetzten Energie werden in Wärme umgesetzt.

Leuchtstofflampe

*Der Gasdruck in einer **Leuchtröhre** erzeugt zwischen den Gasatomen eine elektrische Spannung. Wird zusätzlich elektrischer Strom durch das Gasgemisch geschickt, beginnt das Gas zu leuchten: Elektronen springen von Gasatom zu Gasatom und wandeln dabei die zugeführte elektrische Energie in Licht um. Da die bestehende elektrische Energie im Gas größer ist als die des zusätzlich benötigten Stroms, verbraucht eine Gasentladungslampe weniger Energie als eine Glühbirne. Das sichtbare Licht, das eine solche Leuchtröhre erzeugt, ist blau bis rot. In **Neonröhren** wird es direkt zur Beleuchtung genutzt. Neben dem sichtbaren Licht strahlen solche Röhren aber auch sehr viel unsichtbares ultraviolettes Licht (UV-Licht) ab. Dieses wird in **Leuchtstofflampen** genutzt, um weißes Licht zu erzeugen: Die Glasröhre, die das Gas*

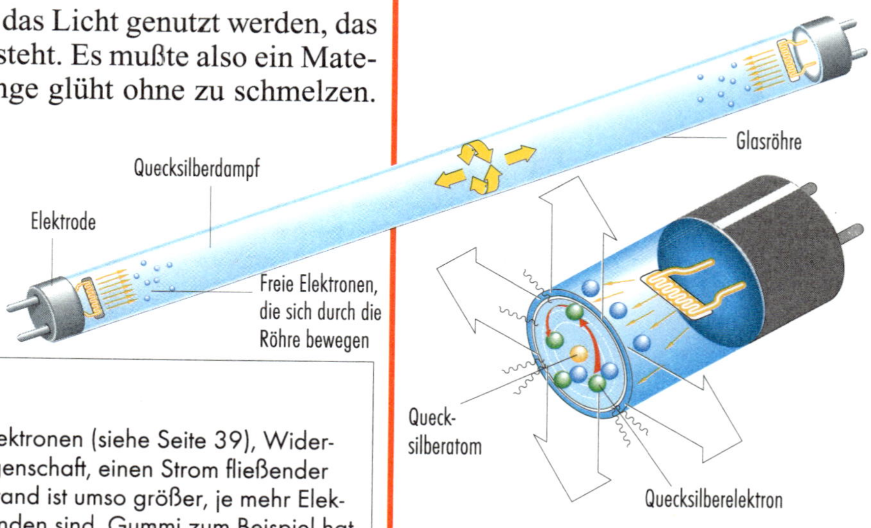

*enthält, wird innen mit »Leuchtstoffen« beschichtet; das sind Stoffe, die auf sie fallende Strahlung in sichtbares Licht umwandeln. **Energiesparlampen** sind solche Leuchtstofflampen. Sie werden mit Leuchtstoffen beschichtet und erzeugen bei gleicher Energiezufuhr rund achtmal mehr Licht als Glühbirnen. – Gleichzeitig haben sie eine achtmal so lange Lebensdauer.*

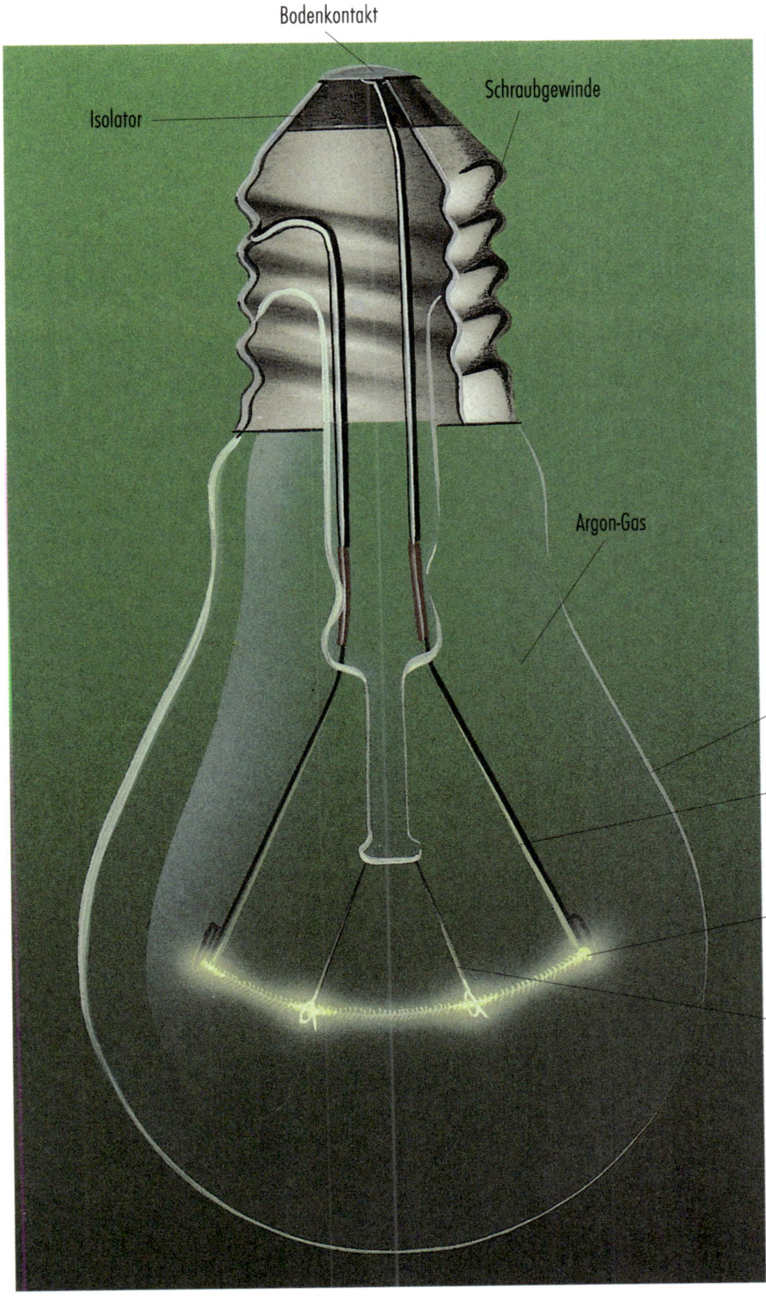

langlebigen Glühbirnen: Er wußte, daß ein Widerstandsdraht ohne Sauerstoff nicht verbrennt. Also spannte er seine Drähte in Glasröhren, aus denen er die Luft herauspumpte. Über ein Jahr hindurch experimentierte er in 60 000 Versuchen mit über 5000 verschiedenen Materialien. Er begann mit Nähgarn und Papierfäden und fand schließlich mit einem verkohlten Bambusfaden das Material, nach dem er gesucht hatte. – 1879 erblickte die erste zuverlässige Glühbirne als »Kohlefadenlampe« das Licht der Welt. Sie hatte auch schon ein – ebenfalls von Edison erfundenes – Gewinde. Seitdem werden Glühbirnen nach diesem Prinzip hergestellt. Im Laufe der Zeit gab es dabei nur noch wenige Änderungen: Der Glühfaden besteht heute aus Wolfram, einem relativ billigen Metall mit einer

Glühbirne

*Im gasgefüllten Glaskörper einer Glühbirne glüht als Lichterzeuger ein **Wolframdraht.** Er ist über dicke Metalldrähte mit der Schraubfassung verbunden, die den Kontakt zum Stromnetz herstellt. Der Wolfram-Glühdraht ist in zwei dünnen Fäden, der Doppelwendel, wie eine Spiralfeder vielfach gedreht. Damit ist die Drahtlänge wesentlich größer und die Lichtausbeute weit höher als bei einem gerade gespannten Einzeldraht.*

Lichtbogenlampe

Die Lichtbogenlampe war die erste elektrische Beleuchtungsquelle. Sie wurde im Bergbau verwendet. Diese Lampe hatte als erste Grubenlampe keine offene Flamme. Dadurch konnte es – anders als bei bisher verwendeten Lampen – nicht mehr zur Explosion der Grubengase kommen. Die Lichtbogenlampe besteht aus zwei Kohlestiften, die dicht nebeneinander angebracht sind. Zwischen diesen Stiften springt starker elektrischer Strom über und erzeugt einen blitzartigen Lichtbogen. Die Lampe, die auch als Lokomotivscheinwerfer eingesetzt wurde, erzeugt ein sehr helles Licht. Allerdings verbrennen unter der Hitze von rund 4000°C die Kohlestifte sehr schnell.

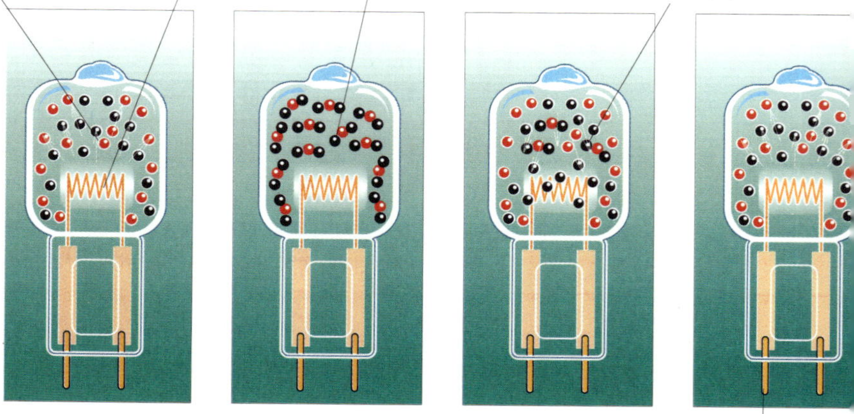

langen Glühdauer von ca. 1000 Stunden. Die Glühdauer ist so lang, weil Wolfram erst bei 3410°C schmilzt. Es ist das hitzebeständigste Metall der Welt.
Die zweite und entscheidende Änderung ist, daß der Sauerstoff heute aus den Birnen entfernt wird, indem sie mit dem Gas Argon gefüllt werden.
Nachdem sich das elektrische Licht als Beleuchtung durchgesetzt hatte, kamen neue Erfindungen hinzu, um Licht zu erzeugen. Solche, die das Glühfadenprinzip verbesserten, ebenso wie die neuen elektrischen Lichtquellen Halogenlampe und Leuchtstofflampe. Eine Leuchtstofflampe ist eine besondere Form der sogenannten Gasentladungslampe oder Leuchtröhre: eine Lampe, die mit einem Gas gefüllt ist, das unter Druck steht. – Meist ist dieses Gas ein Neon-Quecksilber-Gemisch.

Halogenlampe

Eine Halogenlampe ist wie eine Glühbirne aufgebaut. Sie hat jedoch ein viel helleres Licht und eine längere Lebensdauer. Die Wendel aus ***Wolframdraht*** *umgibt ein Edelgas aus der Gruppe der Halogenide (das sind chemische Elemente, die mit Metallen Metallsalze bilden, zum Beispiel Brom- oder Jodgase). Diese Gase verbinden sich im Glaskörper der Birne mit den Wolframteilchen, die vom Glühfaden abschmelzen. Direkt am Glühfaden zerfällt diese Verbindung unter der hohen Temperatur. Das Wolfram verbindet sich wieder mit dem Glühfaden. – Das führt zu einer wesentlich längeren Lebensdauer der Halogenbirnen. Da eine Halogenlampe heißer wird als eine »normale« Glühbirne, wird der Glaskörper aus Hartglas oder Quarz hergestellt.*

Chronik des elektrischen Lichts

1812 Sir Humphry Davy, Begründer der Elektrochemie, erfindet die Lichtbogenlampe. Ab 1815 wird sie als Sicherheitsleuchte in Kohlegruben verwendet.

1836 Der Belgier Jobart entwickelt die Theorie zur Glühbirnenfunktion.

1854 Heinrich Goebel erfindet die erste Glühlampe und führt sie in New York vor. Wie Thomas Alva Edison, der seine Birne erst 20 Jahre später entwickelte, benutzt er einen verkohlten Bambusfaden in einer luftleeren Glasbirne als Glühdraht.

1873 Alexander Lodygin bringt im russischen St. Petersburg die erste elektrische Straßenlaterne zum Leuchten.

1877 Thomas Alva Edison macht erste Versuche mit Materialien für eine Glühlampe.

1878 Der Engländer Joseph Swan stellt sein Modell einer nur kurz brennenden Glühlampe vor.

1879 Thomas Alva Edison präsentiert die erste lang brennende Glühbirne. Dieses Modell brennt über 13 Stunden. Gleich nach dieser Entwicklung beginnt er elektrische Kraftwerke zu planen, um die Erfindung auch nutzen zu können. Das erste Kraftwerk wird 1884 in New York (USA) in Betrieb genommen.

1883 Joseph Swan und Thomas Alva Edison gründen nach langen Patentstreitigkeiten um die Erfinderschaft der Glühbirne eine gemeinsame Firma, die Edison & Swan Electric Light Company.

1895 Der Franzose Antoine-Henri Becquerel legt die Grundlagen der Leuchtstoffröhre. Er findet heraus, daß bestimmte Gase leuchten, wenn sie – in eine Glasröhre gefüllt – von Strom durchflossen werden. Er experimentiert anschließend mit Leuchtstoffen, um das Licht heller zu machen.

1909 Georges Claude erfindet mit einer Neonröhre die erste Leuchtröhre. Sie ist der Vorläufer der heute verwandten Energiesparlampen.
Claude plante, die Beleuchtung in Haushalten einzusetzen, wegen ihres roten Lichts wurde sie aber nur in der Werbung verwendet.

1936 Arthur H. Compton demonstriert in Washington (USA) die erste Leuchtstofflampe. Sein Arbeitgeber, die General Electric Company und die Konkurrenzfirma Westinghouse beginnen 1939 diese neuen Lampen zu bauen.

Heiße Haushaltshilfen

Nach der Erfindung der Glühbirne setzte bald eine Elektrifizierung der Städte ein: Strom war überall und ständig verfügbar. In der Folge wurde eine Unzahl von Haushaltsgeräten entwickelt, die die bequeme Energieform nutzten. Neue Geräte wurden erfunden, vor allem aber wurden schon gebräuchliche Geräte auf Elektrobetrieb umgestellt. So wie Glühbirnen die Gas- und Öllampen ersetzten, verdrängten Elektroherde die Holz- und Kohleherde. Elektrische Heizungen, Bügeleisen und Toaster wurden entwickelt.

Alle diese Geräte wandeln elektrischen Strom mit einem Widerstandsdraht in Wärmestrahlung um. – Die Hitze, die bei der Glühbirne einen großen, aber unvermeidlichen Energieverlust darstellt, wird etwa im Elektroherd gezielt erzeugt: Nachdem holzbefeuerte Backöfen in Europa schon 4000 Jahre bekannt waren, kam Charles E. Armstrong 1916 auf die Idee, in einen Holzbackofen einen Heizdraht einzubauen – der elektrische Backofen war

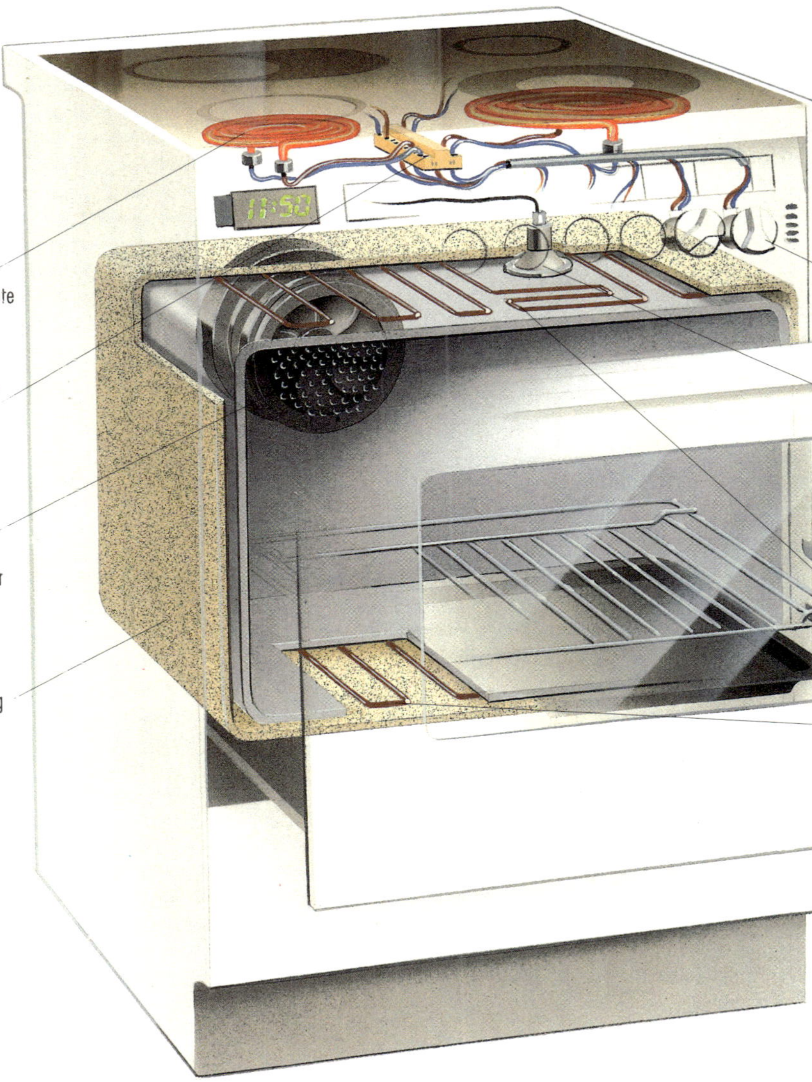

Elektroherd

Die verschiedenen Kochplatten und die Backröhre des Herdes können über Regler unabhängig voneinander auf verschiedene Temperaturen eingestellt werden. Bei den ***Kochplatten*** *wird die Temperatur über Schalter in mehreren Stufen geregelt. Meist sind dies sechs Schaltstufen, die in Halbschritten von Null bis drei eingestellt werden können. Der Schalter leitet – je nach Stellung – den Strom über verschiedene Widerstände. Diese begrenzen den Strom, der die* ***Heizwendel*** *unter der Glas- oder Eisenkochplatte erreicht und damit die Energiemenge, die von der Heizwendel in Wärme umgesetzt wird. Es werden dabei nur vier regelnde Widerstände gebraucht: In der Stellung »Drei« fließt aller Strom direkt zur Heizwendel, in der Stellung »Null« wird der Stromfluß völlig ausgeschaltet. Im* ***Backofen*** *kann die Temperatur von 0 bis 250°C eingestellt werden. Ein Thermostat schaltet den Ofen an oder aus, sobald die gewählte Temperatur erreicht oder unterschritten wird. Die Hitze wird von Heizwendeln im Boden und an der Decke des Garraums erzeugt. Für eine bessere Verteilung der Wärme sorgt im Umluftherd ein* ***Ventilator****.*

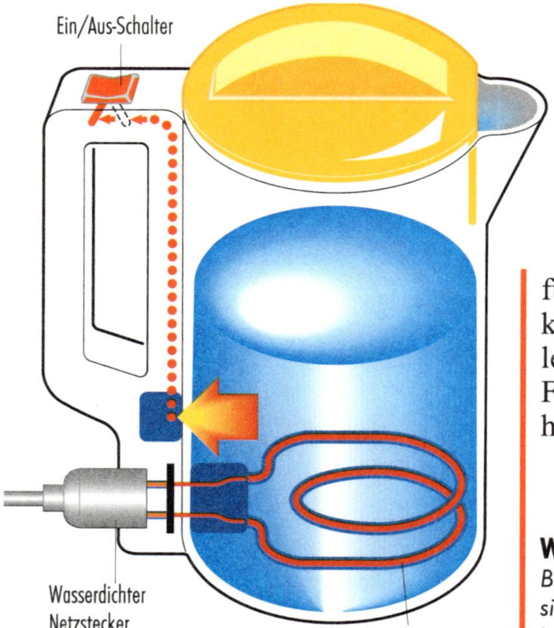

geboren. Doch schon vorher waren Heizplatten in Gebrauch, aber erst in dieser Kombination war der Herd mit mehreren Kochplatten und einem Backofen erfunden.

Nach diesem Prinzip erzeugen die meisten Herde die Hitze. 1984 wurde aber in Deutschland eine Herdplatte erfunden, die keine direkte Hitze erzeugt. Trotzdem kann diese Induktionskochplatte Speisen erhitzen. Sie funktioniert ähnlich wie ein Mikrowellenherd: Es werden keine Wärmestrahlen erzeugt, sondern die Wassermoleküle der Speisen durch wechselnde elektomagnetische Felder aneinander gerieben. – Diese Moleküle werden heiß, die Herdplatte bleibt kalt.

Wasserkocher
Bei modernen elektrischen Wasserkesseln befindet sich das einem Tauchsieder ähnliche, isolierte Heizelement aus Widerstandsdraht im Kesselinneren.

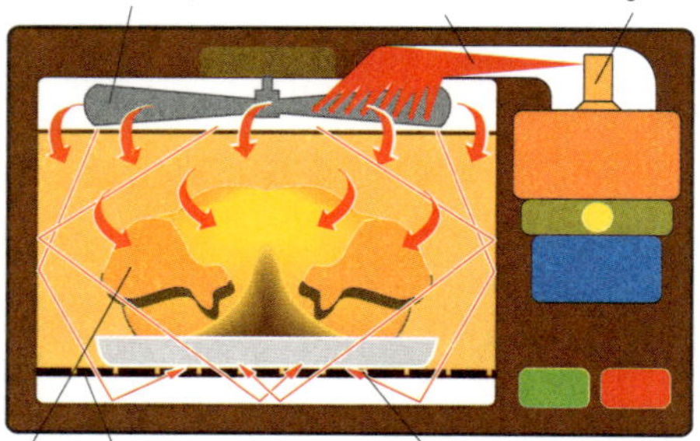

Mikrowellenherd
Mit Mikrowellen können Speisen und Getränke sehr schnell erhitzt werden. Diesen Effekt entdeckte Percy Daron Spencer 1946 zufällig, als ihm bei Forschungen über sehr kurze Strahlungswellen ein Bonbon in der Tasche schmolz. Der Mikrowellenherd erzeugt Wellen mit einer sehr kurzen Wellenlänge von 12 cm (Mikrowellen). Diese regen Moleküle zu schnellen Bewegungen an und erzeugen so Reibungswärme. Mikrowellen erzeugen Hitze ohne Umweg über die Wärmestrahlung und dadurch sehr energiesparend. Besonders schnell bewegen Mikrowellen Wassermoleküle, Keramik dagegen wird durchdrungen, Metall reflektiert die Wellen. Daher bleiben solche Gefäße im eingeschalteten Mikrowellenherd kalt.

Chronik der »Wärme-Haushaltsgeräte«

1882 Der US-Amerikaner Henry W. Seely erhält das Patent auf ein elektrisches Bügeleisen. Es ist jedoch nicht zu verkaufen, da Haushalte noch keinen Strom haben. Erst 1891 kommt das erste elektrische Bügeleisen auf den Markt, 33 Jahre später das Bügeleisen mit einem hitzesteuerenden Thermostat und 1926 das Dampfbügeleisen.

1892 Die beiden Engländer R. E. Bell Crompton und H. J. Dowsing lassen eine Elektroheizung patentieren. Als Widerstandsdraht dient Eisendraht. Im Jahre 1906 entwickelt der US-Amerikaner Albert Marsh diese Heizung weiter. Er benutzt zum Heizen einen Chrom-Nickel-Draht, der ohne Luftabschluß und ohne zu schmelzen glühend wird. Sechs Jahre später baut C. R. Belling in England mit diesem Draht die ersten Heizgeräte, die aussehen und funktionieren wie heutige Heizlüfter. Der Draht wird dabei auf das von Belling entwickelte feuerfeste Steinschamott gewickelt.

1893 Der erste elektrische Wasserkessel, dessen Heizdraht jedoch schnell durchbrennt, wird in den USA verkauft. Er benutzt als Heizelement einen isolierten Eisen-Widerstandsdraht. Nach diesem Prinzip werden erste eiserne Kochplatten entwickelt.

1909 Die Firma General Electric verkauft erste Toaster. Sie erzeugen die Hitze mit Widerstandsdrähten, die um isolierende und hitzebeständige Platten aus Glimmerquarz gewickelt werden. Charles Strite entwickelt den Toaster 1918 weiter. Bei seinem Modell wird das Brot von beiden Seiten gebräunt und anschließend ausgeworfen.

1916 Charles E. Armstrong erfindet den elektrischen Haushalts-Backofen.

1923 Der Engländer A. L. Large erfindet den ersten brauchbaren elektrischen Wasserkessel. Bei diesem befindet sich das Heizelement im Kesselinneren, was gegenüber früheren Modellen viel Energie einspart.

1924 Das erste Bügeleisen mit eingebautem Thermostat wird von Joseph W. Myers erfunden.

1940 John Randall erfindet das Magnetron für die Radargeräte des britischen Militärs. Dieses Magnetron erzeugt besonders kurze elektromagnetische Wellen, die Mikrowellen.

1946 Percy Daron Spencer entdeckt bei Forschungsarbeiten zufällig, daß Mikrowellen Gegenstände erhitzen können. Schon ein Jahr später entwickelt daraus eine US-amerikanische Elektrogeräte-Firma den Mikrowellenherd mit dem Wellen erzeugenden Magnetron.

1984 Die Induktionskochplatte wird vom deutschen Ingenieur Anton Seelig erfunden.

Bewegung durch Strom

Staubsauger, Mixer, Ventilatoren, Bohr-, Wasch- und Nähmaschinen verdanken – wie unzählige andere Geräte – ihre Existenz dem Elektromotor. Wie alle Motoren dient er dazu, eine Antriebswelle zu drehen. Nachdem Michael Faraday 1831 den Zusammenhang zwischen Strom und Magnetismus entdeckt hatte, dauerte es nicht lange, bis er ein Modell des Elektromotors, kurz E-Motor, entwickelte – eine Maschine, die mit elektrischer Energie Magnetismus erzeugt, dessen Kraft für eine Drehbewegung genutzt wird.

Im Inneren des E-Motors liegt, auf einer Antriebsachse drehbar gelagert, ein Elektromagnet. Er hat wie jeder Magnet einen magnetischen Plus- und Minuspol. Um diesen »Rotor« genannten Magneten herum liegt ein zweiter, halbkreisförmiger Magnet, der »Stator«. Wird der Rotor gedreht, entsteht eine Kraft: Der Pluspol des Rotors wird vom Minuspol des Stators angezogen und umgekehrt. Dieses Magnetfeld dreht den Rotor aber immer nur solange, bis die Position der höchsten Anziehungskraft erreicht ist – dann, wenn der Pluspol des einen Magneten dem Minuspol des anderen gegenübersteht. Nach höchstens einer halben Drehung bleibt der Rotor daher stehen. Es entsteht keine

Elektromotor

Im Staubsauger treibt der Elektromotor einen Flügelventilator an. Dieser saugt Luft aus dem davorliegenden Beutelraum und bläst sie aus dem Staubsauger. Die Luft kann im Staubsauger nur einen Weg nehmen: Vom Schlauch aus muß sie einen luftdurchlässigen Papierbeutel durchqueren, ehe sie wieder in die Umgebung geblasen wird. Größere Teilchen – etwa Staub oder Haare – können die Poren des Papierbeutels nicht durchdringen und werden im Beutel zurückgehalten. Ein Stoffsack um den Papierbeutel schützt diesen davor, vom starken Luftzug des Ventilators zerrissen zu werden. Ein Gitter zwischen Beutelraum und Motorraum verhindert daß große Teile den Ventilator beschädigen, wenn sie einmal durch Beutel und Sack dringen sollten.

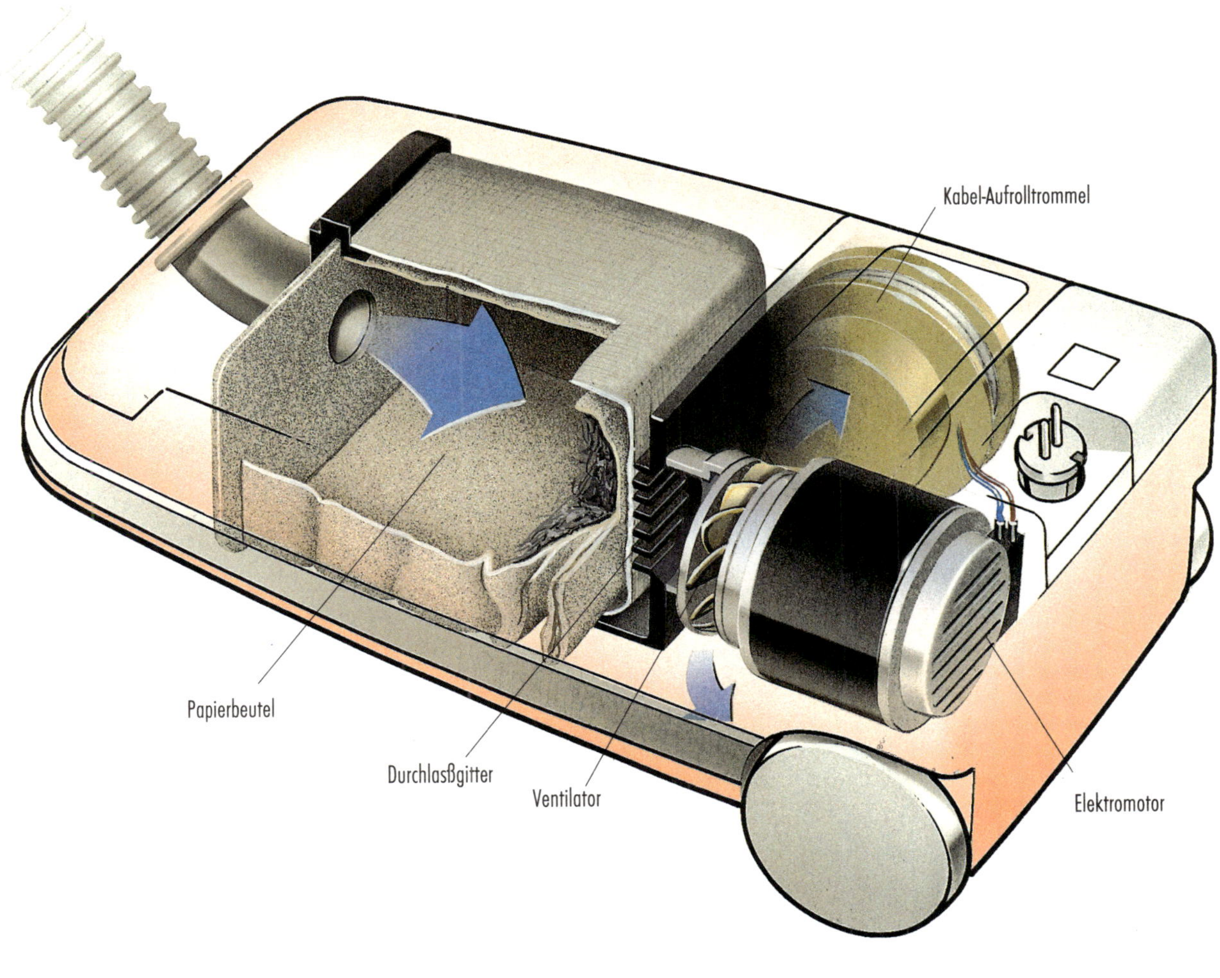

ständige Drehbewegung, mit der Geräte angetrieben werden können.
Michael Faraday fand eine einfache Lösung: Nach jeder halben Umdrehung der Antriebswelle muß der Pluspol des Rotors zum Minuspol werden und umgekehrt. Dazu wird nach jeder halben Umdrehung des Rotors die Fließrichtung des elektrischen Stroms gewechselt. Dabei kehrt sich die Ausrichtung des Magnetfelds, die von der Stromflußrichtung abhängt, um. Für Faraday war es nicht schwer, einen Elektromotor zu bauen. Kurz zuvor hatte er den Generator erfunden, der Strom mit wechselnder Fließrichtung – sogenannten Wechselstrom – »automatisch« erzeugt. Beim Gleichstrommotor muß das Wechseln der Stromrichtung erst erzeugt werden. Das geschieht mit dem »Kommutator«: Zwei Kontaktbürsten leiten den Strom zu jeweils einem Drahtende der Rotor-Magnetspule. Nach jeder halben Umdrehung sind diese Kontakte mit dem jeweils anderen Drahtende verbunden. – Der Stromfluß und das Magnetfeld werden so nach jeder halben Umdrehung

Gleich- und Wechselstrom

Die Energie des Stroms kann unabhängig davon genutzt werden, aus welcher Richtung er fließt. Daher können Elektromotoren mit Gleich- und Wechselstrom betrieben werden. Gleichstrom, wie er von Batterien erzeugt wird, fließt immer nur in eine Richtung. Beim Wechselstrom, den Generatoren in Stromkraftwerken erzeugen, wechselt ständig die Fließrichtung des Stroms – wie oft, hängt davon ab, wieviele Umdrehungen der Rotor im Generator zurücklegt. In Europa sind dies 50 Umdrehungen pro Sekunde. – der Strom aus der Steckdose ändert ständig die Richtung.

Elektromagnet als Motor

Der Elektromagnet nutzt einen besonderen Effekt der Elektrizität: Immer wenn Strom durch einen Draht fließt, entsteht auch ein Magnetfeld um diesen Draht herum. Je stärker der Strom ist, der den Draht durchfließt, desto stärker wird dieses Magnetfeld. So kann elektrischer Strom direkt in Magnetismus umgesetzt werden. Das Magnetfeld um einen Draht herum ist aber auch bei hohem Strom nur schwach. Um einen Elektromotor zu bauen, wird aber ein starkes Magnetfeld gebraucht. Dieses Feld läßt sich vergrößern, indem viele Drähte über einem magnetisierbaren Gegenstand übereinandergelegt werden. Im Elektromagnet wird dies mit einem einzigen Draht erreicht, der um einen Eisenkern herumgewickelt wird. Ein solches Drahtbündel mit vielen Wicklungen wird »Spule« genannt. Um eine Antriebswelle gewickelt bilden beide zusammen im Elektromotor den »Rotor«. Der Rotor ist also ein Elektromagnet, der auf einer drehenden Achse gelagert ist.

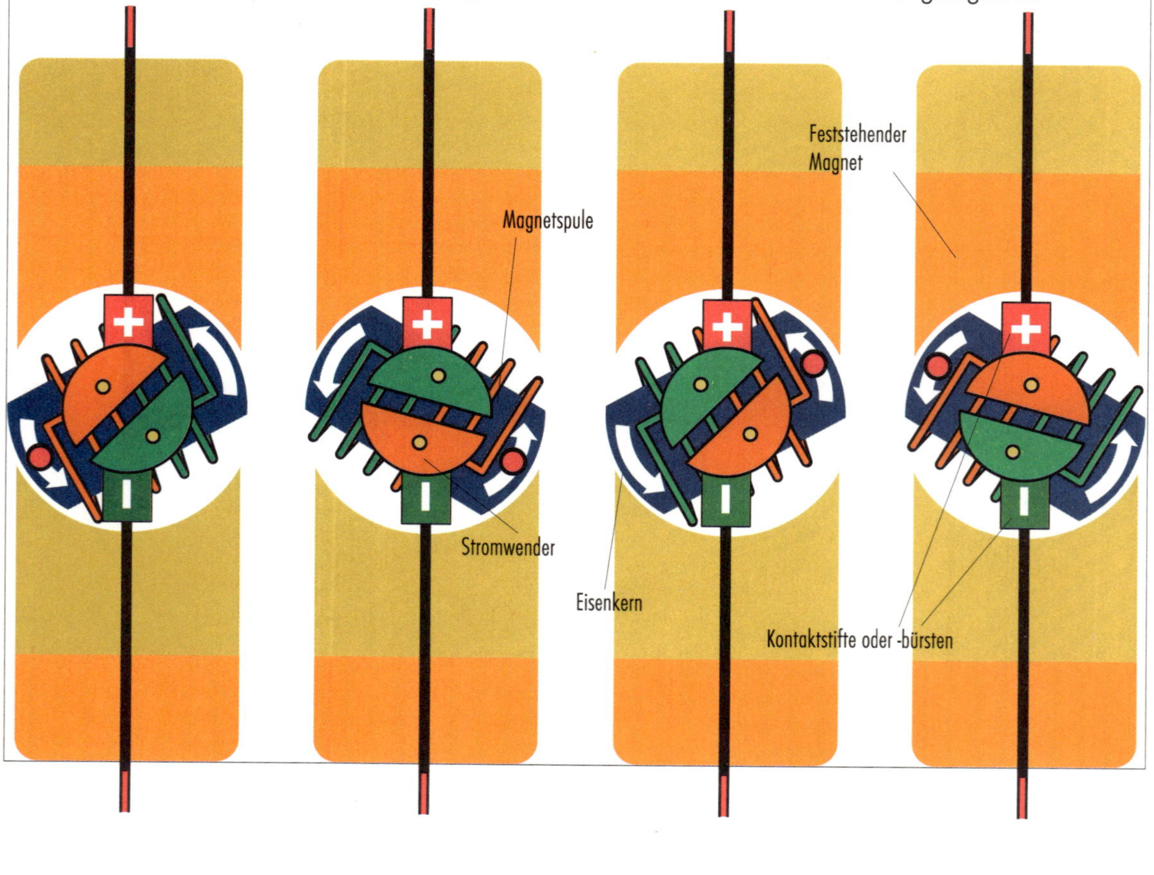

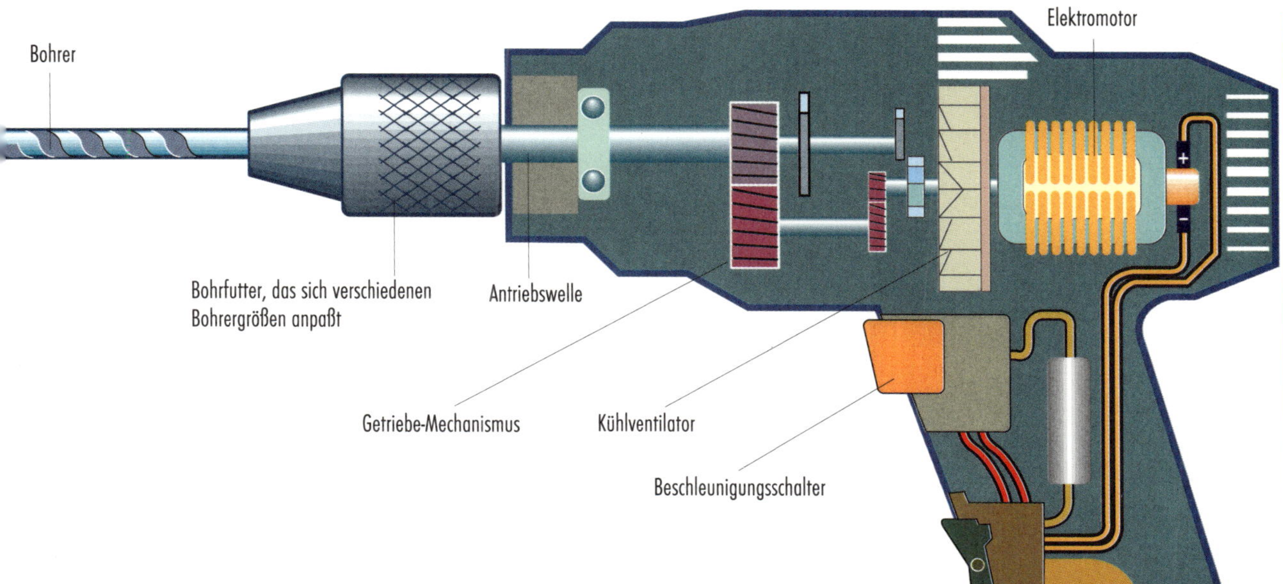

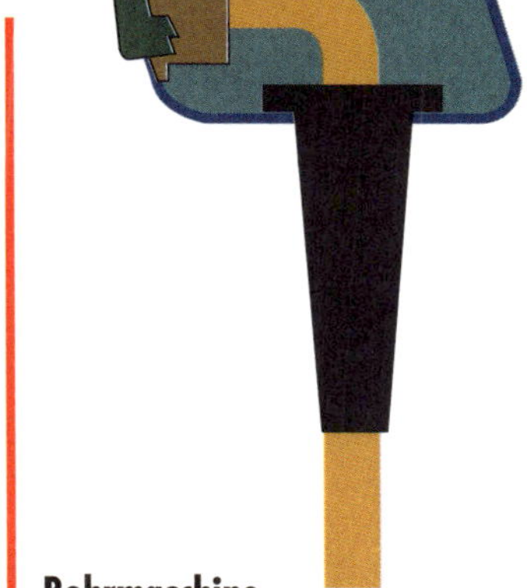

umgekehrt. Damit sich die Antriebswelle ruckfrei und gleichmäßig dreht, bestehen Rotoren heute aus mehreren Drahtspulen. Jeder dieser Elektromagnete hat seinen eigenen Stromwender. Auch der feststehende »Stator« ist heute meist ein Elektromagnet. Nur bei kleinen Motoren besteht er noch aus einem Eisenmagnet. Die Umwandlung von Strom in Magnetismus ist bei beiden ein Vorgang, der mit wenig Energieverlust vor sich geht: Elektromotoren setzen bis zu 95 Prozent der eingesetzten Energie in mechanische Bewegung um.

Bohrmaschine
Haushaltsbohrmaschinen besitzen einen ***Elektromotor,*** *der bis zu 25000 Umdrehungen pro Minute (U/min) leistet. Ein* ***Ventilator*** *kühlt den Elektromotor, ein meist mit zwei Gängen versehenes Getriebe sorgt für die Kraftübertragung vom Motor auf das Bohrfutter. In dieses Bohrfutter werden die Bohrer eingespannt, die – sich schnell drehend – Löcher in Holz, Beton, Stahl und andere Materialien schneiden.*

Chronik des Elektromotors

1831 Michael Faraday entdeckt den Zusammenhang zwischen elektrischem Strom und Magnetismus. Er erfindet gleichzeitig den Elektromotor und den Generator. Haushaltsgeräte mit elektrischem Antrieb setzen sich allerdings erst durch, nachdem Strom überall verfügbar ist.

1901 David E. Kenney erhält in den USA das erste Patent auf einen Staubsauger. Ein verbessertes Modell baut der Erfinder Murray Sprengler ab 1907 mit seinem Cousin William B. Hoover.

1901 Nachdem seit 1830 handbetriebene Maschinen das Wäschewaschen erleichtern, erfindet der US-Amerikaner Alva J. Fisher die elektrische Waschmaschine. Erst um 1940 beginnt die Serienproduktion dieser neuen Haushaltshilfe.

1908 Das erste Patent auf eine elektrische Zahnbürste wird erteilt.

1910 Drei US-amerikanische Erfinder, Fred Osius, Chester Beach und L.H. Hamilton entwickeln gemeinsam den ersten mit Gleich- und Wechselstom arbeitenden Haushalts-Elektromotor.

1912 Die elektrische Geschirrspülmaschine wird entwickelt, nachdem ab 1850 erste mechanische Modelle eingesetzt wurden. Eine automatische Spülmaschine mit mehreren gesteuerten Programmschritten wird 1940 in den USA erfunden.

1917 Duncan S. Black und Alonso G. Decker erfinden in den USA die Handbohrmaschine. Dieser erste Handbohrer mit Pistolengriff wiegt 11 kg. Erst ab 1945 werden Handbohrmaschine wesentlich kleiner und leichter.

1923 Die US-amerikanische Firma Air-O-Mix entwickelt den Rührmixer. Er basiert auf dem Elektromotor von Fred Osius, Chester Beach und L.H. Hamilton.

1928 Jacob Schick erfindet in Amerika den Elektrorasierer.

1937 Die US-amerikanische Firma Hobart bringt eine elektrische Kaffeemühle auf den Markt.

Wärme an jedem Ort

Viele Erfindungen dienen dazu, eine angenehme Raumtemperatur zu schaffen. Wo es zu heiß ist, installieren die Menschen Maschinen, um die Umgebungsluft zu kühlen; ist es zu kalt, sorgen Heizungen für angenehme Temperaturen. In Industrieländern besitzen heute die meisten Häuser eine Zentralheizung. Die Wärme wird an einem Ort erzeugt und im Haus verteilt.

Die Menschen der Frühzeit wärmten sich seit der Entdeckung des Feuers an offenen Feuerstellen. Herde oder Heizungen waren völlig unbekannt. Auch in der Antike standen lediglich gemauerte Küchenherde als Heizung zur Verfügung. Es wurden für die Häuser der Reichen jedoch schon erste Systeme entwickelt, die Hitze auch in andere Räume trugen. So begannen die Griechen 500 v.u.Z.,

Energieausbeute

Hausheizungen verschwenden neben Autos am meisten Erdöl. Sie sind am Energieverbrauch Mitteleuropas mit rund einem Drittel beteiligt und nutzen die Energie nur unzureichend. Dabei pusten sie auch noch giftige Abgase in die Luft. Daher werden immer wieder neue Modelle entwickelt, die den Kraftstoff besser und ungiftiger ausnutzen. Vor allem durch Herabsetzen der Brenntemperatur und Steuerung der Verbrennung kann ein Heizungskessel wirtschaftlicher und schadstoffarm arbeiten.

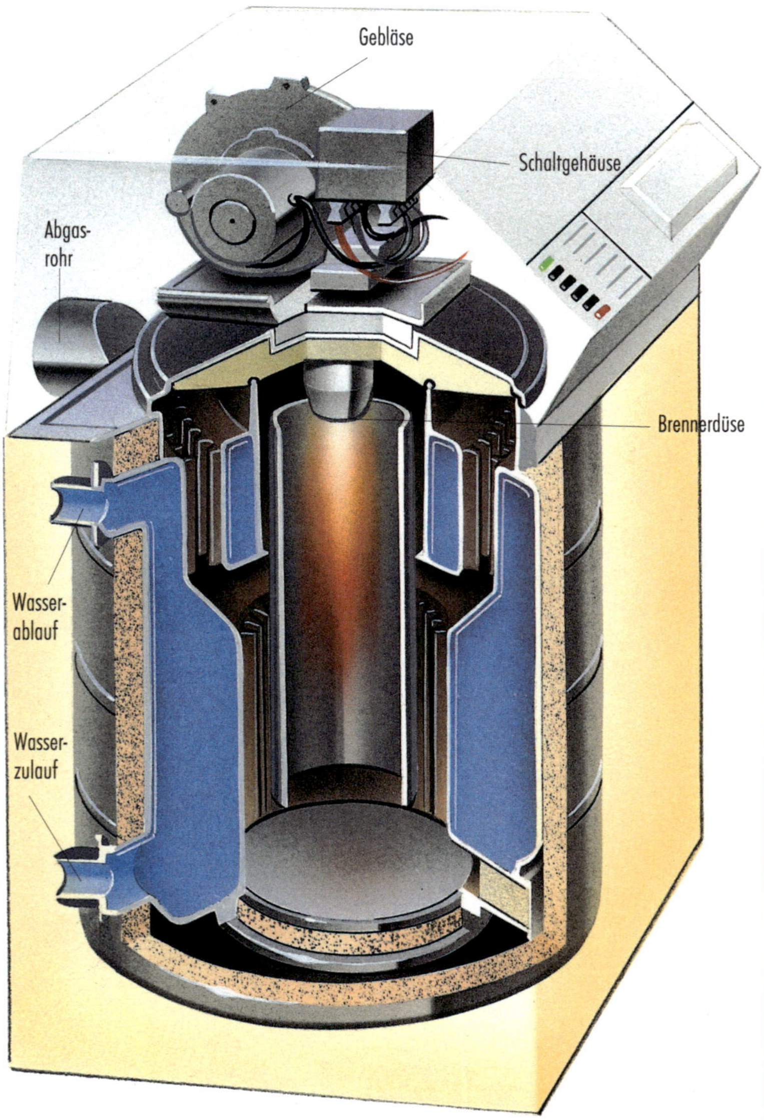

Heizbrenner

Moderne Heizbrenner können bei geringer Temperatur arbeiten und setzen dabei nur wenige ***Schadstoffe*** *frei. Bei diesem Modell wird die Heizflamme von oben nach unten gerichtet. Da gleichzeitig der* ***Abgasschlot*** *oben sitzt, werden unverbrauchte Brennstoffe im Abgas auf dem Weg zum Schornstein auch noch verbrannt, wenn sie an der Brenndüse vorbeiströmen. Dadurch entsteht kaum noch* ***Kohlendioxid*** *(CO_2), das als »Treibhausgas« die Erhitzung der Erdathmosphäre mitverursacht. Ein solcher Brenner verbraucht mit einem halben Kilogramm Öl pro Stunde nur rund ein Zehntel dessen, was Heizungen noch vor wenigen Jahren verbrannten.*

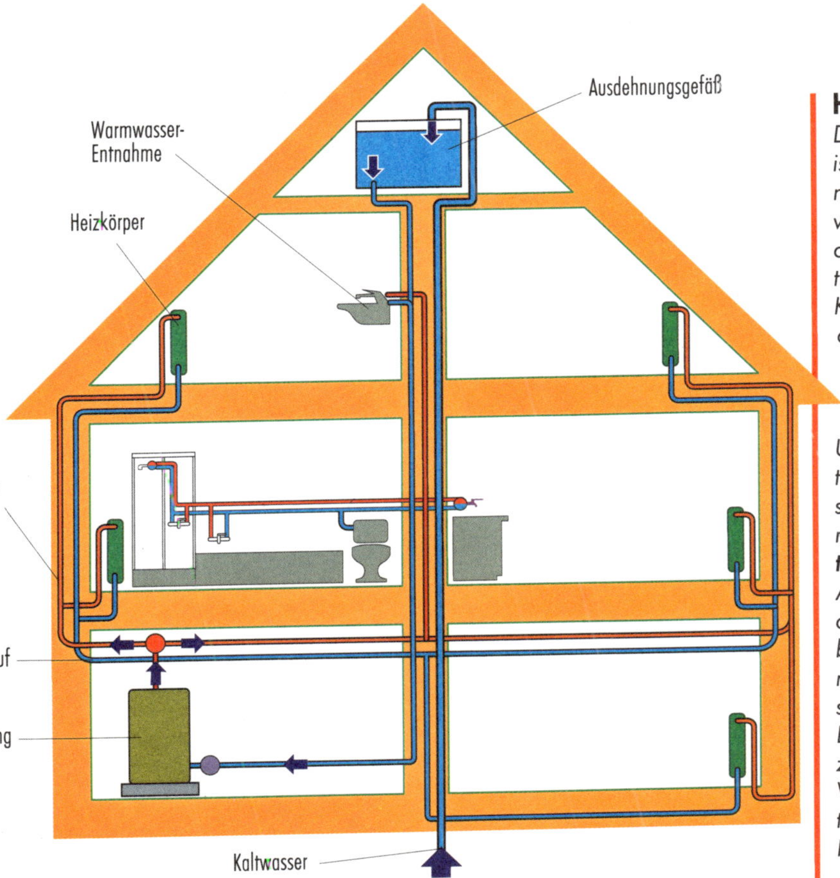

Heizsystem
Da warmes Wasser etwas leichter ist als kaltes Wasser, steigt es nach oben. Besitzt ein Haus nur wenige Stockwerke, reicht das aus, um das Wasser zu transportieren. Vom ***Heizungsbrenner*** *im Keller wandert es von selbst zu den Heizkörpern in den darüberliegenden Wohnungen. Wenn es in die* ***Heizkörper*** *geflossen ist, gibt es dort Wärme an die Umgebungsluft ab und wird kälter. Dieses kältere Wasser wird schwerer und sinkt im geschlossenen* ***Rohrleitungssystem*** *einer* ***Zentralheizung*** *wieder nach unten. Am Brenner angelangt, wird es dort wieder erhitzt – der Kreislauf beginnt von vorn. Ein Ausdehnungsgefäß auf dem Dachboden sorgt dafür, daß nicht ein zu hoher Druck im Heizungssystem Rohre zum Platzen bringt. – Auch das Warmwasser aus der Wasserleitung wird vom Heizbrenner im Keller erwärmt.*

Kohlebecken mit glühender Kohle in verschiedene Räume zu tragen. Erste echte Zentralheizungen wurden in den Bädern Griechenlands erfunden. Etwa 200 v. u. Z. konnte die Wärme großer Feuerbecken über Leitungssysteme verteilt werden. Schnell ging man dann zur Fußboden- und Wandheizung über. Dafür wurde in einem besonderen Brennraum ein Feuer entzündet. Die heißen Abgase wurden anfangs nur durch sehr niedrige Räume direkt unter dem Boden der zu heizenden Räume gelenkt. Im ersten Jahrhundert kam zur besseren Wärmenutzung die Ableitung der heißen Luft durch Hohlwände an den Raumseiten hinzu. In Indien wurden zu dieser Zeit auch Wandheizungen und -kühlungen entwickelt, die mit Wasser arbeiteten: Bei großer Kälte wurde heißes Wasser in Wandhohlräume eingefüllt, bei großer Außenhitze kaltes Wasser.

Im 19. Jahrhundert wurden erste Zentralheizungen gebaut, wie wir sie heute kennen: Ein Heizbrenner im Keller erhitzt mit Kohle, Gas oder Öl einen Wasserkessel. Von hier aus kann die Wärmeenergie über Rohrleitungen in viele Räume transportiert werden. Es ist am günstigsten, wenn die Zentralheizung im Keller liegt, da so das Wasser in einem selbsttätigen Kreislauf durchs Haus wandern kann. Ist das Haus zu hoch oder der Brenner nicht unter den Wohnungen angebracht, müssen Pumpen das Wasser transportieren.

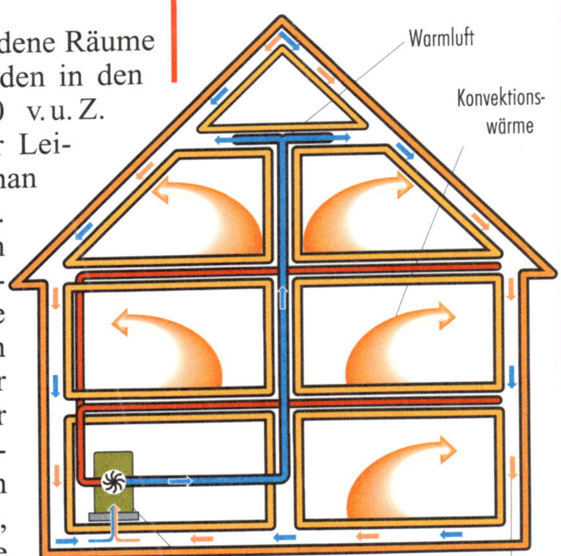

Umluftheizung, *bei der Wände und Böden der Räume durch in Zwischenräumen zirkulierende Warmluft erwärmt werden.*

Kälte an jedem Ort

Damit Lebensmittel möglichst lange frisch bleiben, müssen sie gekühlt werden. Vor der Erfindung des Kühlschrankes transportierten die Menschen natürliches Eis über große Strekken, lagerten Lebensmittel im kühlen Boden und in kalten Höhlen. Bis 1851 der Hauskühlschrank erfunden wurde, war man darauf angewiesen, durch gute Isolierung der Behälter, in die Eis und Kühlgut eingefüllt wurden, möglichst lange Kälte bewahren zu können.

In modernen Kühl- und Eisschränken wird die Kälte mit einer speziellen Kühlflüssigkeit erzeugt. Diese muß schon bei geringen Temperaturen kochen und zu Gas verdampfen. Ein Kühlschrank nutzt das Prinzip, daß alle Flüssigkeiten unter hohem Druck flüssig bleiben, auch wenn ihr Siedepunkt schon erreicht ist. Um diesen Druck zu erzeugen, muß Kraft aufgewendet werden. Diese erzeugt im Kühlschrank ein Elektromotor. Er arbeitet im Kühlschrankkompressor, der die Flüssigkeit zusammenpreßt

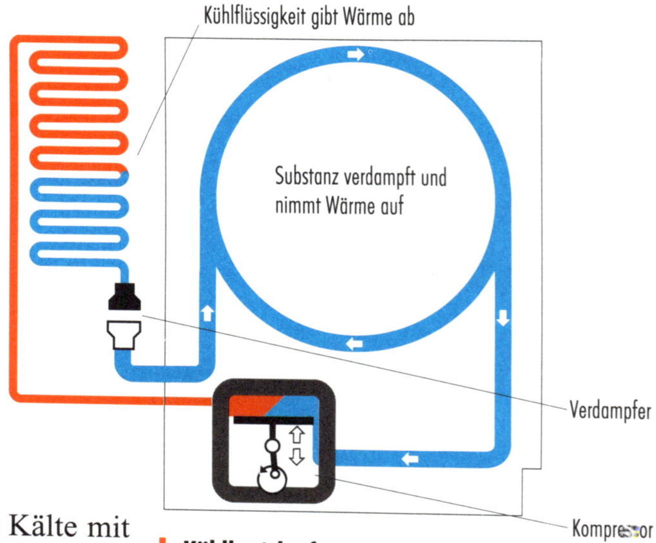

Kühlkreislauf

Mit einem Regler wird im Kühlschrank die gewünschte Temperatur eingestellt. Ein Thermostat schaltet den Kompressor an oder aus, sobald die gewählte Temperatur erreicht oder unterschritten wird. Damit wird der Kühlkreislauf (siehe Text) gestartet oder gestoppt.

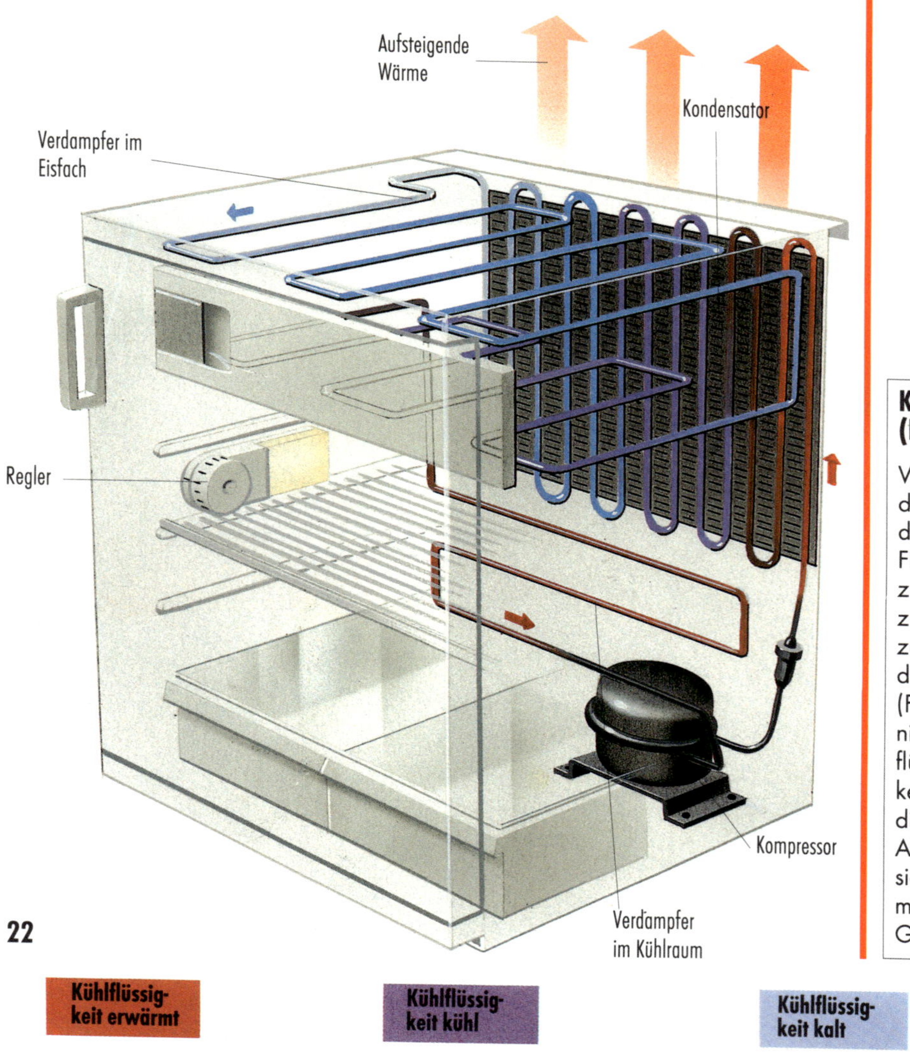

Kühlflüssigkeit (FCKW, CKW, Propan)

Wichtig für eine lange Lebensdauer der Kühlgeräte ist die Art der Kühlflüssigkeit. Nur wenige Flüssigkeiten können ständig zusammengepreßt und wieder zu Gas werden, ohne zerstört zu werden. Zu ihnen gehören die Fluorchlorkohlenwasserstoffe (FCKWs), die nach dem Ammoniak lange Zeit als einzige Kühlflüssigkeit in Kühl- und Eisschränken verwendet wurden. Da diese Gase die Ozonschicht der Atmosphäre zerstören, werden sie der Umwelt zuliebe zunehmend durch eine Propan-Butan-Gasmischung ersetzt.

und in sehr dünne Rohre pumpt. Der Druck führt dazu, daß die Flüssigkeit heiß wird: Sie setzt die Druckenergie in Wärme um. Auf dem langen Weg durch dünne, oft gewundene Kühlspiralen gibt die gepreßte Flüssigkeit die Wärme an die kältere Umgebungsluft ab. Schließlich gelangt sie aus dem Spiralensystem, dem sogenannten Kondensator, in den Verdampfer, einen größeren Raum, in dem kein Druck mehr herrscht. Die Flüssigkeit kann sich dort zu Gas ausdehnen – ein Vorgang, für den sie Energie braucht, die sie kurz vorher in Form von Hitze abgegeben hat. Die einzige Möglichkeit, die Wärmeenergie zurückzugewinnen, besteht darin, sie aus der Umgebungsluft zu gewinnen. Da sich der Verdampfer im Inneren des Kühlschrankes befindet, wird die Energie dem wärmeren Kühlschrankinneren entzogen. – Das Gas wird wärmer, der Kühlschrankinnenraum kälter. Die nachströmende Flüssigkeit drückt nun das Gas durch ein dickeres Rohr zum Kompressor. Dort wird es wieder verflüssigt, und der Kreislauf beginnt von vorne. Kühlschränke erzeugen mit dieser Kältemaschine Temperaturen bis zu etwa -10°C. Eisschränke frieren ihren Inhalt mit größeren Kältemaschinen auf rund -35°C.

Thermoskanne – ein anderes Kühlprinzip

Um möglichst wenig Wärme von außen in den Kühlraum dringen zu lassen, sind Kühlschränke mit einem Stoff umgeben, der wenig Wärme leitet. Dieses ***isolierende Material*** *ist meistens der Kunststoff Styropor. Sehr gut kann aber auch isoliert werden, wenn überhaupt kein Material vorhanden ist, das Wärme leiten kann. Wie aber erzeugt man einen Raum aus »Nichts«? Erfunden hat ihn der englische Physiker Sir James Dewar im Jahre 1892: In der Thermoskanne stehen zwei* ***flaschenförmige Glaswände*** *in geringem Abstand voneinander. Die Luft zwischen den Glaswänden ist herausgepumpt, ein* ***Vakuum*** *ist entstanden. Wird eine heiße oder kalte Flüssigkeit in die Thermoskanne gefüllt, berührt sie immer nur die innere Glasflasche. Diese ist umgeben von* ***luftleerem Raum****. Um die Isolation zu erhöhen, ist die Thermoskanne zwischen den Glasflaschen zusätzlich verspiegelt. Ein Spiegel wirft nämlich nicht nur Licht- sondern auch Wärmewellen zurück.*

Chronik des Kühlschrankes

1834 Jacob Perkins entdeckt in London, daß Gase Hitze abgeben, wenn sie zu Flüssigkeiten zusammengepreßt werden, und Wärme aufnehmen, wenn sie sich wieder ausdehnen.

1850 Erste Kühlkisten werden gebaut. Es sind isolierte Holzkisten, in die Eisblöcke und die zu kühlenden Lebensmittel eingelegt werden. Nach diesem Prinzip kühlt 1867 George Hammond Güterwaggons mit geschlachtetem Vieh.

1851 James Harrison baut und verkauft in den USA die ersten Industriekühlschränke, die mit einer Kühlflüssigkeit arbeiten.

1879 Der deutsche Ingenieur Karl von Linde baut den ersten Haushaltskühlschrank. Als Kühlflüssigkeit benutzt er Ammoniak. Die Kompressionspumpe ist noch dampfgetrieben.

1892 James Dewar erfindet die Thermosflasche um in seinem Labor Flüssigkeiten kühl zu halten.

1904 Reinhold Burger bringt die unhandliche Thermosflasche in eine leicht handhabbare Form. Er schreibt einen Preis für den besten Namen aus, der zu dem Wort »Thermos« - das grichische Wort für »heiß« - führt. Unter diesem bis heute erhaltenen Namen beginnt er die Flasche herzustellen und zu verkaufen.

1913 In den USA werden die ersten elektrisch betriebenen Kühlschränke von der Firma Domelre verkauft.

1915 Clarence Birdseye entwickelt die Tiefkühlkost. - Er beobachtet in Labrador, daß die Einheimischen ihre Fische einfrieren um sie frisch zu halten und entwickelt das Verfahren weiter. 1924 gründet er in New Jersey in den USA eine Tiefkühlkostfirma. Ab 1930 werden die Supermärkte mit kleinen Haushaltsportionen von tiefgekühltem Fleisch, Gemüse und Fisch beliefert. Diese Tiefkühlkost förderte den Verkauf und die Herstellung von Kühl- und Gefrierschränken.

1939 General Electric baut in den USA den ersten Kühlschrank mit einem eingebauten Gefrierfach.

1992 Die ostdeutsche Firma DKK-Scharfenstein entwickelt mit Hilfe der Umweltorganisation Greenpeace einen gänzlich ohne Chlorchemikalien wie FCKW und FKW hergestellten Kühlschrank. Dieses umweltfreundliche Kühlgerät wird von der Konkurrenz bekämpft und für untauglich erklärt. Erst als es sehr gut verkauft wird, wird es von vielen großen Elektrogeräteherstellern nachgebaut.

Schreibwerkzeuge

Mit dem Aufkommen von Handel und Verwaltungen dachten die Menschen darüber nach, wie wichtige Informationen aufbewahrt werden können. Zu diesen Informationen gehörten Steueraufzeichungen ebenso wie Schulden, Bewässerungsregeln und so weiter. Die Menschen begannen, Symbole in Steine, Tontafeln und andere dauerhafte Materialien zu ritzen. Als mit Papyrus-, Pergament- und Papierblättern leichtere und trotzdem dauerhafte Materialien gefunden waren, auf die Aufzeichnungen gemacht werden konnten, wurden Farben und neue Schreibstifte erfunden.

Die erste Tinte entstand etwa 2500 v. u. Z. in China. Sie bestand aus mit Gummi vermischtem Ruß. Dieselbe Tintenmischung wurde 1300 v. u. Z. in Ägypten mit angespitzten Schilfrohren auf Papyrusblätter aufgetragen. Andere Tinten wurden aus farbigen Pflanzensäften sowie aus zerriebenen und mit Wasser vermischten Steinen hergestellt. In China wurden diese Schreibfarben mit Pinseln aus Kamel- und Rattenhaaren aufgetragen.
Im Mittelalter entstanden dann neue Tinten auf der Basis von Ölen. Übliche Schreibgeräte waren große Vogelfedern, die unten angespitzt wurden. Sie waren bis ins 19. Jahrhundert in Betrieb, denn ihr Schaft nimmt Tinte sehr gut auf. Mit ihnen konnte länger geschrieben werden als mit anderen Schreibgeräten. So wie die Federn funktionierten auch die Federhalter, die noch lange nach der Erfindung der Füllfederhalter ein übliches Schreibgerät waren. Sie bestanden aus einem Holz- oder Metallstab, an dem eine metalli-

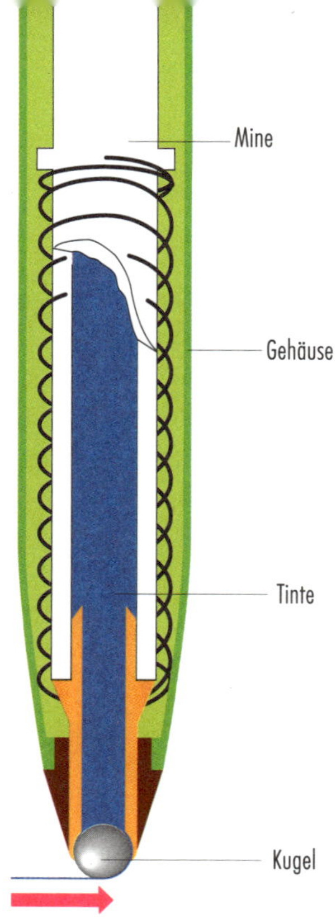

Kugelschreiber
Beim Kugelschreiber wird feste Tinte durch eine rollende Kugel in der Spitze der Schreibmine auf das Papier übertragen. Die Mine dient als Vorratsbehälter der Tinte. Gut funktionierende Kugelschreiber konnten erst gebaut werden, nachdem sehr genau geformte kleine Kugeln aus Metall oder Keramik hergestellt werden konnten.

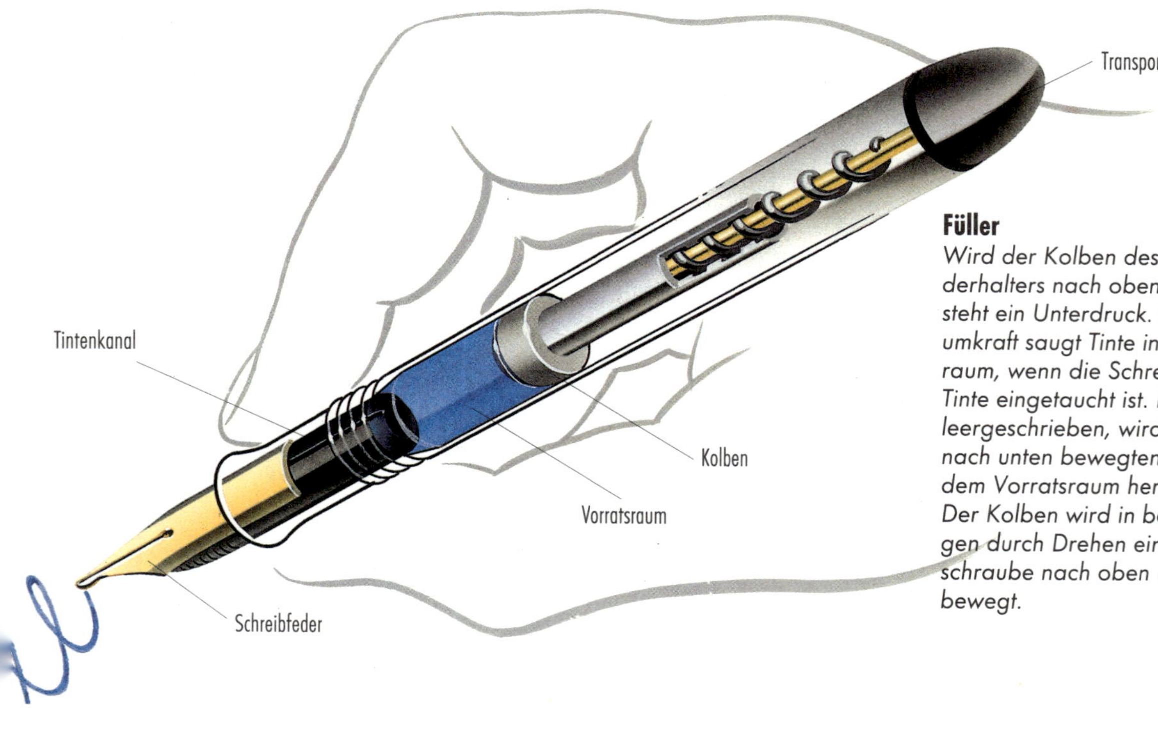

Füller
Wird der Kolben des Kolbenfüllfederhalters nach oben bewegt, entsteht ein Unterdruck. Diese Vakuumkraft saugt Tinte in den Vorratsraum, wenn die Schreibfeder in Tinte eingetaucht ist. Ist der Füller leergeschrieben, wird die Luft vom nach unten bewegten Kolben aus dem Vorratsraum herausgepreßt. Der Kolben wird in beide Richtungen durch Drehen einer Transportschraube nach oben und unten bewegt.

Matrixdrucker

Zu den modernen Geräten, mit denen Schrift auf Papier gebannt wird, gehört der Matrix- oder Nadeldrucker. Dieses Schreibgerät wird von einem Computer angesteuert. Die Buchstaben entstehen, indem der Druckkopf des Druckers immer wieder ein Stück vorgerückt wird. Die einzelnen Drucknadeln im Druckkopf werden auf ein Farbband über dem zu beschreibenden Papier gepreßt. Die Farbe wird so – Punkt für Punkt – an der vorgesehenen Stelle aufs Papier übertragen.

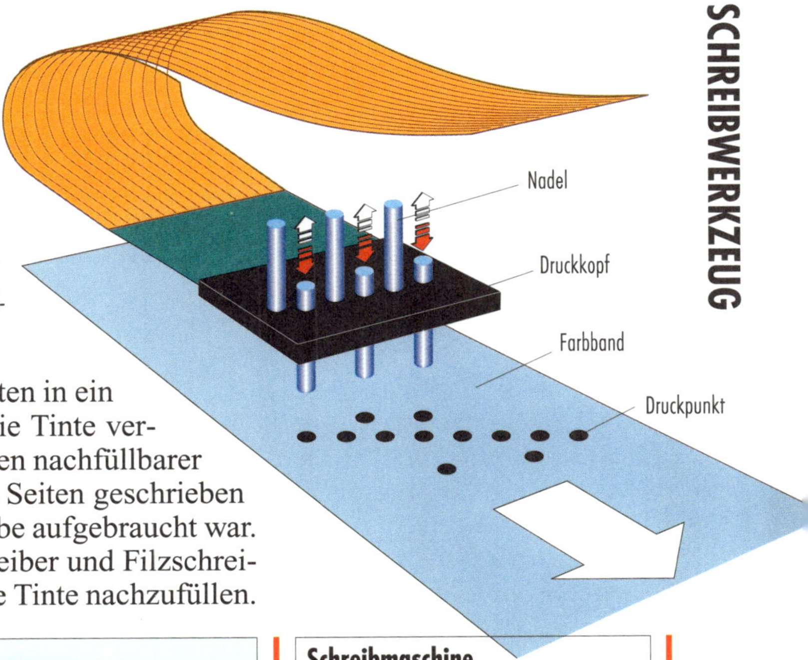

sche Feder befestigt wurde. Beide mußten in ein Tintenfaß eingetaucht werden, wenn die Tinte verschrieben war. Erst mit dem Aufkommen nachfüllbarer Füllfederhalter um 1800 konnten viele Seiten geschrieben werden, bevor der Vorrat an Schreibfarbe aufgebraucht war. Auch die später erfundenen Kugelschreiber und Filzschreiber erlauben ein langes Schreiben, ohne Tinte nachzufüllen.

Chronik der Schreibwerkzeuge

2500 v.u.Z. wird in China die Tinte erfunden, in Ägypten wird sie 1300 v.u.Z. erneut entwickelt.

1564 Erste, noch sehr brüchige Graphitstifte werden im britischen Cumberland hergestellt.

1660 Friedrich Staedler stellt in Nürnberg in Holz eingehüllte Graphitstifte vor. Im gleichen Jahr erfindet William Petty in Irland den Vorläufer der Schreibmaschine – ein handbetriebenes Typensystem.

1770 Der Radiergummi, ein Kautschukblock, mit dem Graphit ohne große Spuren wieder vom Papier zu wischen ist, wird erstmals erwähnt. Der portugiesische Physiker Fernando Magellan soll ihn erfunden haben.

1771 Kaspar Faber entwickelt Graphitstifte, die nicht mehr so leicht zerbröckeln. Er mischte zermahlenes Graphit mit Harzen, Antimon und Schwefel.

1792 Nicolas Jaques Conté stellt die ersten Bleistifte her, die einen Graphitstift und eine Holzhülle verwenden.

1806 Ralph Wedgwood entwickelt Durchschlagpapier. Es besteht aus einem mit Tinte vollgesaugten Papier.

1808 Pellegrine Turri erfindet in Italien eine Schreibmaschine.

1870 Malling Hansen bringt in Dänemark die erste mechanische Schreibmaschine in den Handel. Ch. L. Sholes erfindet sein »Schriftklavier«, die erste moderne Typenschreibmaschine.

1876 Ein verbessertes Modell der Schreibmaschine von Christopher Sholes wird auf eine Industrieaustellung gezeigt, aber verkauft sich noch schleppend. Daraufhin entschließt sich die Herstellerfirma Remington, die Maschinen zu verleihen. Die Firmen wurden überzeugt, und der Schreibmaschinenverkauf wuchs sprunghaft an.

1884 Edson Waterman baut den ersten Füllfederhalter, der nicht austrocknet. Bis dahin sind weltweit mehrere hundert Patente auf schlecht funktionierende Füllfederhalter eingegangen.

1888 John Loud erfindet den Kugelschreiber.

1901 Th. Cahill baut die erste elektrische Schreibmaschine.

1915 Tokuji Hayakawa erfindet in Japan den Drehbleistift. Durch Drehen einer Spindel wird bei ihm eine Graphitmine in einem festen Führungsrohr aus Metall noch vorn gedrückt.

1927 M. Perraud erfindet die Tintenpatrone (1935 patentiert).

1938 Laszlo Biro erfindet den Kugelschreiber in der heutigen Form. Bei diesem Schreibgerät fließt eine feste Tinte in einer Mine nach unten und wird an der Spitze mit Kugel auf das Papier aufgerollt.

1963 Die japanische Firma Pentel entwickelt den ersten Filzstift. Dessen Mine besteht aus einem festen, saugfähigen Material. Der Tintenbehälter ist mit einem watteähnlichen, weichen Material gefüllt.

Schreibmaschine

Die elektronische Schreibmaschine hat heute die mechanischen Modelle abgelöst. In einer elektronischen Schreibmaschine bewegen sich nur noch etwa 100 Teile. – Bei der elektrischen Schreibmaschine waren es noch rund 2500 Teile. Die Grenzen zwischen Schreibmaschine und Computer sind heute fließend. Außer dem eingebauten Druckwerk unterscheiden sich Schreibmaschinen kaum noch vom Elektronenrechner: Sie haben einen Speicher um Texte abzulegen, Diskettenlaufwerke und Anzeigebildschirme.
Lediglich das Farbband hat sich kaum verändert. Es besteht nach wie vor entweder aus einem mit Tinte vollgesaugten Gewebe oder aus einem mit Karbon (Kohle) beschichteten Kunststoffband. Überhaupt nicht verändert wurde die von Christopher Latham Sholes 1870 entwickelte Anordnung der Buchstaben auf der Tastatur. Sie ist heute bei allen Schreibmaschinen und Computern zu finden. Diese Anordnung hatte einen einfachen Sinn: Damit sich die Typenhebel der mechanischen Maschinen nicht verhaken, wurden Buchstaben, die oft hintereinander vorkommen, weit voneinander entfernt angebracht.

Bekleidung

Seit zehntausend Jahren stellen Menschen Bekleidung aus Fellen, Wolle, Seide und Baumwolle her, um sich gegen Kälte, Wind und Regen zu schützen. Spinnräder und Webstühle, die die Verarbeitung der Naturfasern erleichtern, wurden in vielen Kulturen erfunden. Diese Maschinen wurden ständig verbessert. Trotzdem blieb die Herstellung von Bekleidung bis vor etwa 200 Jahren überwiegend Handarbeit.

Mit der Erfindung von mechanischen Webstühlen Mitte des 18. Jahrhunderts wurde die industrielle Revolution in Gang gesetzt. Wegen dieser Mechanisierung gab es auch die ersten Aufstände gegen eine neue Technologie. Durch Maschinen arbeitslos gewordene Weber, die »Maschinenstürmer«, zerstörten die neuen Textilmaschinen. Zu Beginn des 19. Jahrhunderts entstand im englischen Manchester auf der Grundlage mechanischer Webstühle die größte Textilindustrie der Welt.
Bis vor rund 100 Jahren wurden ausschließlich Naturprodukte wie Wolle oder Baumwolle zu Fasern verarbeitet. Dann wurden Chemiefasern wie Viskose und gänzlich künstliche Fasern wie Nylon und Perlon entdeckt.
Die erste Kunstfaser, die Kunstseide aus Zellulose, hatte den Nachteil, daß sie sehr leicht brannte. Sie wurde bald zur Viskose verbessert, indem das brennbare Kollodium nicht mehr zur Herstellung verwendet wurde. Es vergingen fast weitere 50 Jahre, bis 1935 die erste reine Kunstfaser entstand: Nylon. Mit der Entdeckung des Nylons begann der Siegeszug der synthetischen Textilien, die natürliche Fasern eine Zeitlang verdrängen konnten. Anfangs wurde das Nylon nur an das US-amerikanische Militär geliefert, das daraus ab 1939 vor allem stabile Fallschirme für den

Webstuhl

Beim mechanischen Webstuhl werden viele Fäden zwischen zwei Rollen gespannt. Diese Rollen, der Kettbaum und der Warenbaum, sind bis zu 3,5 m breit. Jeder zweite dieser sogenannten Kettfäden wird angehoben und zwischen Ober- und Unterfaden ein »Webschiffchen« oder »Schütze« hin- und her geführt. An diesem Schützen ist der sogenannte Schußfaden befestigt. Jedesmal, wenn er alle Kettfäden passiert hat, werden die oberen Kettfäden von »Schäften« nach unten gedrückt und die unteren Kettfäden angehoben – die Kettfäden klemmen den Schußfaden ein. Anschließend wird der Schütze in die andere Richtung bewegt, der dabei lose verlegte Schußfaden wieder durch den Wechsel von oberem und unteren Kettfäden eingeklemmt und so fort. Moderne Webstühle bewegen den Schützen mit einem Luft- oder Wasserstrahl rasend schnell hin- und her.

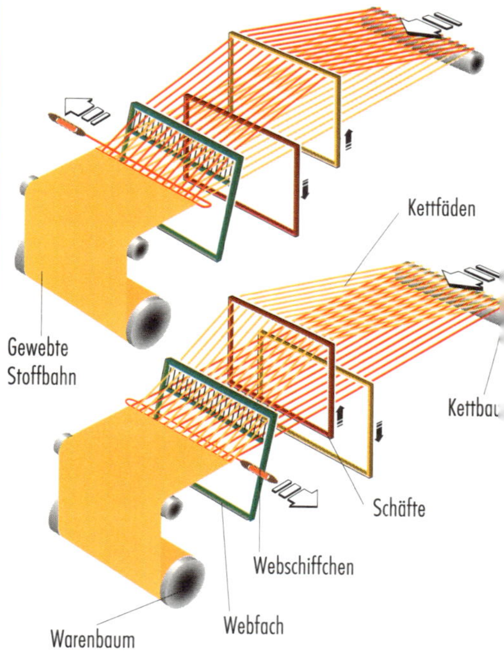

*Links:
Um 1835 waren noch viele Familien damit beschäftigt, in Heimarbeit Fäden zu spinnen und Stoffe zu weben.*

Reißverschluß

Der Reißverschluß hat viele Väter: Seit 1851 wurden rund 1000 Patente eingereicht, mit deren Hilfe Bekleidung knopflos und trotzdem dicht verschließbar sein sollte. Das bis heute gebräuchliche Modell hat zwei Reihen aus Metall- oder Kunststoffzähnen. Die einzelnen Zähne besitzen auf der oberen Seite eine Erhöhung, auf der Unterseite eine pfannenartige Vertiefung. Der Schieber legt jeweils eine Vertiefung auf die Nocke des gegenüberliegenden Zahnes. So werden die einzelnen Zähne übereinandergeschichtet. Da bei jedem einzelnen Zahn die Nocke von einer Vertiefung und jede Vertiefung von einer Nocke der Zähne auf der gegenüberliegenden Seite gehalten wird, sind die Zahnreihen fest miteinander verbunden. Wichtig ist, daß die Zähne auf einem weichen Material wie etwa Stoff befestigt sind. Nur so können sie bei Öffnen und Schließen des Verschlusses leicht nach oben und unten gebogen und so aus der Verbindung heraus- oder in sie hineingehebelt werden.

Zweiten Weltkrieg herstellte. Im Hausgebrauch setzte sich Nylon vor allem als Ersatz für Seidenstoffe durch. Insbesondere Strümpfe und Unterwäsche wurden aus dem neuen Stoff gefertigt. Später ersetzte er vom Operationsfaden bis zum Schiffstau alle Anwendung von Fäden und Leinen. Die US-amerikanische Firma Du Pont besaß das Patent und gab keine Lizenzen aus – kein anderer Hersteller konnte Nylon produzieren. Deshalb erfanden Konkurrenzfirmen von Du Pont andere Kunstfasern, die nun in großer Zahl und unter vielen Markenbezeichnungen auf den Markt kamen. Die Eigenschaften der Fasern wurden dabei immer wieder verändert und verbessert. Heute finden sich Textilien aus Kunstfasern, die gleichzeitig wärmen, nach außen wind- und wasserdicht sind, und trotzdem Körperfeuchtigkeit nach außen leiten können.
Die einzige Kunstfaser aus Naturstoffen ist die Viskose. Zur Herstellung von Viskose werden Zellstoffplatten (Zelluloseplatten) mit Natronlauge und Schwefelwasser-

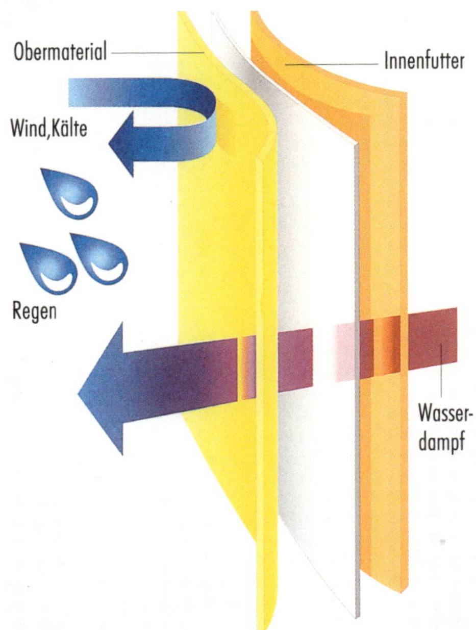

Bei vielen Bekleidungen werden heute Kunstfasern verwendet, die spezielle Eigenschaften haben. Das Material ist für Dampf – etwa in Form von Körperschweiß – durchlässig. Wassertropfen hingegen können den Stoff nicht durchdringen. Damit sind diese Stoffe wasserdicht und zugleich angenehm zu tragen. Problematisch ist aber die Entsorgung der nicht verrottenden Kunstfasern.

stoff zu einer zähen Flüssigkeit gelöst. Diese Flüssigkeit wird durch Düsen in ein Becken mit Schwefelsäure gepumpt, wo sie aushärtet – Viskose genannte Zellulosefäden sind entstanden. Weil die Fäden in einer Flüssigkeit entstehen, wird dieses Verfahren »Naßspinnverfahren« genannt.
Alle anderen Chemiefasern bestehen nicht aus Naturprodukten, sondern aus dünnen Plastikfäden. Sie werden aus Ölprodukten gewonnen. Acrylfasern – etwa Dralon – werden wie Viskose im Naßspinnverfahren erzeugt. Andere Kunstfasern wie Nylon werden hergestellt, indem Nylon-Schnipsel geschmolzen und durch eine Düse gepreßt werden. Nach dem Austritt aus der Düse erkaltet das Material und bildet einen Faden.
Synthetische Fasern sind sehr fest, leicht zu färben, gehen nicht ein, können mit Naturfasern gemischt werden und sind gegen Faulprozesse sowie Motten- und Insektenfraß beständig. Kunstfasern sind leicht zu waschen, da die Faser wenig Schmutz bindet, und sie trocknen sehr schnell, da sie kein Wasser aufnehmen. Kunstfasern nehmen allerdings auch keinen Körperschweiß auf, was sie ohne Zusatz von Naturstoffen im Tragen unangenehm macht.

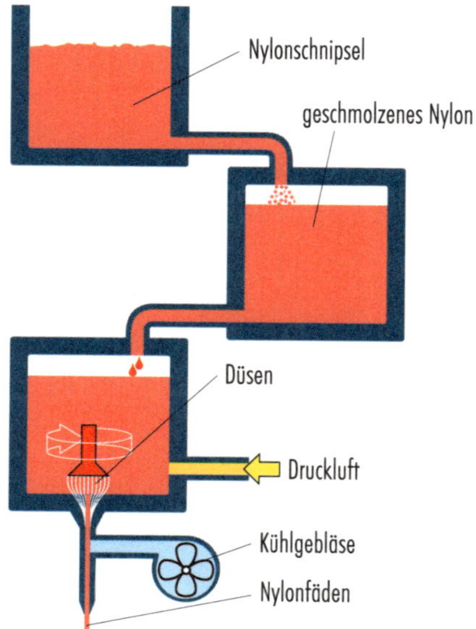

Kunstfaserherstellung
Plastik-Kunstfasern wie Nylon werden im Schmelzverfahren hergestellt. Dazu werden Nylonschnipsel in einem Becken geschmolzen und durch Düsen gepreßt. Nach dem Austritt aus den Düsen werden die Plastikfäden mit Luft gekühlt und auf Rollen gewickelt.

Chronik der Stoffe

5000 v.u.Z. In Ägypten werden erste Stoffe gewebt.

3000 v.u.Z. In China wird der Kokon der Seidenraupe genutzt, um Seide zu gewinnen. Zur gleichen Zeit werden im Industal erste Knöpfe hergestellt.

12. Jh. Das Spinnrad wird von Händlern aus Indien nach Europa eingeführt. Es beschleunigt seitdem auch dort die Herstellung der Bekleidung.

13. Jh. In Europa entstehen mechanische Trittwebstühle.

1733 John Kay erfindet das mechanische Weberschiffchen, den sogenannten Schnellschützen.

1764 James Hargreaves erfindet die Feinspinnmaschine, die das Spinnen von Fäden mechanisiert. Sechs Jahre später erhält er auf die Maschine ein Patent.

1769 Richard Arkwright erhält ein Patent auf seine Flügelspinnmaschine, die die Maschinenweberei mitbegründet. Die Maschine zieht das Garn aus der Wolle und verspinnt es während der Wicklung auf eine Spule. 16 Jahre später wird ihm das Patent wieder aberkannt. Bis dahin hatte er große Spinn- und Webfabriken aufgebaut.

1775 Ch. F. Weisenthal baut die erste mechanische Nähmaschine.

1779 Samuel Crompton erfindet die Mulemaschine. Sie verbessert das Feinspinnverfahren von James Hargreaves so, daß die Maschine das erste Garn herstellt, das ebenso reißfest und gleichmäßig ist wie handgesponnenes Garn. Die Maschine spinnt zudem 1000 Fäden gleichzeitig.

1851 baut und verkauft Isaac Singer in den USA die erste Nähmaschine für den Hausgebrauch.

1880 H. Bauer erfindet den Druckknopf: einen metallischen Knopf aus zwei Teilen, bei dem ein verdickter Teil des Oberteils in eine Vertiefung des Unterteils paßt. Er wird von einer Feder festgehalten.

1884 Der Österreicher Poduschka läßt einen Reißverschluß patentieren.

1891 erfindet Whitcomb L. Judson den ersten marktfähigen Reißverschluß, der 1893 patentiert wird. Er besteht aus einem System von Haken und Ösen, die ineinander geschoben werden.

1889 Hilaire Bernigaud de Chardonnet produziert das erste künstliche Gewebe: die Kunstseide. Sein Verfahren, Gewebe aus Zellulose herzustellen, beruht auf einer Entdeckung des britischen Chemikers Sir Joseph Swan, der die Faser bei Forschungen für Glühlampenfäden erfindet.

1895 Charles Crosset und Ernest Bevan erfinden den Viskose-Stoff ohne Kollodium. Diese neue Kunstseide brennt nicht.

1914 Gideon Sundback erhält in den USA das Patent auf den heute üblichen Reißverschluß. Das US-amerikanische Militär kauft Zehntausende der Verschlüsse, um mit praktischerer Bekleidung in den Ersten Weltkrieg zu ziehen.

1935 Eine Forschergruppe der US-amerikanischen Firma Du Pont entwickelt unter den Leitung von Wallace Hume Carothers die Kunstfaser Nylon. Deren Produktion wird 1939 aufgenommen.

1938 Paul Schlack erfindet in Deutschland das Perlon.

1953 Der Klettverschluß wird vom Schweizer Georges de Mestral zum Patent angemeldet. In fünfjährigen Studien fand er heraus, wie sich die Kletten in Kleidung festhaken und schaffte es, mit Kunststoffen die Häkchen der Kletten nachzubilden.

1953 Die deutsche Firma Opti bringt die ersten Reißverschlüsse mit Kunststoffzähnen auf den Markt. Das Material erlaubt es, die Verschlüsse in jeder beliebigen Farbe herzustellen.

Lasten leichter transportieren

Je höher Häuser gebaut wurden, desto beschwerlicher wurde es, in die obereren Stockwerke zu gelangen. Bis zur Erfindung von Paternoster, Rolltreppe und Aufzug blieb den Menschen nichts anderes übrig, als Treppen zu steigen.

Für die Transportsysteme, die das Gewicht von Menschen bewegen, muß viel Kraft aufgewendet werden. Aufzüge, die sich per Hand oder hydraulisch bewegten, wurden daher eher erfunden als die Rolltreppe: Das bei den ersten Aufzügen angewandte Prinzip, Kraft über Rollen umzulenken, war schon über 1500 Jahren bekannt. Der in der Antike erfundene Flaschenzug erlaubt es, Lasten zu heben, indem längere Zeit eine geringe Kraft aufgewendet wird, anstatt ein großes Gewicht auf einmal zu heben. – Die handbetriebenen Aufzüge des 18. Jahrhunderts konnten ohne Flaschenzug nicht bewegt

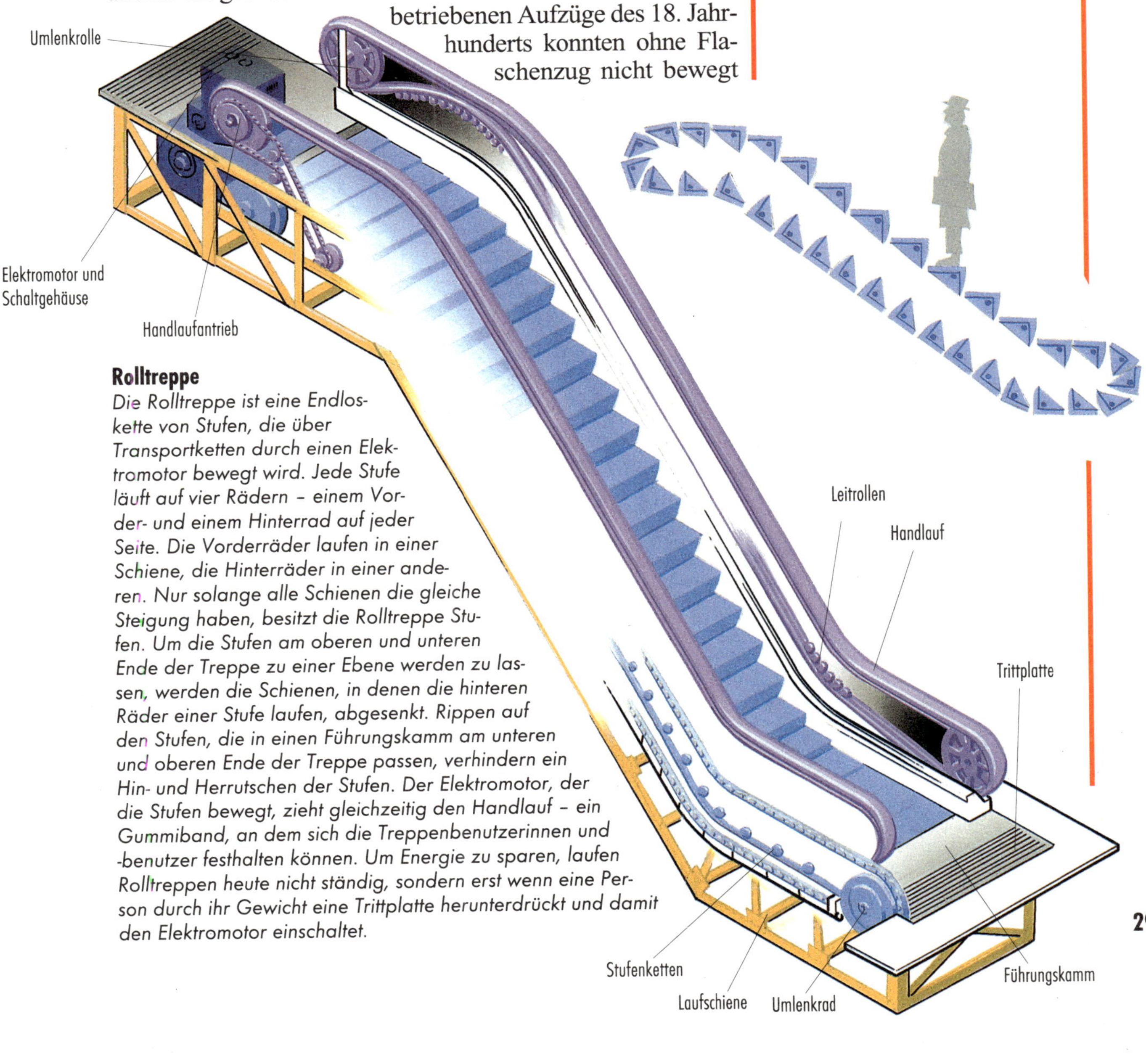

Rolltreppe
Die Rolltreppe ist eine Endloskette von Stufen, die über Transportketten durch einen Elektromotor bewegt wird. Jede Stufe läuft auf vier Rädern – einem Vorder- und einem Hinterrad auf jeder Seite. Die Vorderräder laufen in einer Schiene, die Hinterräder in einer anderen. Nur solange alle Schienen die gleiche Steigung haben, besitzt die Rolltreppe Stufen. Um die Stufen am oberen und unteren Ende der Treppe zu einer Ebene werden zu lassen, werden die Schienen, in denen die hinteren Räder einer Stufe laufen, abgesenkt. Rippen auf den Stufen, die in einen Führungskamm am unteren und oberen Ende der Treppe passen, verhindern ein Hin- und Herrutschen der Stufen. Der Elektromotor, der die Stufen bewegt, zieht gleichzeitig den Handlauf – ein Gummiband, an dem sich die Treppenbenutzerinnen und -benutzer festhalten können. Um Energie zu sparen, laufen Rolltreppen heute nicht ständig, sondern erst wenn eine Person durch ihr Gewicht eine Trittplatte herunterdrückt und damit den Elektromotor einschaltet.

werden. Ein anderes Aufzugprinzip nutzte die Dampfkraft. In sogenannten Hydraulik-Systemen wurde wie bei einer Luftpumpe ein Stab in ein Rohr geschoben, das senkrecht in den Boden eingelassen war. Am unteren Ende war der Stab mit einem Gummi gegen die Innenwand des Rohrs abgedichtet. Auf das obere Ende der Stange war eine Passagierkabine montiert. Wurde Dampf erzeugt und dessen Druck in das Rohr geleitet, hob sich die Stange und mit ihr die Kabine nach oben. Um die Stange zu senken, wurde der Druck über ein Ventil abgelassen. – Ein solcher Aufzug wurde Jahrzehnte im Pariser Eiffelturm benutzt, um Menschen nach oben und unten zu transportieren. Eine andere Sonderform des Aufzugs war der Paternoster. Bei ihm werden viele miteinander verbundene Kabinen ständig in einer Kreisbewegung durch einen Aufzugschacht bewegt. Das Ein- und Aussteigen muß bewältigt werden, während der Paternoster läuft.
Jeder Aufzug, der ohne Muskelkraft bewegt wird, war noch vor 100 Jahren eine Sensation. Heute haben moderne Hochhäuser in den USA mehr als 100 Aufzüge, die 15 000 Personen täglich transportieren.
Eine Computersteuerung sorgt bei diesen modernen Aufzügen dafür, daß die Kabinen den günstigsten Weg zurücklegen. Wird in einem der vielen Stockwerke der Anforderungsknopf für Aufwärts- oder Abwärtsfahrt gedrückt, errechnet der Computer, welche der Kabinen diesem Stockwerk am nächsten ist und in die richtige Richtung fährt. Der Computer kontrolliert außerdem das Gewicht der Kabine und blockiert den Aufzug, wenn er überladen wird.

Chronik der Lastentransportes

100 v.u.Z. Der Flaschenzug wird im antiken Griechenland erfunden. Wahrscheinlich entstand er beim Kranbau.

1743 Ludwig XV. läßt für sein französisches Schloß in Versailles einen Aufzug konstruieren. Er wurde von Hand hochgezogen und herabgelassen, hatte aber schon Ausgleichsgewichte, um den Arbeitern diese Arbeit zu erleichtern.

1829 Der erste mechanische Aufzug wird in London gebaut.

1852 Ein Aufzug mit Sicherheitsbremse wird vom US-Amerikaner Elisha Graves Otis entwickelt.

1857 Elisha Graves Otis baut in ein fünfstöckiges New Yorker Kaufhaus den ersten öffentlichen Aufzug ein.

1867 Léon Edoux stellt auf der Pariser Weltausstellung einen Aufzug mit hydraulischen Kolben vor. Er wird von einer Stange durch Druck nach oben gehoben. 32 Jahre später baut er einen solchen Aufzug für den Eiffelturm.

1887 Die deutsche Firma Siemens & Halske baut den ersten elektrisch betriebenen Aufzug.

1892 Jesse W. Reno läßt die erste Rolltreppe patentieren. Gemeinsam mit George W. Wheeler baute er vorher ein Förderband, in das er nur noch die Stufen einbaute.

1900 Die erste öffentliche Rolltreppe wird auf der Pariser Weltaustellung in Betrieb genommen.

1965 Der Belgier Emil Letz erfindet einen neuen Aufzug-Transportmechanismus: Um eine feststehende dicke Schraube kreist eine Kabine auf der Schraubenmutter. Bei diesem Spindelaufzug entfällt die übliche Flaschenzug-Mechanik.

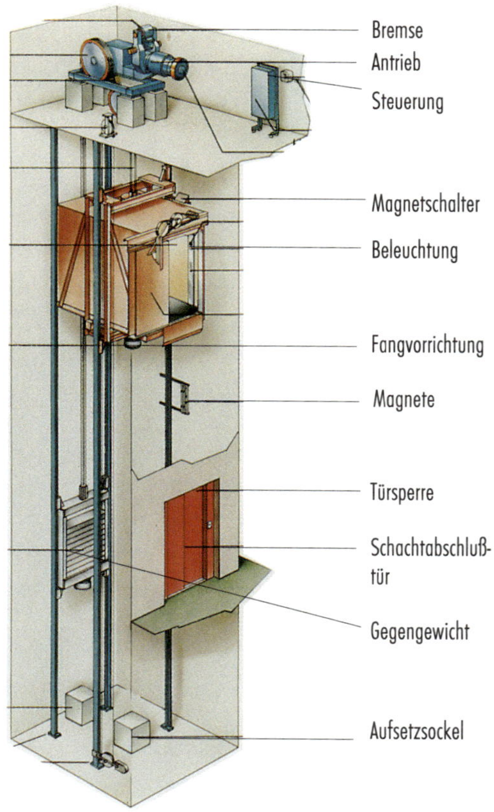

Aufzug
Beim Aufzug wird eine Kabine mit einem Kabel hochgezogen und heruntergelassen. Am anderen Ende des Kabels hängt ein Ausgleichgewicht. Das Kabel wird über einen Flaschenzug geführt und von einem Elektromotor bewegt. Die Kabine wird im Aufzugschacht mit kleinen Rädern, die in Führungsschienen laufen, geleitet, ein Stoßdämpfer sorgt für ein ruckfreies Aufsetzen der Kabine am Schachtboden.

Ein Kran hebt und senkt schwere Lasten. Neben dem Flaschenzug zum Heben und Senken der Lasten besitzt ein Auslegerkran Flaschenzüge zum Bewegen des Auslegers. – In den Bildern ist eine dadurch bewirkte Streckung des Auslegers deutlich zu erkennen. Heute werden meist Drehkrane eingesetzt. Es sind Auslegerkrane mit Drehgelenken, um die Lasten bequem auch nach links, rechts und im Kreis bewegen zu können. Oft sind diese Krane auch noch mit Rädern ausgestattet, die auf Schienen laufen und den Transport von Lasten über längere Strecken erlauben. Die ersten Krane waren eine Vereinigung zwischen Flaschenzug und einem Holzmast. Ursprünglich hießen Krane »Kranich«, da sie ähnlich aussehen wie der Hals dieses Vogels.

Rolltreppen sind besser einzusetzen als Aufzüge, wenn nur kurze Stecken nach oben oder unten zurückgelegt werden. Die Rolltreppe wurde erst 1892 erfunden, als ein starker Elektromotor existierte, der das mit dem Gewicht vieler Personen beladene Treppen-Förderband bewegen konnte. Dort, wo lange Stecken zurückzulegen sind, finden wir heute eine Variante der Rolltreppe: Laufbänder, die statt Stufen flache Metallplatten oder Gummibänder durch Gebäude ziehen. Mit ihnen werden meist keine Höhenunterschiede sondern nur ebene Strecken zurückgelegt.

Flaschenzug

Mit dem Flaschenzug lassen sich schwere Lasten leicht heben. Dazu wird ein Zugseil zwischen dem ziehenden Menschen, Tier oder Motor und der Last über mehrere Rollengruppen, die sogenannten Flaschen, geführt. Wird an dem Seil gezogen, ist der Weg der Zugkraft länger als der des Gewichts. Je nach der Zahl der Flaschen bestimmt sich die aufzuwendende Zugkraft. Bei einem einfachen Flaschenzug mit zwei Rollen muß die doppelte Länge Seil gezogen werden, als wenn das Seil direkt zwischen Gewicht und Kraftquelle gespannt wäre. Dabei muß nur noch halb soviel Kraft aufgewendet werden, als wenn versucht würde, das Gewicht direkt zu heben. Durch Hinzufügen weiterer Rollen kann die aufzuwendende Kraft weiter verringert werden.

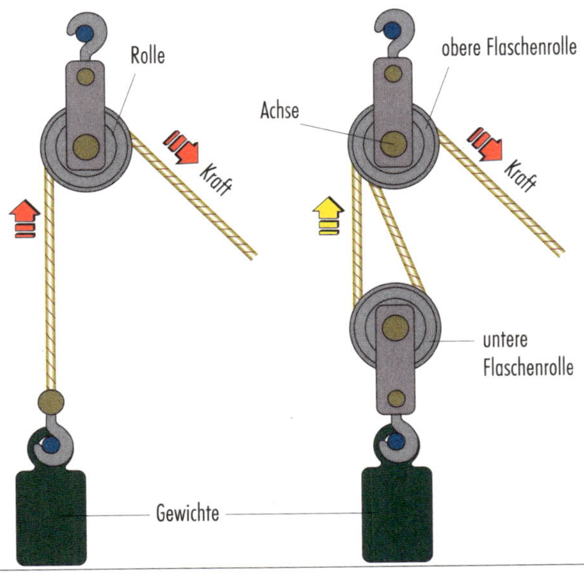

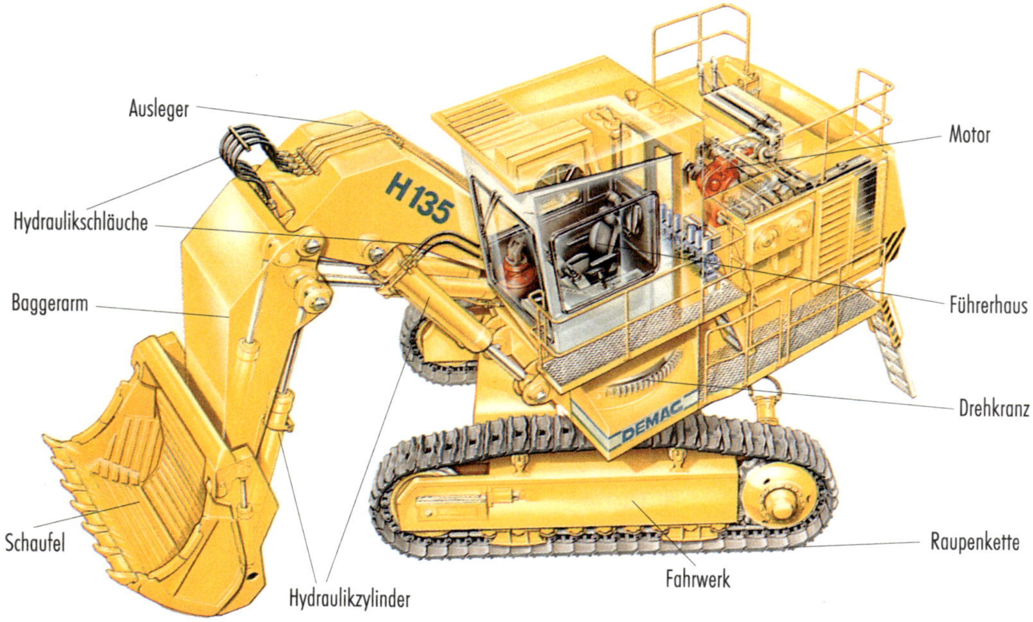

Lasten transportieren

Erdmassen – und damit enorme Lasten – heben und bewegen zu können, war die Voraussetzung dafür, daß Menschen die Erde ihren Bedürfnissen anpassen konnten. Um Höhlen zu graben und Gebäude zu errichten, wurden früh Hilfsmittel erfunden. Aber erst mit der Erfindung von Lasttransportmaschinen wie Kran, Bagger und Förderband wurde die Bautätigkeit entscheidend erleichtert. – Auch der Abbau von Bodenschätzen hing davon ab, welche Maschinen zur Verfügung standen, um sie zu fördern.

Heute wie vor 5000 Jahren, als die ersten Straßen, Brücken und Bewässerungskanäle gebaut wurden, gehört der Erdaushub zu den entscheidenden Bauarbeiten. Zu allen Zeiten wurden mechanische Hilfsmittel zum Erdtransport eingesetzt – anfangs zum Beispiel Eisenwerkzeuge, die wie Schaufeln benutzt wurden. Bald kamen Winden und Riemenscheiben hinzu, deren Funktionen auf den gleichen mechanischen Gesetzen beruhten wie die heute üblichen Baumaschinen. Auch der Hebel fand damals wie heute in Baumaschinen Verwendung.

Für Erdaushub und -transport werden seit dem 16. Jahrhundert vor allem Bagger genutzt. Die ersten Bagger entfernten als »Eimerkettenbagger« Schlamm aus den holländischen Hafenbecken. Anfang des 19. Jahrhunderts kamen in England die ersten dampfbetriebenen Bagger auf, die Ende des 19. Jahrhunderts durch Bagger mit Verbrennungsmotor ersetzt wurden.

Für kleinere Erdarbeiten werden sogenannte Eingefäßbagger eingesetzt. Sie sind mit einem Schürfkübel oder einem Löffel ausgestattet, mit dessen Hilfe Erde und Sand ausgegraben und transportiert werden. Auch Planierraupen gehören zur Familie der Bagger. Sie sind »Flachbagger«,

Hydraulik

Bei einem Hydrauliksystem wird von einem Motor eine Pumpe angetrieben. Diese Pumpe preßt besonders druckfestes Hydrauliköl in Schläuche und schließlich in einen Hydraulikzylinder. Dieser Zylinder ist zwischen den beiden durch ein Gelenk verbundenen Armen eines Hebels befestigt. So zum Beispiel zwischen dem Ausleger eines ***Baggers*** *(Bild oben) und der daran befestigten Schaufel. Wird das Öl in den Zylinder gepreßt, schiebt sich der Zylinder nach vorn und bewegt die daran befestigte Schaufel nach oben.*

die mit einer breiten Schaufel Erde hin und her schieben und Erdhaufen versetzen.

Für große Erdarbeiten werden Schaufelradbagger eingesetzt, die viele Tonnen Erde sehr schnell bewegen können. Diese riesigen Maschinen vereinen Erdaushub und -transport in einem Gerät.

Während Schaufelradbagger bei der Bewegung hauptsächlich Elemente des Krans nutzen (siehe S. 31), verwenden die kleineren Bagger in der Regel Hydrauliksysteme zum Bewegen der »Ausleger« genannten Arme und der Schaufeln. Ein solcher Hydraulikbagger besteht aus einem Fahrwerk, das die Maschine auf Raupenketten hin- und herbewegt. Auf diesem ist drehbar ein Ausleger befestigt, mit dem die Greifweite bestimmt wird. Der daran befestigte Baggerarm und der -löffel können so bewegt werden, daß die Erde leicht gegriffen werden kann. Diese drei hydraulisch bewegten Teile sind jeweils Hebel.

Mit diesen Baumaschinen werden zum Bau großer Gebäude, Kraftwerke beispielsweise, viele Millionen Tonnen Erde und Gestein bewegt, bevor die eigentlichen Bauarbeiten beginnen.

Hebelkraft

Die Hebelgesetze wurden um 250 v.u.Z. von dem griechischen Mathematiker Archimedes formuliert. Die Anwendung aber gehörte schon lange vorher zu den Bauhilfsmitteln. Ein Hebel dient dazu, die zur Bewegung aktuell nötige Kraft zu verringern. Der einfachste Hebel ist eine Stange oder ein Brett, das wie eine Wippe an einer Stelle drehbar gelagert ist. Wird die Stange auf dem Drehpunkt verschoben, entstehen eine kurze und eine lange Hebelstrecke. Um die lange Hebelstrecke herunter- oder heraufzubewegen, muß eine längere Strecke zurückgelegt werden als auf der kürzeren Seite. Das hat Vorteile beim Bewegen schwerer Lasten: Die Kraft, die zur Bewegung nötig ist, muß nicht auf einmal erzeugt werden. Es kann über eine längere Strecke mit schwächerem Kraftaufwand gearbeitet werden. Dieses Hebelprinzip wird zum Beispiel auch bei Zangen angewendet.

Schaufelradbagger

Um an der Oberfläche in kurzer Zeit große Mengen Erde zu bewegen, werden riesige Schaufelradbagger eingesetzt. Das Schaufelrad eines solchen Ungetüms gräbt sich in den Boden, der von den Schaufeln auf ein Förderband geworfen wird. Mit einem Schaufelradbagger wird nicht nur Erde über einer Bodenschatz-Lagerstätte entfernt: Braunkohle – wie vielfach auch Eisenerz und Bauxit – kann mit Schaufelradbaggern im sogenannten Tagebau direkt gewonnen werden. Der Bagger wird auf Ketten über den Boden bewegt. Der bis zu 100 m lange Ausleger, an dessen Ende sich die Schaufel dreht, wird über Hubseile und Auslegerhalteseile wie ein Kran gehoben und gesenkt.

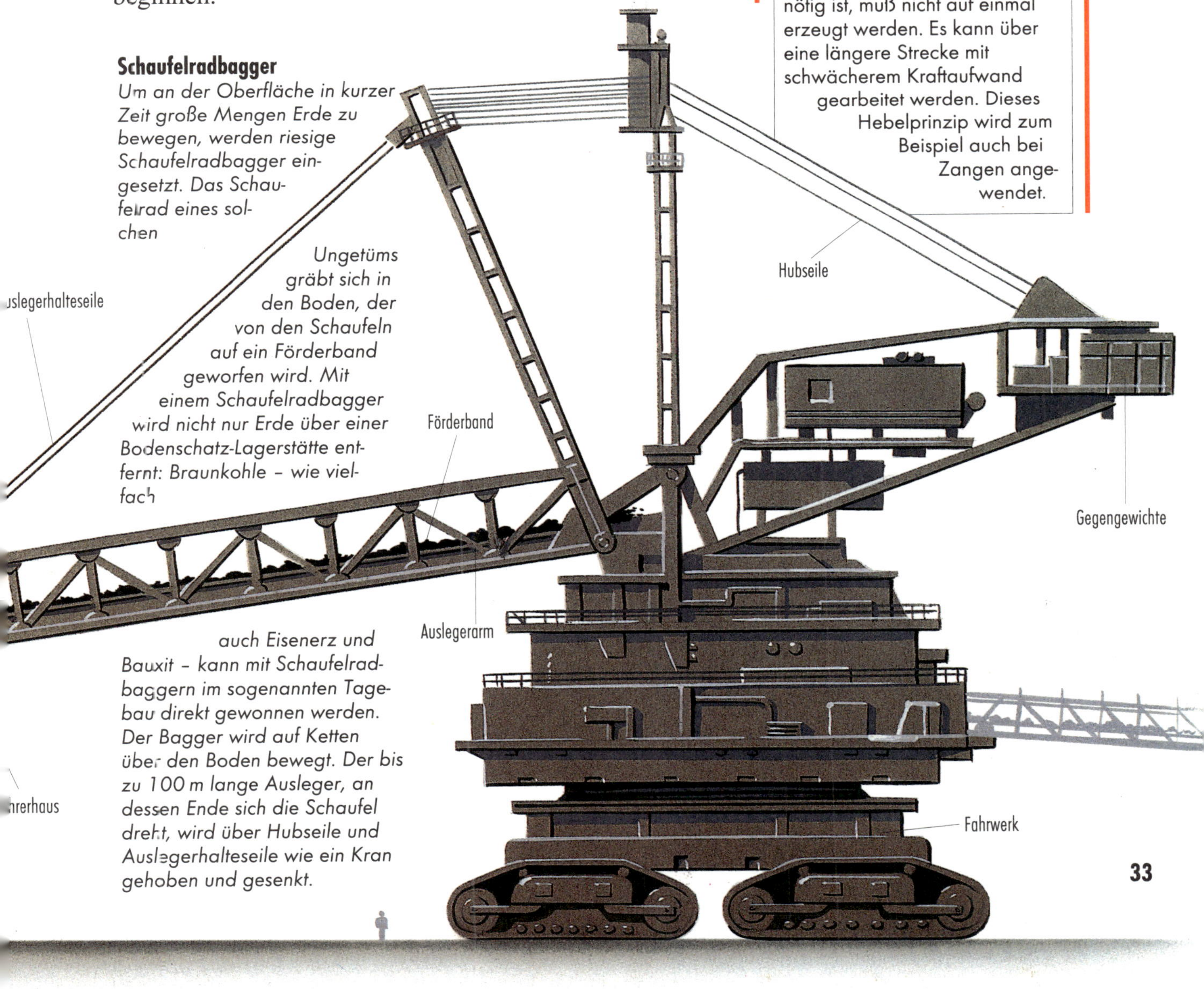

Die Uhrzeit bestimmen

Zu wissen, was die Stunde geschlagen hat, war schon immer wichtig für die Menschen. Erst die genaue Berechnung der Jahres- und Tageszeit machte es möglich, Ackerbau zu planen und mit Hilfe der Gestirne über Meere zu navigieren. In Ägypten wurden vor rund 3000 Jahren Sonnenuhren entwickelt, und auch Indiens Astronomen nutzten die Sonne für die ersten, genauen Zeitmeß-Instrumente. Kürzere Zeiträume wurden mit Sanduhren, Wassertropfuhren oder abbrennenden Kerzen bestimmt.

Erste mechanische Uhren kamen erst etwa 200 v.u.Z. auf. Es handelte sich um komplizierte Räderwerke, mit denen Kalendertage, Mondphasen und Planetenbewegungen berechnet wurden. Die Tageszeitmessung beruhte zu dieser Zeit noch auf Sonnenuhren. Ab dem 14. Jahrhundert spielte die Uhr, die auch die Zeit anzeigte, eine große Rolle in den Städten Europas. In den Klöstern, wo höchste Disziplin als eine Tugend angesehen wurde, regelte sie den Zeitablauf auf die Minute genau. Auch der Arbeitstag der Lohnhandwerker war eingeschnürt in das Korsett der Glockenschläge, die die Arbeitszeit festlegten. Uhren existierten zu dieser Zeit nur als Turmuhren. Diese Uhren wurden wie alle Uhren bis zum 15. Jahrhundert durch Gewichte angetrieben. Daher konnten sie nicht bewegt und herumgetragen werden. Das änderte sich mit der Erfin-

Pendeluhr

Die Energie bezieht eine mechanische Pendeluhr durch die Zugkraft eines Gewichts. Dieses Gewicht kann immer wieder per Hand noch oben bewegt werden – die Uhr wird aufgezogen. Die gleiche Funktion erfüllt in einer mechanischen Armbanduhr die Spannung einer Feder.
Die Kraft der Feder oder des Gewichts wird auf eine Welle übertragen, die ein Zahnrad, das Treibrad, dreht. Dieses Treibrad ist wiederum über Zahnräder mit den Zeigern der Uhr verbunden, die so gedreht werden. Eine ständige Drehung des Treibrads verhindert der Anker, ein Metallbalken mit zwei Klauen, die in die Aussparungen des Treibrads greifen und es anhalten. Damit sich das Treibrad trotzdem bewegen kann, sogt ein mit dem Anker verbundenes Pendel dafür, daß der Anker das Treibrad immer wieder kurze Zeit verläßt. – Das Pendel braucht immer die gleiche Zeit, um hin- und herzuschwingen. Ist das Pendelgewicht in der richtigen Höhe angebracht, ist die Schwingungszeit genau richtig, um die Zeit genau anzuzeigen.

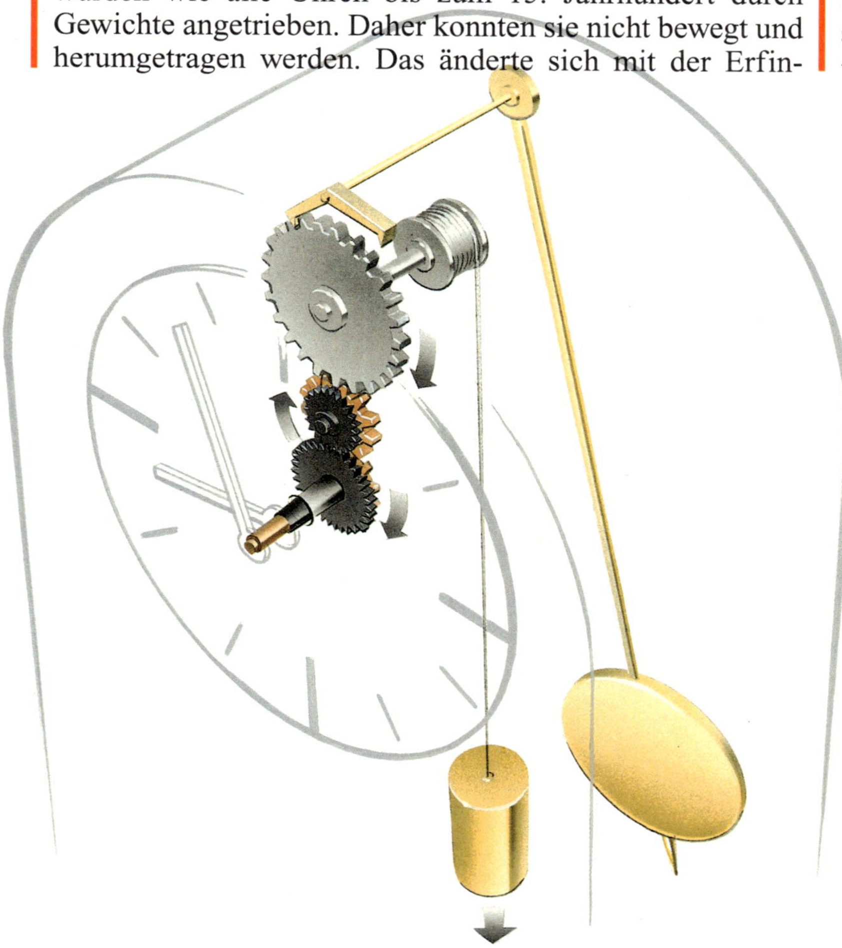

dung des Antriebs durch eine Metallfeder. Die Feder, die immer wieder per Hand gespannt werden muß, entwickelt ihre Kraft in jeder Lage und bei jeder Bewegung. Ihre Blüte erreichten diese Uhren ab 1550. Sie zeigten nicht nur die Zeit an, sondern besaßen drehende Figuren und Melodiespielwerke. Bald nach der Erfindung des Federantriebs kamen die ersten Taschenuhren auf, die oft ebenso kunstvolle Verzierungen und Spielwerke besaßen. Erst ab 1650 wurde die Uhr vom Wunderwerk zum Gebrauchsgegenstand – vor allem in der Forschung, wo es auf genaue Zeitmessungen ankam. So baute Christiaan Huygens eine Pendeluhr mit bis dahin ungekannter Ganggenauigkeit, später eine Uhr mit Unruh anstelle des Pendels. Die Unruh ist ein gleichmäßig hin- und herdrehender Metallring, der von einer Feder in Schwingung versetzt wird.
Die mechanische Uhr wurde von da an ständig weiterentwickelt. Vor allem die Marine der englischen Meerstreitkraft verlangte nach immer genaueren Uhren, um die Position der Schiffe auf den Weltmeeren bestimmen zu können. Diese mechanischen Uhren wurden erst im letzten Jahrhundert durch elektrische und erst in unserem Jahrhundert durch elektronische Uhrwerke abgelöst, die die Uhrzeit noch genauer bestimmen können.

Chronik der Uhr

1000 v.u.Z. werden in Ägypten und Indien erste Sonnenuhren gebaut. Eine transportable Reise-Sonnenuhr wird erst 600 Jahre später entwickelt.

1300 Von Gewichten angetriebene, mechanische Räderwerke für die Tageszeitmessung werden erfunden. Rund 100 Jahre später erzeugen Schlagwerke stündlich einen Ton.

1400 Die Sanduhr wird als Kurzzeit-Meßgerät erfunden. Bei dieser Uhr rinnt feiner Sand in einem Glasgefäß durch eine Verengung in der Mitte. Die Zeit, die der Sand dafür braucht, kann durch die Dicke der Öffnung bestimmt werden.

1500 Die ersten Taschenuhren werden gebaut, deren Erfinder nicht bekannt ist. Sie haben nur einen Zeiger, der die Stunde anzeigt.

1657 Christiaan Huygens erfindet die Pendeluhr. Mit ihr wird auch erstmals ein Minutenzeiger eingeführt.

1728 Der britische Uhrmacher John Harrison baut die bis dahin genaueste Uhr, den »Chronometer«. Sie zeigt 1761 auf einer fünfmonatigen Schiffsfahrt die Zeit auf fünf Sekunden genau an.

1924 J. Harwood erfindet den Automatikaufzug für Armbanduhren. Bei diesem Aufzug beginnt ein drehend gelagertes Gewicht zu rotieren, sobald die Uhr bewegt wird. Mit dieser Kreiselenergie wird die Uhrfeder gespannt.

1933 Adelberger und Scheibe bauen die erste Quarzuhr der Welt. Sie geht in 2700 Jahren nur eine Sekunde nach. Diese Uhr arbeitet mit elektronischen Röhren, den Vorgängern der Transistoren. Die Entwicklung dieser Uhr in der Größe eines Wohnzimmerschranks beruht auf einer Entdeckung von Pierre Curie. Er bemerkte, daß Kristalle zu schwingen beginnen, wenn sie unter Strom gesetzt werden. Adelberger und Scheibe nutzten einen Kristall, der 32768 mal pro Sekunde schwingt. Mit ihrer Röhrenschaltung halbierten sie die Zahl der Schwingungen 15mal. Den übriggebliebenen einen Impuls pro Sekunde nutzen sie anstelle der Unruh, um einen Sekundenzeiger eine Stelle vorrücken zu lassen.

1948 Die erste funktionierende Atomuhr wird gebaut. Bei dieser Uhr werden die Atomschwingungen von Ammoniak oder Cäsium-133 gezählt, um die Zeit zu bestimmen. Da die Abweichungen dieser Schwingungen fast gleich Null ist, zeigt diese Uhr die Zeit erst in einer Million Jahren um eine Sekunde falsch an.

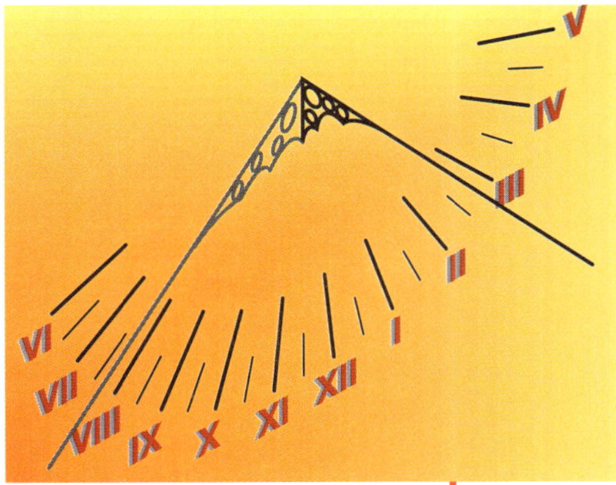

Sonnenuhr
Über 2000 Jahre lang war die Sonnenuhr das einzige Instrument, mit dem die Tageszeit bestimmt werden konnte.

Taschenuhr
Taschenuhren mit Stunden-, Minuten- und Sekundenzeigern wurden erst um 1800 gebaut. Frühere Modelle zeigten nur die Stunden oder Stunden und Minuten an.

Quarzuhr

In einer Quarzuhr werden die durch elektrischen Strom verursachten Schwingungen eines Quarzkristalls von einem Mikrocomputer – einem Chip – gezählt. Alle 32 768 Schwingungen wird vom Chip ein Impuls ausgelöst. Dieser Impuls sorgt in einer Quarzuhr mit Zeigern dafür, daß ein kleiner Elektromotor den Sekundenzeiger bewegt. Bei Uhren mit digitaler LCD-Anzeige (siehe S. 84) wird durch den Impuls die Anzeige verändert.

Schließsysteme

Seit 4000 Jahren benutzen die Menschen Schlösser, um Türen nur Personen zu öffnen, die dafür einen Schlüssel besitzen. Die ersten Modelle wurden im antiken Ägypten entwickelt. Etwa genauso wie diese frühen Schlösser funktionieren heute noch die Zylinderschlösser. Neben mechanischen Verschlußsystemen werden aber auch elektronische Sicherungseinrichtungen benutzt, um Räume und geschlossene Gegenstände nur dem zu öffnen, der dazu die Erlaubnis hat.

Heute sind meist Zylinder- und Zuhaltungsschlösser in Türen eingebaut. Bei beiden sorgt ein Riegel dafür, daß eine Tür nicht geöffnet werden kann. Ohne den richtigen Schlüssel kann der Schließmechanismus nicht bewegt werden. Kann er bewegt werden, zieht ein Haken den Türverschlußriegel zurück. Beim 1848 von Linus Yale in den USA erfundenen Zylinderschloß wird dieser Riegel durch die Drehbewegung eines Schloßzylinders verschoben. Besonders sicher ist das Zylinderschloß, weil sehr viele Stifte auf kleinstem Raum verschieden angeordnet werden können. Dadurch wird für eine große Unterschiedlichkeit der Schlösser gesorgt. Ein Zuhaltungs- oder Buntbartschloß ist einfacher gebaut als ein Zylinderschloß: Der Türverschlußriegel wird von einem Sperrhebel festgehalten. Dieser Hebel wird von einer Feder nach unten gedrückt und muß angehoben werden, um den Riegel zu

Zylinderschloß

Beim Zylinderschloß blockieren zweigeteilte Stifte die Drehung des Zylinders. Die einzelnen Teile eines Stiftes werden Ober- und Kernstift genannt. Federn sorgen dafür, daß die Stifte nach unten gedrückt werden. Nur der richtige Schlüssel drückt alle Stifte so nach oben, daß die Teilung zwischen Oberstift und Kernstift an der richtigen Stelle steht. Das heißt, der Kernstift schließt mit der Außenkante des Schließzylinders ab, der Oberstift mit der Kante der Führung. Dann kann der Zylinder mit den in ihm steckenden Kernstiften gedreht werden. Wird von einem falschen Schlüssel auch nur ein Stift nicht in die richtige Position gedrückt, läßt sich der Zylinder nicht drehen. – Dann ragt entweder ein Oberstift in den Zylinder oder ein Kernstift in die Führung und blockiert das Schloß.

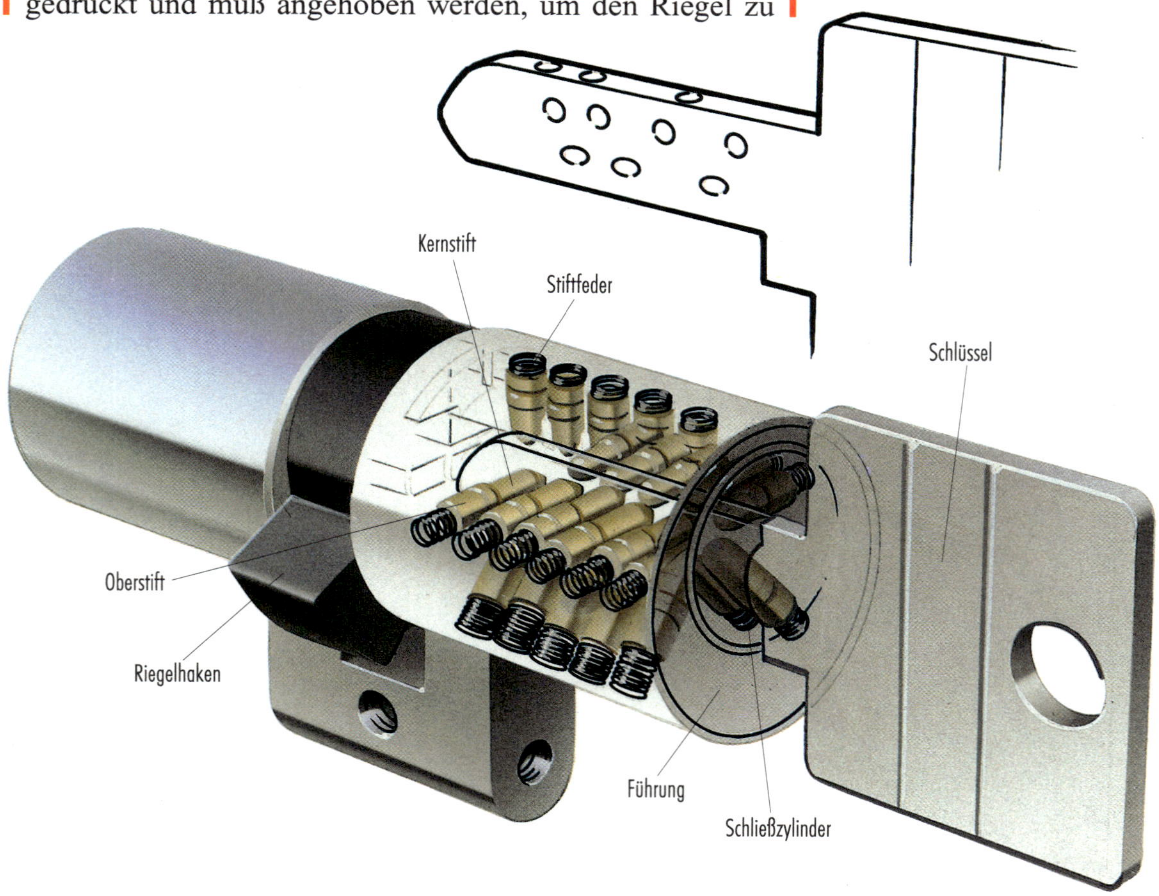

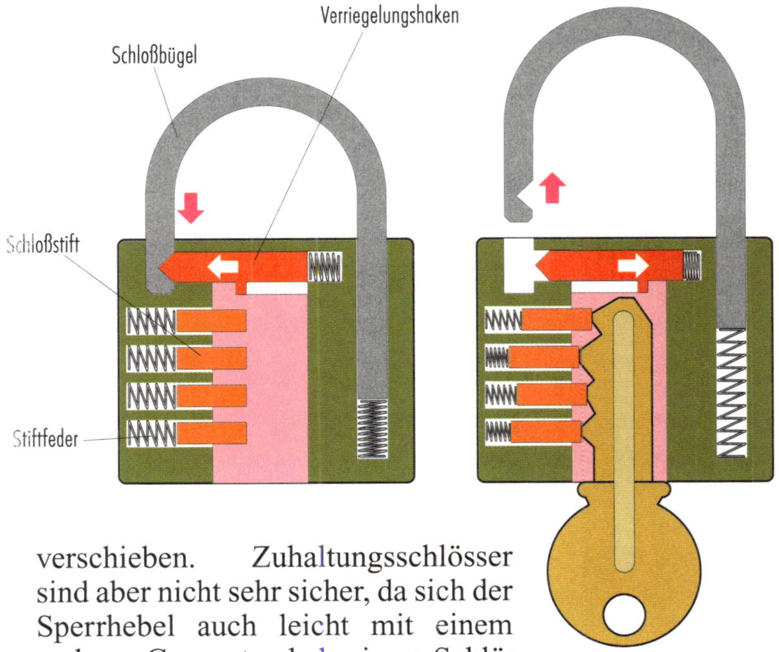

Vorhängeschloß
Ein Zylinder-Vorhängeschloß ist genauso aufgebaut wie ein Zylinder-Türschloß. Der passende Schlüssel drückt die Schloßstifte in die richtige Position, und der Schloßzylinder kann gedreht werden. Dabei zieht er den Verriegelungshaken nach hinten, der den Schloßbügel festhält.

verschieben. Zuhaltungsschlösser sind aber nicht sehr sicher, da sich der Sperrhebel auch leicht mit einem anderen Gegenstand als einem Schlüssel nach oben drücken läßt. Die Sicherheit kann durch eine Erfindung von Charles Chubb seit 1818 erhöht werden. Chubb baute ein Schloß, in dem mehrere Sperrhebel hintereinander liegen. Diese müssen vom Schlüssel mit der richtigen Form alle gleichzeitig angehoben werden. Zwischen den verschiedenen Sperrhebeln sorgen fest angebrachte Metallschienen dafür, daß kein Gegenstand eingeführt und gedreht werden kann, der an allen Stellen gleich hoch ist.
Neben diesen Türschlössern wurden im 20. Jahrhundert elektronische Erfindungen in Schließsystemen eingesetzt. So verlangen computergesteuerte Zahlenschlösser die Eingabe einer richtigen Zahlenkombination, um eine Tür elektrisch zu öffnen. Bei einigen elektronischen Schlössern muß eine Magnetkarte in ein Lesegerät eingeführt werden, bei anderen in ein Abtastgerät hineingeschaut werden. Die Tür öffnet sich elektrisch, wenn die Daten auf dem Magnetstreifen eine Eintrittsberechtigung enthalten, oder das abgetastete Auge vom Computer erkannt wird.

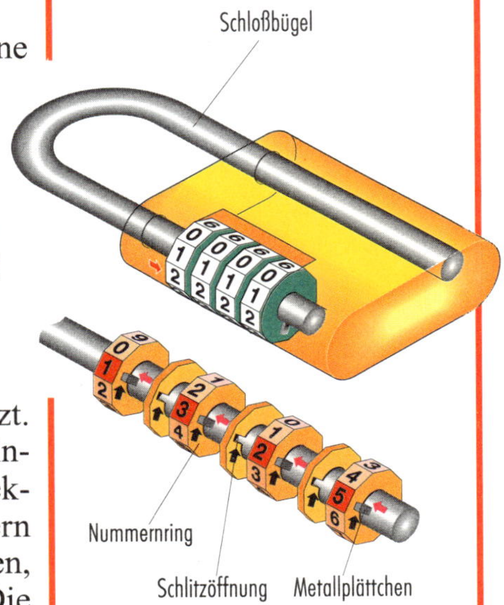

Chronik der Schlösser

2000 v.u.Z. In Ägypten werden Schlösser erfunden. Sie ähneln heutigen Zylinderschlössern: Der Schlüssel hebt die Verriegelungsstifte an, so daß ein vorher festgehaltener Riegel nun bewegt werden kann.

1778 Robert Barron, ein englischer Schloßschmied, erfindet das Zuhaltungsschloß. Bei diesem Modell müssen sechs Metallplatten von einem Schlüssel übereinandergelegt werden, um einen Türriegel bewegen zu können.

1818 Charles Chubb macht das Zuhaltungsschloß sicherer. Er fügt unbewegliche Metallschienen zwischen den Sperrhebeln ein, so daß nur ein richtig geformter Schlüssel alle Sperrhebel auf einmal bewegen kann.

1848 Linus Yale erfindet in den USA das Zylinderschloß.

Zahlenschloß
Beim Zahlenschloß kann der Schloßbügel eingeführt und herausgezogen werden, wenn alle Nummern richtig eingestellt sind. Nur dann befinden sich die Schlitze aller Nummernringe in der gleichen Lage und ein mit Metallplatten versehener Stift kann durch alle Ringe hindurch bewegt werden. – Die falsche Stellung eines einzigen Nummernrings blockiert das gesamte Schloß.

Strom aus dem Chemielabor

Schon im antiken Griechenland wurden Elektronen als Träger einer damals unbekannten Energie entdeckt. Die Erfüllung des Wunsches, diese Energie zu nutzen, rückte aber erst vor rund 200 Jahren in greifbare Nähe: Luigi Galvani entdeckte um 1790, daß elektrischer Strom durch chemische Prozesse erzeugt werden kann. Auf diesen Prozessen beruht die Energie von Batterien oder auch: elektrochemischen Elementen. In ihnen werden Elektronen freigesetzt, die elektrischen Strom bilden – und zwar durch chemische Lösung der Elektronen aus einem Metall.

Die meisten Batterien bestehen heute aus einem Kohlestab und einer Hülle aus Zink. Dieses Metall besitzt viele Elektronen – es ist elektrisch negativ geladen. Zwischen Kohlestab und Zinkhülle befindet sich eine sogenannte Elektrolytpaste. Sie enthält die Chemikalie Ammoniumchlorid, die Elektronen aus dem Zink löst. Das heißt, die Zinkhülle der Batterie wird vom Elektrolyt aufgelöst. Die freigesetzten Elektronen wandern zum Kohlestift, der sie weiterleitet

Autobatterie

Die Autobatterie ist ein Akkumulator: In ihr werden Elektronen mit Schwefelsäure aus Bleiplatten herausgelöst. Die Elektronen fließen durch die Stromverbraucher zu den Bleioxydplatten. Bei der Entladung der Autobatterie entsteht Bleisulfat, das wieder in Blei verwandelt werden kann. Dazu werden Elektronen in das Elektrolyt zurückgepumpt. Beim Auto erzeugt ein Generator, die sogenannte Lichtmaschine, diesen Strom. Mit der Stromrichtung wird auch der chemische Prozeß umgekehrt: Die zugeführten Elektronen spalten die Verbindung zwischen Elektrolyt und postiven Metallteilchen auf. Anschließend verbinden sich die Elektronen mit den positiven Teilchen wieder zum Ausgangsmetall. Dieser Vorgang kann nicht beliebig oft wiederholt werden, denn immer bleiben beim Entladen eines Akkus auch einige unlösbare Verbindungen zwischen Elektrolyt und Metall bestehen. – Nach einigen Jahren ist eine Autobatterie kaputt.

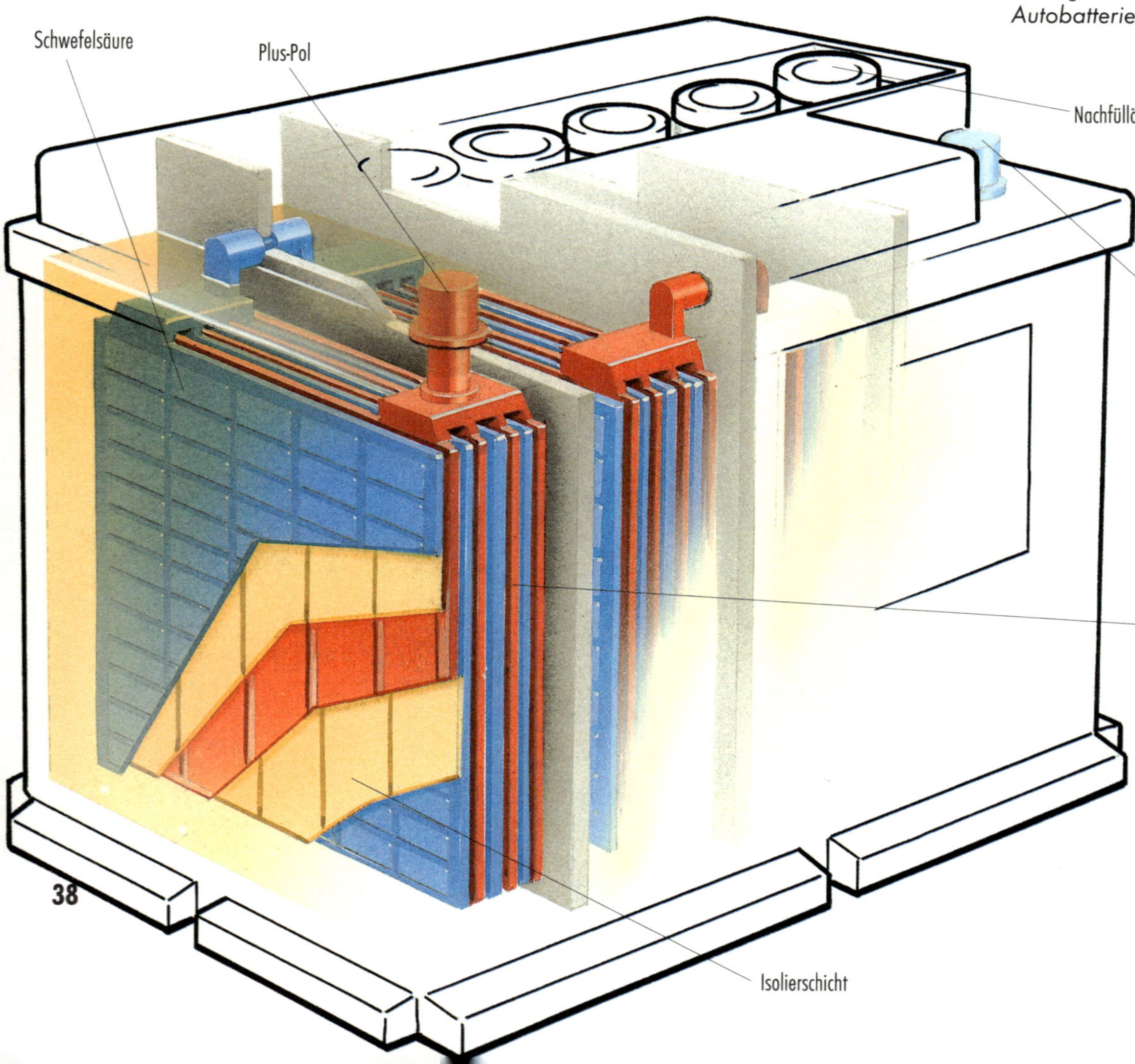

– der Rest des Zinks geht mit Teilen des Elektrolyts eine feste chemische Verbindung ein. Diese Teile des Elektrolyts verlieren dabei die Fähigkeit, Zink aufzulösen.
Die Auflösung des »Elektronenspenders« durch das Elektrolyt setzt erst ein, wenn Zink und Kohle miteinander in Verbindung gebracht werden. – Solange keine Verbindung besteht, fließt kein Strom. Den Kontakt zwischen beiden stellt das Gerät her, das mit der Batterie betrieben werden soll, zum Beispiel eine Taschenlampen-Glühbirne. Wird sie mit dem Kohlestab und der Zinkhülle einer Batterie verbunden, kann der Strom durch ihren Glühdraht fließen. Das funktioniert so lange, wie der Eletrolyt Elektronen lösen kann. Ist diese Fähigkeit erschöpft, ist die Batterie verbraucht. – Anders ist dies bei einem Akkumulator, kurz: Akku, einer Sonderform der Batterie. Ein Akku ist nicht endgültig verbraucht, wenn alle Elektronen vom negativ geladenen Material abgewandert sind. Die Ausgangsmaterialien Metall und Elektrolyt können beim Akku wiederhergestellt werden. Gaston Planté entwickelte den Akku 1859 aus Blei- und Bleioxydplatten.
Immer neue Materialien wurden entdeckt, aus denen elektrochemisch Elektronen gelöst werden können. Gleichzeitig wurden durch Experimente auch neue Elektrolyte entdeckt und immer bessere Batterien und Akkus entwickelt: Alkali-Batterien, Natrium-Schwefel-Akkus, Nickel-Cadmium-Akkus, Lithiumbatterien und die Nickel-Wasserstoff-Batterie sind einige, die seither erfunden und erfolgreich eingesetzt wurden.

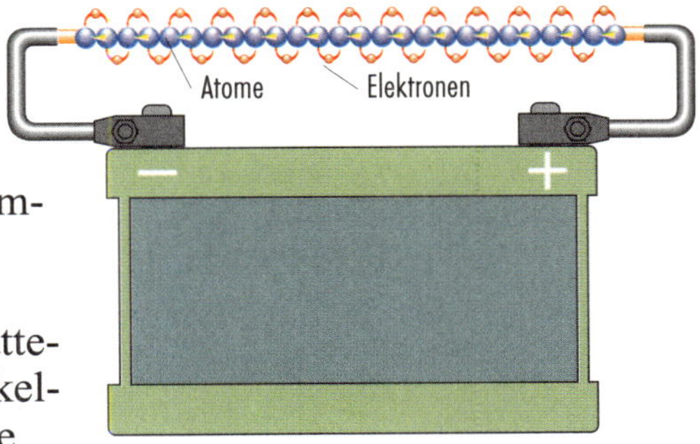

Chronik der Batterie

1780 Luigi Galvani entdeckt, daß mit chemischen Prozessen elektrischer Strom freigesetzt werden kann.

1800 Graf Allessandro Volta baut die ersten funktionierenden Batterien. Seine »Volta-Elemente« bestehen aus Silber- und Zinkplatten, zwischen denen Strom fließt. Als Elektrolyt dienen mit Salzwasser angefeuchtete Stofflappen.
Der Name Batterie leitet sich von Voltas Experimnenten ab: Er verband mehrere elektrochemische Elemente, um den Strom zu erhöhen. Diese Aneinanderschaltung heißt in der Technik »Batterie«.

1859 Gaston Planté entwickelt den Blei-Akkumulator. Es ist der erste Akkumulator. Noch heute werden fast alle Kraftfahrzeuge durch Blei-Akkus mit Strom versorgt.

1877 Georges Leclanché baut die ersten Batterien, die keinen flüssigen Elektrolyten enthalten. Er besteht, wie bei heutigen Batterien, aus einer Paste.

1914 Thomas Alva Edison baut den ersten Akkumulator, der Kalilauge als Elektrolyt verwendet.

1941 H. André entwickelt den leistungsfähigen Silber-Zink-Akkumulator.

Der Aufbau einer handelsüblichen ***Zink-Kohle-Batterie***

Elektrischer Strom

Elektrischer Strom ist die Wanderung von Elektronen in einem Material (Bild links). Die Elektronen sind die negativ geladenen Teile eines Atoms. Damit Elektronen durch einen Gegenstand wandern, muß Kraft aufgewendet werden. Diese Kraft ist in der Elektrik die Spannung: Auf der einen Seite eines leitenden Gegenstandes müssen überwiegend positiv geladene Atome stehen. Stehen auf der anderen Seite vor allem negativ geladene Atome, entsteht ein Ladungsunterschied. – Auf der negativen Seite befinden sich mehr Elektronen als auf der positiven Seite. Die Elektronen wandern durch den Gegenstand hindurch, um diesen Ladungsunterschied auszugleichen. Werden auf der einen Seite ständig neue positiv geladene Atome zugeführt, herrscht auf der Gegenseite ein dauernder Druck nachströmender Elektronen. Es entsteht ein ständiger Fluß von Elektronen, der elektrische Strom. Die Produktion der positiv geladenen Atome geschieht mechanisch in Stromgeneratoren oder elektrochemisch in Batterien.

Aus Bewegung entsteht Strom

Nach der Erfindung der Batterie begannen Forscher die Kraft des elektrischen Stroms zu deuten und seine Quelle zu suchen. Das Ziel war es, eine Maschine zu bauen, die in der Lage ist, Strom zu erzeugen. Diese Maschine, den Generator, erfand Michael Faraday 1831, nachdem er viele Jahre der Frage auf der Spur war, wie er elektrischen Strom durch Magnetismus herstellen könne. Weitere 35 Jahre später erfand Werner von Siemens den Kraftwerksgenerator, mit dem starker Strom in großen Mengen hergestellt werden kann.

Der Generator funktioniert wie ein Elektromotor – nur umgekehrt: Beim Elektromotor wird Strom benutzt, um ein Magnetfeld zu erzeugen (siehe S. 18). Mit dieser magnetischen Kraft wird eine Antriebswelle gedreht. Im Generator dagegen wird ein Magnetfeld benutzt, um Strom zu erzeugen: Die Antriebswelle ist mit einer Drahtspule umwickelt. Um diese Drahtspule herum befindet sich ein Magnet. Wird die Welle gedreht, bringt das Magnetfeld Elektronen in der Drahtspule in Bewegung – es fließt elektrischer Strom. Dabei wird die drehende Spule selbst magnetisch.

Induktion

Der enge Zusammenhang zwischen Elektrizität und Magnetismus erlaubt es, Magnetismus in elektrischen Strom umzuwandeln – und umgekehrt. Diesem Vorgang liegt die sogenannte Induktion zugrunde. Der Generator nutzt diesen besonderen Effekt der Elektrizität: Immer wenn um einen Draht herum ein starkes Magnetfeld erzeugt wird, zieht das Magnetfeld die sogenannten »freien« Elektronen im Draht an (siehe S. 12 »Elektrischer Widerstand«). Wird der Draht oder der Magnet bewegt, wandern diese Elektronen mit der Magnetkraft, die sie anzieht. Da Elektrizität nichts anderes ist als die Bewegung von Elektronen, fließt elektrischer Strom durch diesen Draht, sobald er in einem Magnetfeld bewegt wird. – Durch diesen Effekt kann Magnetismus leicht in elektrischen Strom umgesetzt werden. Die Maschine, die dafür gebaut wird, ist der Generator.

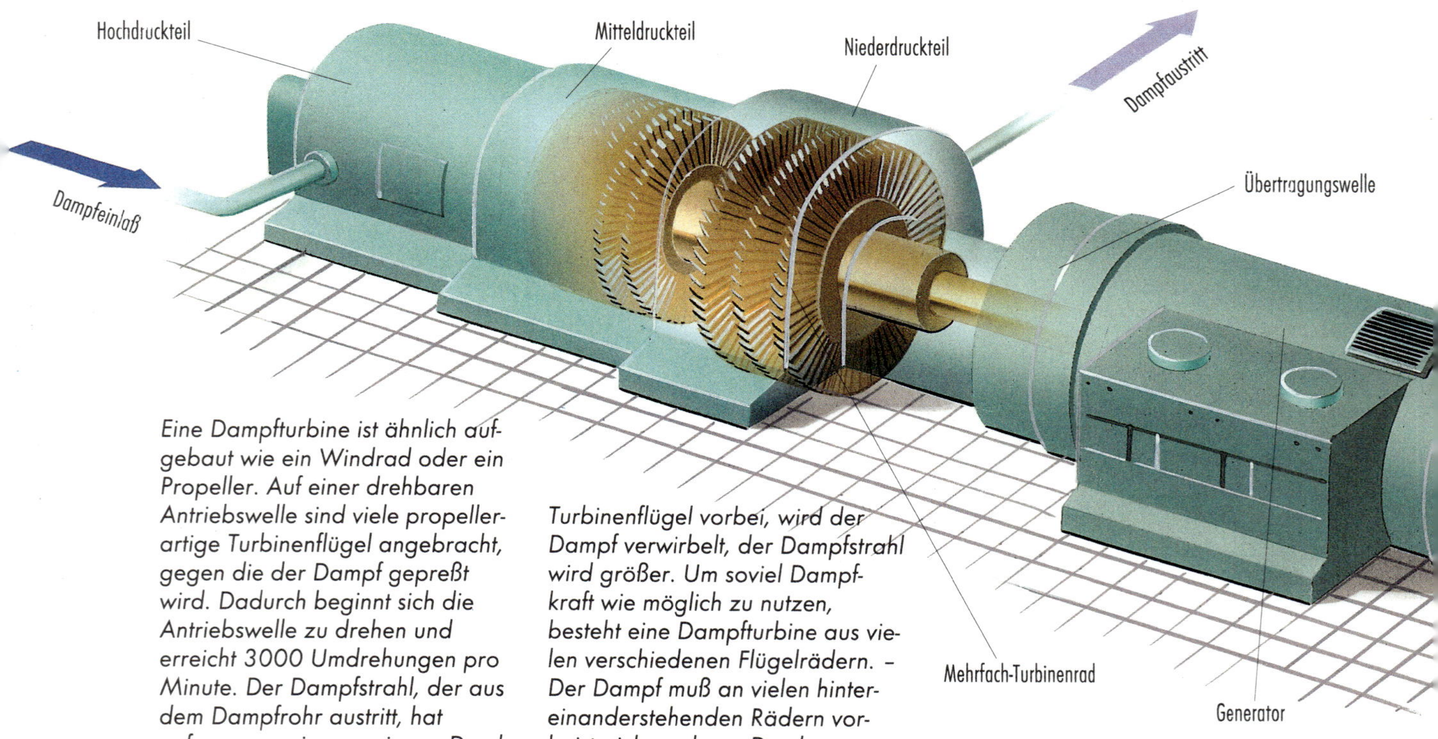

Eine Dampfturbine ist ähnlich aufgebaut wie ein Windrad oder ein Propeller. Auf einer drehbaren Antriebswelle sind viele propellerartige Turbinenflügel angebracht, gegen die der Dampf gepreßt wird. Dadurch beginnt sich die Antriebswelle zu drehen und erreicht 3000 Umdrehungen pro Minute. Der Dampfstrahl, der aus dem Dampfrohr austritt, hat anfangs nur einen geringen Durchmesser. Streicht er an einem Turbinenflügel vorbei, wird der Dampf verwirbelt, der Dampfstrahl wird größer. Um soviel Dampfkraft wie möglich zu nutzen, besteht eine Dampfturbine aus vielen verschiedenen Flügelrädern. – Der Dampf muß an vielen hintereinanderstehenden Rädern vorbeistreichen, deren Durchmesser immer größer wird.

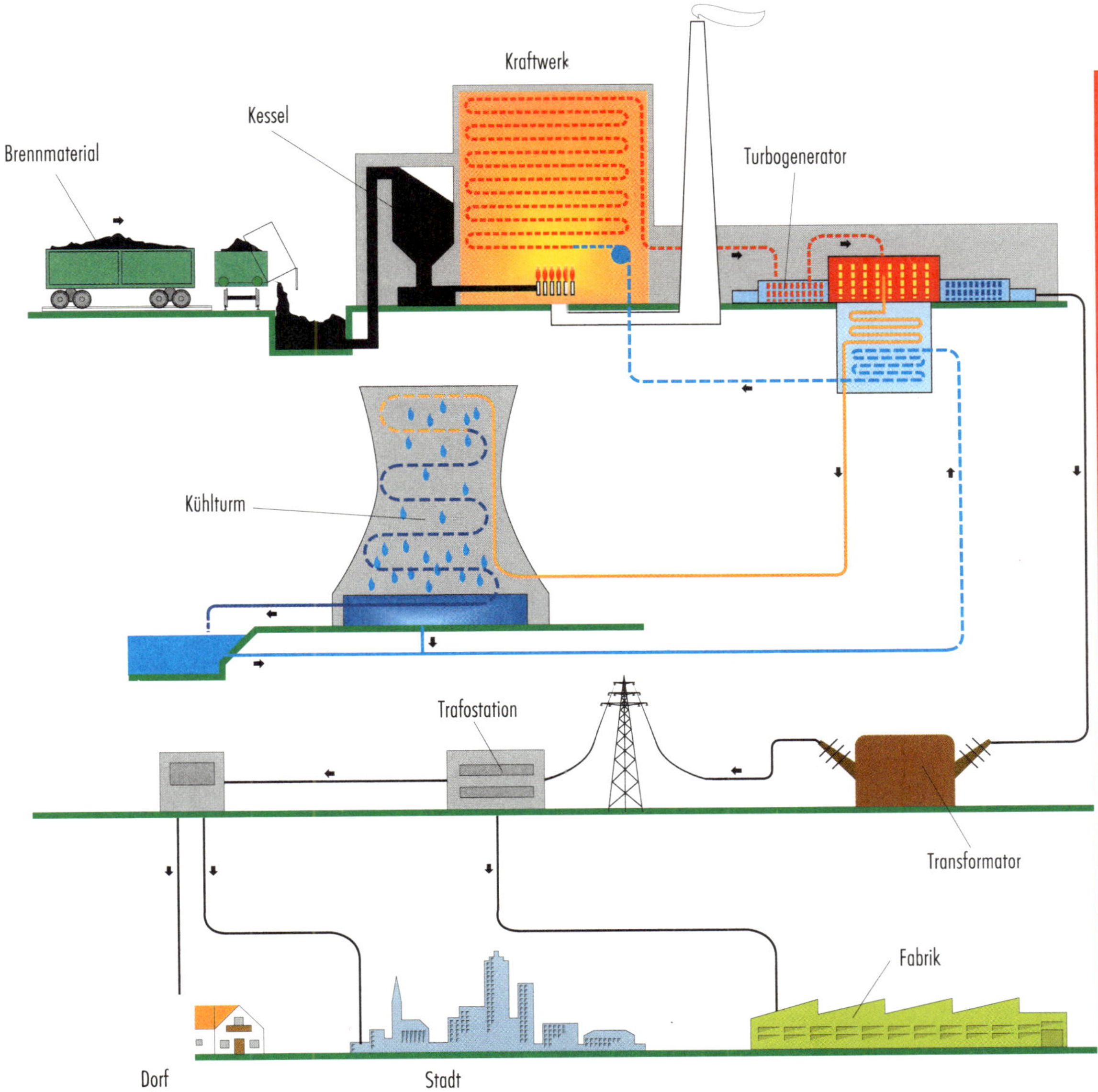

Stromherstellung

Um einen Generator anzutreiben, muß Hitze erzeugt werden. Dies geschieht meist durch Verbrennung von Öl, Kohle oder Gas. Oft auch durch Atomspaltung. Mit dieser Hitze wird Wasser in einem Kessel zu Dampf erhitzt. Dabei entsteht hoher Druck, der den Dampf in ein Rohrleitungssystem preßt. Die Rohre führen den Dampf über die Schaufeln einer Turbine, die den Generator antreibt. Tritt der Dampf aus der Turbine wieder aus, wird er zu einem Kühlturm geleitet und wieder zu Wasser verflüssigt. Dieses Wasser wird in den Dampfkessel zurückgeleitet. Der erzeugte Strom wird in Transformatoren zum Transport hochtransformiert und am Verbrauchsort wieder heruntertransformiert (siehe auch S. 42 »Transformator«).

Elektrodynamisches Prinzip

Werner von Siemens fand heraus, daß jedes einmal magnetisierte Eisen immer schwach magnetisch bleibt. Das gilt auch für die Metallkerne, um die die Drahtspulen der Generator-Elektromagnete gewickelt sind. Dieser Restmagnetismus erzeugt in der um die Generator-Antriebswelle gewickelten Spule einen geringen elektrischen Strom, sobald sie gedreht wird. Dieser Strom wird in den sie umgebenden Elektromagneten eingespeist. – Dessen Magnetismus wird stärker und damit der in der sich drehenden Spule erzeugte Strom. Dieser verstärkt wieder den Magnetismus und so weiter. Das Magnetfeld des umgebenden Elektromagneten wird solange immer stärker, bis die magnetische Sättigung seines Drahtes erreicht ist. Der Strom, der ab dann durch Drehen der Antriebswelle erzeugt wird, kann ins Stromnetz eingespeist werden.

Die grundlegende Entdeckung, aus Magnetismus Strom zu erzeugen, gelang Faraday schon 1831. Bis zur Erfindung des »selbsterregenden« Generators durch Werner von Siemens konnten aber nur geringe Strommengen mit Generatoren erzeugt werden: Verwendet man Stahlmagnete, wie etwa in einem Fahrraddynamo, kann nur ein schwaches Magnetfeld erzeugt werden. Dieses genügt, soviel Strom zu erzeugen, daß eine Fahrradbirne leuchten kann, nicht jedoch, um große Motoren mit Strom zu versorgen. Ein zweites Problem: Wird starker Strom erzeugt, wird das Magnetfeld der Spule so stark, daß es das Magnetfeld der Eisenmagnete entmagnetisiert. Beide Probleme wurden durch die Verwendung von Elektromagneten (anstelle von Stahlmagneten) gelöst. Diese haben ein stärkeres Magnetfeld und können damit höheren Strom erzeugen. Gleichzeitig kann ein Elektromagnet nicht entmagnetisiert werden. Ein Elektromagnet aber muß mit Strom versorgt werden, den der Generator ja erst erzeugen soll. – Erst Siemens löste das Problem, als er das dynamo-elektrische Prinzip und so den Starkstromgenerator entdeckte.

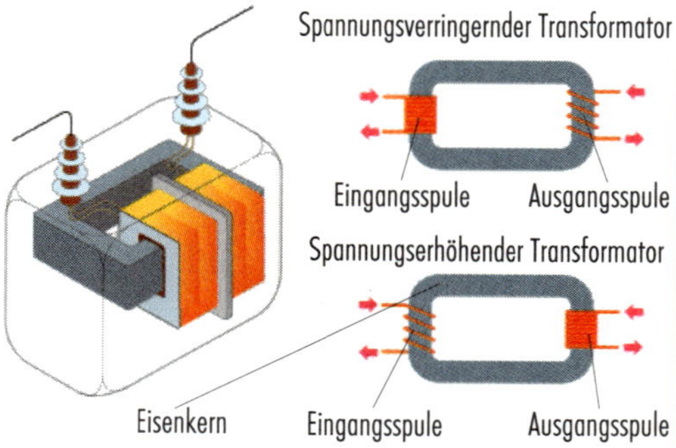

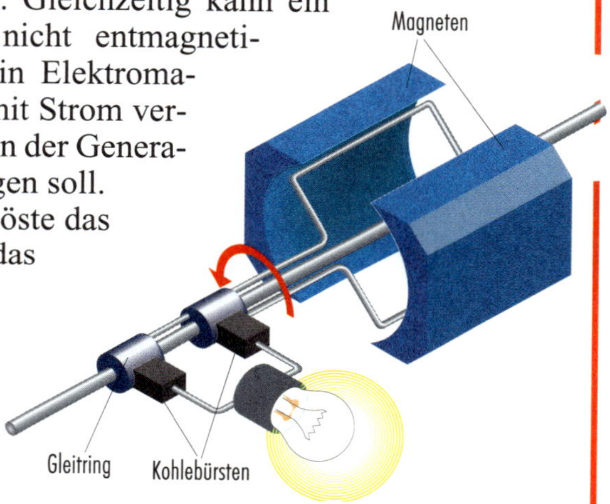

Chronik des Generators

1820 Hans Christian Oersted entdeckt durch Zufall, daß Strom Magnetismus verursacht. Diese Entdeckung veranlaßt Michael Faraday zu forschen ob nicht aus Magnetismus Strom erzeugt werden könne.

1831 Michael Faraday erfindet den Stromgenerator und das erste Modell eines Transformators.

1866 Drei Generatoren werden gleichzeitig zum Patent angemeldet. Die Erfinder waren die Engländer Charles Wheatstone, Samuel A. Varley und der Deutsche Werner von Siemens. Ein Jahr später stellt Siemens das dynamo-elektrische Prinzip vor und baut den modernsten Generator der Welt. Besonderheit ist die »Selbsterregung«, ohne die Starkstrom nicht zu erzeugen ist.

1871 Der Belgier Zénobe Théophile Gramme baut den ersten Generator, der kontinuierlichen Gleichstrom erzeugt. Dazu erfand er den Ringanker, der eine Überhitzung des Generators verhindert.

1878 Die deutsche Firma Siemens und Halske beginnt mit dem industriellen Bau von Generatoren. Wöchentlich stellt sie 25 Dynamomaschinen her.

1882 Lucien Gaulard läßt einen Transformator patentieren.

Transformator

Wie der Generator und der Elektromotor nutzt ein Transformator die enge Verwandschaft zwischen elektrischer und magnetischer Kraft: Im Transformator werden zwei voneinander getrennte Drahtspulen über- oder nebeneinander um einen Eisenkern gewickelt. Die Übertragung der Energie von der einen auf die andere Spule erfolgt mittels elektrischer Induktion. Die Veränderung der Stromstärke ist dabei abhängig von der Länge der Drähte – also von der Zahl der Wicklungen auf den Spulen.
Sogenannte »Aufwärtstransformatoren« erhöhen die Spannung, »Abwärtstransformatoren« setzen sie herab. So erzeugt ein Kraftwerksgenerator Wechselstrom von 25 000 Volt. Zum Transport wird er mit Transformatoren auf 380 000 Volt gebracht. Am Verbrauchsort wird der Strom wieder heruntertransformiert – für Eisenbahnzüge auf 25 000 Volt und für Haushaltsstrom auf 230 Volt.

Wechselstrom

Im Inneren des Generators liegt, auf einer Antriebsachse drehbar gelagert, ein Draht. Wird dieser gedreht, entsteht in ihm ein Stromfluß. Die Richtung des Stroms wechselt jeweils nach einer halben Umdrehung: Die Elektronen, die sich nahe am positiven Magnetfeld gesammelt haben, werden mit dem Draht gedreht. Sie sind nach einer halben Umdrehung am weitesten vom Magnetfeld entfernt und beginnen zu wandern, um wieder zum Ausgangspunkt zu gelangen. Nach einer weiteren halben Umdrehung sind sie wieder am weitesten entfernt, sie wechseln die Flußrichtung, um wieder die Stelle der höchsten Anziehung zu erreichen. – Aufgrund dieses Prinzips erzeugen Generatoren immer Wechselstrom (siehe auch S. 18). Die Wanderung der Elektronen und damit die Strommenge, die erzeugt wird, ist dabei nicht gleichmäßig. Sie steigt von Null bis zum Höchstwert in eine Richtung, sinkt wieder auf Null, steigt in der anderen Richtung zum Höchstwert und so weiter.

Strom aus Wasserkraft

Schon lange wird fließendes Wasser als Energielieferant benutzt: So waren die ersten Kraftmaschinen der Menschheit die Wasserräder. Mit ihnen trieben die Römer 300 Jahre vor unserer Zeitrechnung Getreidemühlen an. Später kamen andere Anwendungen wie wassergetriebene Sägewerke oder Schmiedehämmer hinzu. Aber erst gemeinsam mit der Erfindung von Generatoren konnte die Wasserkraft elektrische Energie erzeugen – eine Energie, die über weite Strecken transportiert werden kann.

Neben dem Generator – der Maschine, die den Strom erzeugt – mußten noch die Wasserturbine und die Düse erfunden werden. Die Düse dient dazu, den Wasserdruck zu erhöhen, das Wasser also so viel wie möglich zu beschleunigen. Eine Düse ist im Prinzip ein kleines Loch in einem Rohr. Je kleiner das Loch ist, desto schneller tritt das Wasser aus ihm aus, wenn nachströmendes Wasser

Gezeitenkraftwerk

Gezeitenkraftwerke nutzen den Höhenunterschied des Wassers zwischen Ebbe und Flut. An der Küste Frankreichs zum Beispiel beträgt dieser Unterschied bis zu 13 m. Bei Flut fließen die Wassermassen des Meeres durch die offenen Tore eines Staudammes in einen Speicher oder einen Fluß. Sobald die Ebbe einsetzt, werden die Tore geschlossen. Bei voller Ebbe läßt man das Wasser über Turbinenräder hinweg zurückfließen, die Stromgeneratoren antreiben.

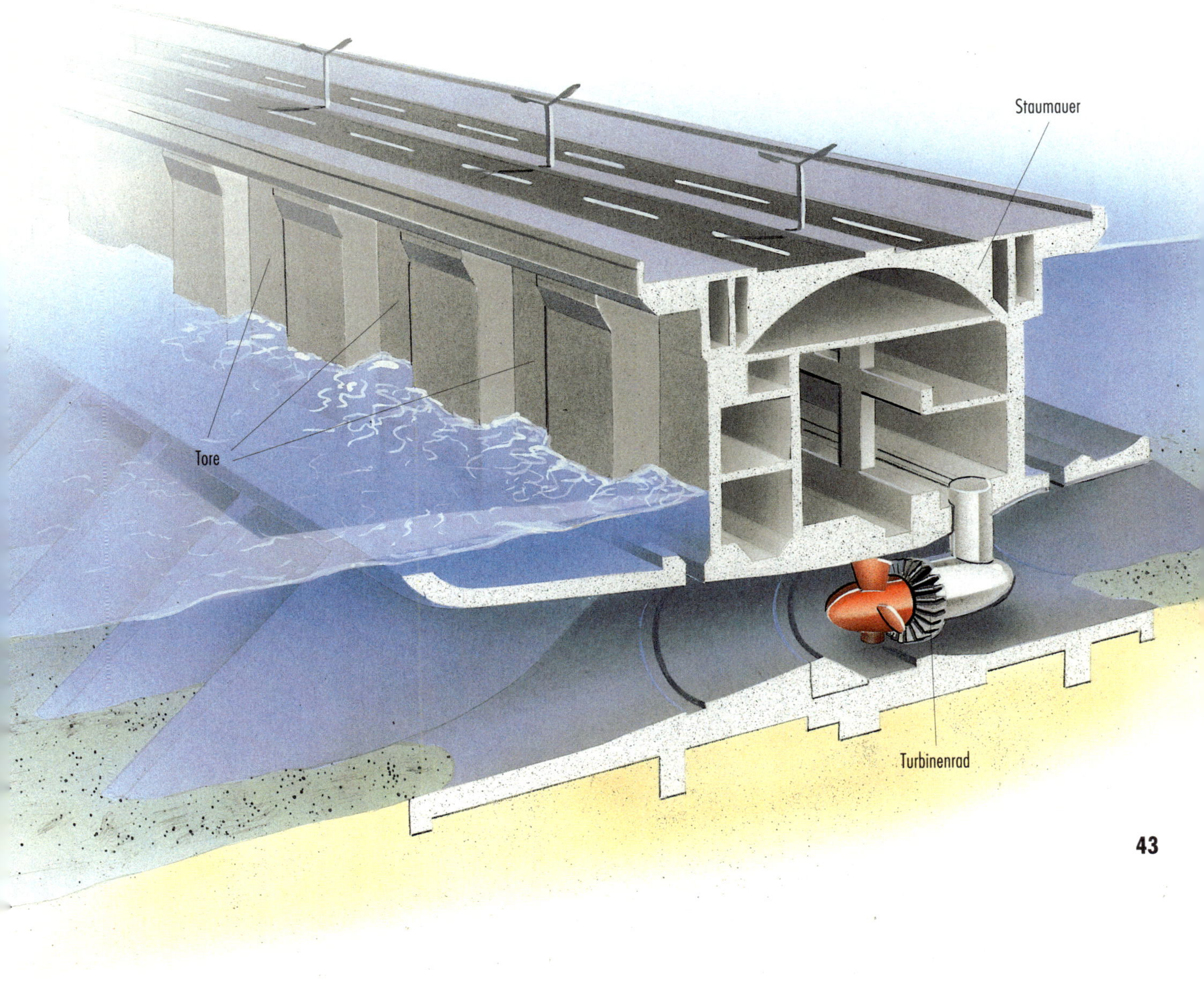

Druck ausübt. Im Wasserkraftwerk wird dieser Druck meistens erzeugt, indem ein Wasserspeicher mehrere hundert Meter über dieser Austrittsdüse angebracht wird. Da Wasserspeicher und Düse durch ein Rohr verbunden sind, drückt das enorme Gewicht des Wassers auf diese Düse und preßt das Wasser mit sehr hoher Geschwindigkeit aus diesem Loch heraus.
Je nachdem, ob und wie hoch ein Wasserspeicher gebaut werden kann, werden Hochdruck-, Niederdruck- oder Laufkraftwerke gebaut, um Strom zu erzeugen. Bei Laufkraftwerken sind die Turbinen direkt in die Sperrmauer für das Wasser eingebaut. Hochdruckkraftwerke, bei denen das Wasser aus großer Höhe auf die Turbine fallen kann, nutzen dabei die Turbine des Erfinders Pelton: Das Wasser tritt durch die große Fallhöhe mit hoher Geschwindigkeit aus einer Düse aus. Dort trifft es auf löffelartig geformte Schaufeln, die die Druckenergie des Wasserstrahls auffangen. Da die Schaufeln an einer drehenden Welle befestigt sind, beginnt diese, sich rasend schnell zu drehen. Das Wasser wird meist in Staubecken gespeichert, damit es zur Verfügung steht und gleichmäßigen Druck erzeugt. Bei Niederdruckkraftwerken wird herabfallendes Wasser direkt auf eine Turbine gelenkt. Eine Düse ist hier nicht nötig.

*Im bayerischen **Walchenseekraftwerk** wird das Wasser aus dem Walchensee über Fallrohre und Turbinen in den darunterliegenden Kochelsee geleitet. Der durch Oskar von Miller angeregte und überwachte Bau galt zur Bauzeit (1924) als das technisch vorbildlichste Wasserkraftwerk der Welt.*

Chronik der Wasserkraftwerke

1849 James Bicheno Francis entwickelt eine Turbine, bei der das gesamte Laufrad ständig dem Wasserdruck ausgesetzt ist. Diese Turbine ist für Wasserfallhöhen bis 450 m geeignet.

1869 Aristide Bergès baut das erste Wasserkraftwerk, das Wasser über Druckrohre auf eine Turbine lenkt. Als Kraftquelle dient ihm ein 200 m hoher, natürlicher Wasserfall.

1880 Der Amerikaner L. A. Pelton erfindet die sogenannte Freistrahlturbine – eine Wasserturbine mit becherartigen Schaufelrädern. Diese Turbine ist am geeignetsten für Wasserkraftwerke mit einer großen Fallhöhe des Wassers.

1882 Aristide Bergès nutzt einen 500 m hohen Wasserfall zur Stromproduktion. Fünf Jahre später baut er den ersten Wasserspeicher, aus dem er den Wasserdruck zum Betrieb einer Turbine erhält.

1912 erfindet der Österreicher Viktor Kaplan eine Turbine, die für große Wassermengen – etwa bei Flußkraftwerken – vorgesehen ist. Bei dieser Turbine ist das gesamte Laufrad dem Wasserdruck ausgesetzt. Es braucht aber kein Druck durch hochliegende Wasserspeicher erzeugt werden, da die Laufradschaufeln verstellbar sind. – Die Schaufeln können je nach Wasserdruck so eingestellt werden, daß die größtmögliche Druckenergie genutzt wird. Im gleichen Jahr wird der erste Staudamm gebaut, der einen Fluß zum Energiespender für die Elektrizitätserzeugung nutzt.

1924 wird das Bayerische Walchenseekraftwerk fertiggestellt.

1966 Das erste Gezeitenkraftwerk wird in der französischen Bretagne nach 11 Jahren Planung in Betrieb genommen. Dieses Kraftwerk bei St. Malo produziert mit 24 Turbinen 250 000 kW Strom.

Sonne- und Windkraft

Sonne und Wind galten schon in der Antike als Urkräfte, deren Energie die Menschen bändigen wollten. Aber erst im 19. Jahrhundert wurden Maschinen erfunden, die der Menschheit die kostenlose und unerschöpfliche Energie der Sonne nutzbar machten.

Eine gezielte Anwendung der Technologien begann erst in der Mitte unseres Jahrhunderts. Die vielen Geräte, die seitdem zur Nutzung von »Alternativenergien« erfunden wurden, funktionieren nach zwei Prinzipien: Entweder wird die Wärmeenergie der Sonnenstrahlen genutzt, oder die Lichtenergie der Strahlen wird in elektrischen Strom umgewandelt. Die Nutzung der Winde begann in Europa vor 800 Jahren mit den Windmühlen. Sie wurden neben den Wassermühlen zur wichtigsten Kraftmaschine. Die Stromerzeugung durch Windkraft begann auch erst im 19. Jahrhundert.

Solarheizung

Beim Sonnenkollektor fällt Sonnenlicht durch eine Glasscheibe und wird beim Auftreffen auf eine schwarze Fläche, die sogenannte Absorberfläche, in ***Wärmestrahlung*** *umgewandelt. Diese Wärme erhitzt das Heiz- oder Brauchwasser, das in schlangenförmig verlegten Rohren durch den Kollektor fließt. Bei einem* ***Sonnenkollektor*** *wird bis zur Hälfte der Sonnenenergie in nutzbare Wärme umgesetzt. Dieser* ***Nutzwert,*** *Wirkungsgrad genannt, ist im Vergleich zu anderen Wärme-Energiequellen sehr hoch.*

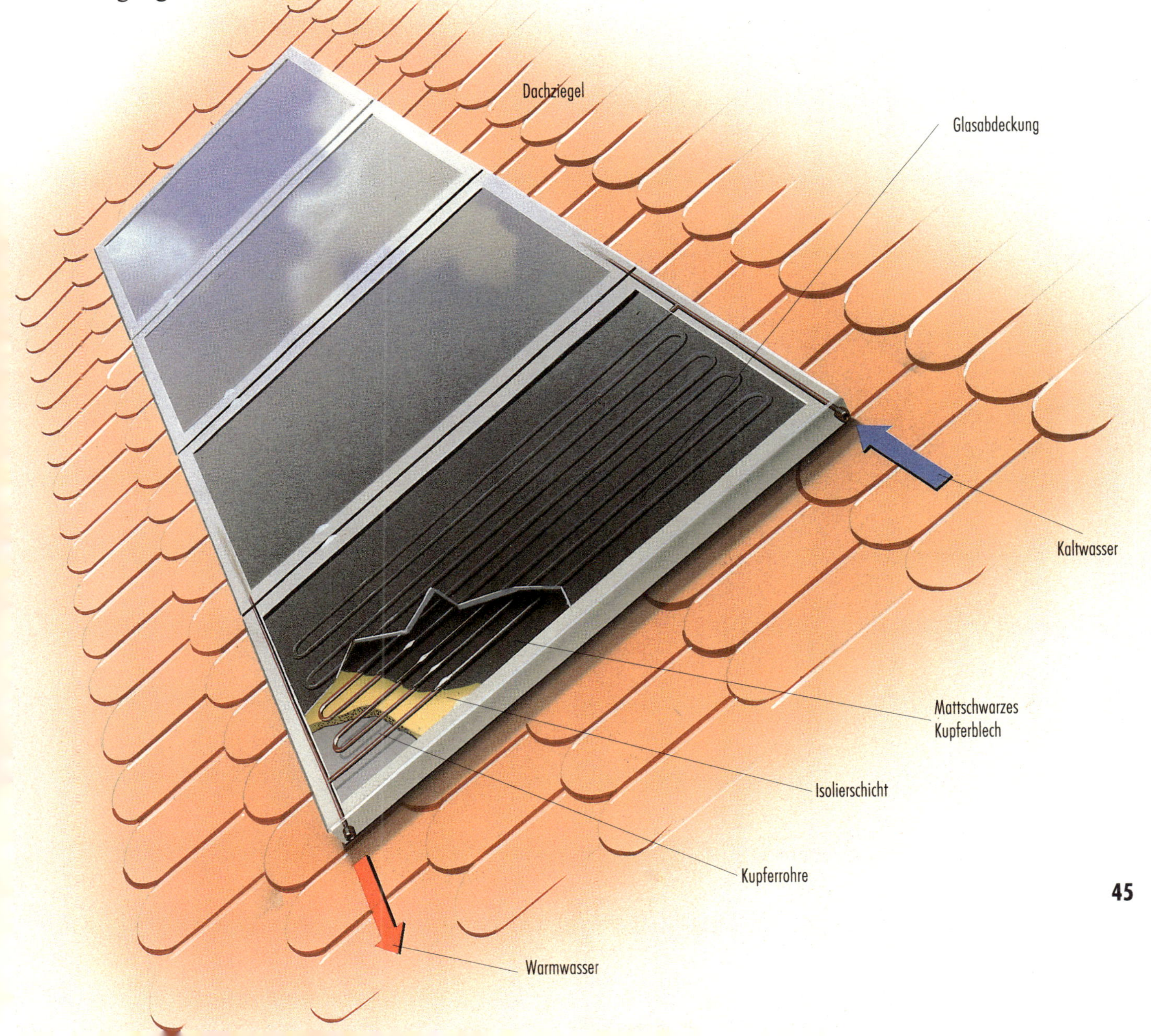

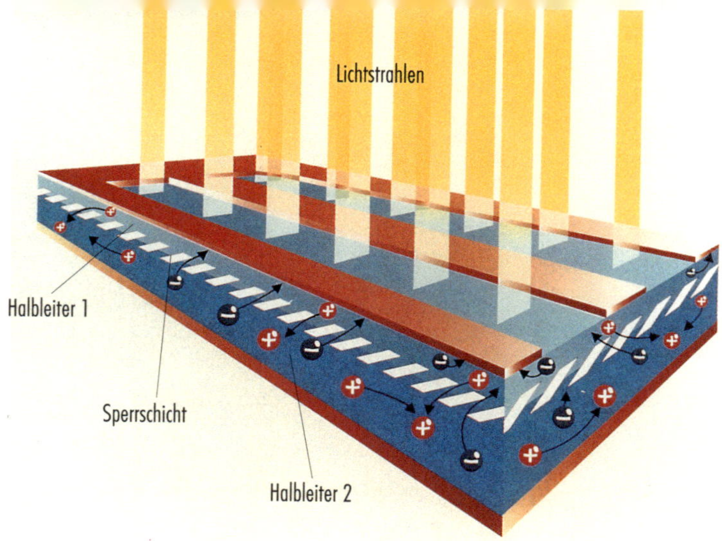

Anlagen, die die Wärmeenergie der Sonnenstrahlen nutzen, sind Sonnenkraftanlagen und Sonnenkollektoren. Die direkte Umwandlung der Sonnenenergie in elektrischen Strom ist nur mit Solarzellen möglich.
Erste Sonnenkollektoren waren die Gewächshäuser, die 1635 entstanden. Heute sind Kollektoren auch auf Haus- und Fabrikdächern zu finden. Sie erhitzen dort Wasser, das zur Gebäudeheizung oder als Warmwasser benutzt wird. Neben kleinen Hausanlagen wurden – vor allem in den USA – große Sonnenkraftanlagen entwickelt. Sie nutzen spezielle Spiegel, die Parabolspiegel, mit mehreren Metern Durchmesser. Diese bündeln in ihrem Mittelpunkt alle Sonnenstrahlen, die auf den Spiegel fallen. In diesem Brennpunkt entstehen Temperaturen bis zu 3900°C. Die Hitze wird benutzt, um Dampf zu erzeugen, der Turbinen zur Stromerzeugung antreibt. – Manchmal werden mit der Hitze auch Metalle geschmolzen. Damit die erzeugte Energie einer Sonnenkraftanlage groß ist, muß der Parabolspiegel immer zur Sonne hin ausgerichtet sein und daher ständig bewegt werden. Der Punkt, in dem die Sonnenstrahlen gebündelt werden, kann auch auf einem Turm sitzen. Solche Solarturmkraftwerke erzeugen die Wärme mit vielen einzelnen Hohlspiegeln. Jeder Spiegel wird computergesteuert so ausgerichtet, daß die Sonnenstrahlen auf die Spitze des Turms fallen. Dort kann eine Hitzeenergie von rund 530°C in Dampf umgewandelt werden.
Die direkte Umwandlung von Lichtstrahlung in elektrischen Strom wird Fotovoltaik genannt. Erste fotoelektrische Zellen, sogenannte »Solarzellen«, wurden 1954 gebaut. Viele Kleingeräte wie Taschenrechner werden durch Solarzellen mit Strom versorgt. Die Energie in den Zellen wird mit den Kristallen Silizium oder Gallium-Arsenid erzeugt – den gleichen Halbleitern, die zum Bau von Computerchips gebraucht werden. Da eine einzelne Solarzelle nur wenig elektrische Energie erzeugt, werden die Zellen zu sogenannten Solarbatterien zusammengeschaltet. Satelliten und Solarautos erzeugen damit ihre Betriebsenergie.

Solarzelle

Bei einer Solarzelle (Bild links) werden zwei dünne Halbleiterschichten, von denen eine mit Bor gesättigt wurde, übereinander gelegt. Diese Zelle erzeugt Strom, wenn sie mit Licht bestrahlt wird. – Die positiven Teilchen wandern zum Halbleiter 2, die negativen zum Halbleiter 1. Eine Solarzelle wandelt Licht direkt in ***elektrische Energie*** *um. Über die Solarzelle montierte Linsen sammeln das Licht und verstärken damit die Energiezufuhr zur Zelle. Solarzellen aus dem billigen Halbleiter* ***Silizium*** *– Grundbestandteil des Sandes – können nur rund ein Fünftel der Sonnenenergie in Strom verwandeln. Teure Gallium-Arsenid-Zellen, die erst in einigen Jahren in großer Zahl hergestellt werden können, verwandeln mehr als ein Drittel der Lichtenergie in Strom.*

Mit Solarzellen kann z. B. Strom für Baustellenlampen(oben) oder für Häuser gewonnen werden.

100 Jahre nach dem Bau erster windgetriebener Stromgeneratoren begann 1975 eine intensive Erforschung der Wind-Stromproduktion durch die US-amerikanische Raumfahrtbehörde NASA. Vor allem die fortgeschrittene Computertechnik förderte die Anwendung dieser Energieerzeugung. Es war nun möglich, mit Computern die Stellung der Rotorblätter und Rotoren zum Wind zu steuern, um möglichst viel Windkraft in Strom umzusetzen.
Sonnen- und Windkraft sind »erneuerbare Energien«, die aus unerschöpflichen Energieträgern gewonnen werden. Um Umweltzerstörung und Energiemangel vorzubeugen, werden solche Energien in Europa seit Ende der 80er Jahre verstärkt gefördert. So zahlte die Europäische Gemeinschaft 1989-1992 über 250 Mio. Mark für die Erforschung dieser Energien.

Die meisten Windanlagen sind »Horizontalachsenanlagen«. Sie bestehen aus einem hohen Turm und einem Kopf, der Generator und Rotor trägt. Der Generator wird über ein Getriebe von einem zwei- oder mehrblättrigen Rotor in Bewegung gesetzt. Damit der Rotor in der richtigen Richtung zum Wind steht, ist der Kopf drehbar gelagert. Die Ausrichtung zum Wind wird von einem Computer überwacht und gesteuert.
Neben Horizontalachsenanlagen werden »Darrieus-Rotoren« gebaut. – Windkraftanlagen, bei denen der Rotor um eine vertikale, also eine nach oben stehende Achse läuft. Bei diesen Windanlagen braucht der Rotor nicht ständig in die Windrichtung gedreht werden.
Die abgebildete Windkraftanlage HSW 250 der Husumer Schiffswerft entspricht nicht mehr dem neuesten Stand der Technik; ihre Gesamthöhe bis Mitte Rotornabe beträgt 28 m.

Chronik der Alternativenergienutzung

700 Erste Windmühlen werden in Persien, dem heutigen Iran, gebaut. Von dort aus verbreitet sich die neue Technik zur Krafterzeugung im arabischen Raum.

1180 In Europa verbreiten sich Windmühlen. Die Idee und die Technik zum Bau der Windmühlen schauen die Europäer wahrscheinlich den arabischen Ländern ab, in die sie während der 1096 beginnenden Kreuzzüge kriegerisch einfallen.

1745 Der englische Schmied Edmund Lee erfindet die Windrosette. – Ein kleines Windrad, das im rechten Winkel und in einigem Abstand zum Hauptwindrad an einer Mühle angebracht ist. Damit können Mühlen und Windräder auch bei drehenden Winden in der Windrichtung gehalten werden.

1635 Erste Sonnenkollektoren, die Gewächshäuser, werden in den Gärten des französischen Königs gebaut.

1839 Antoine Becquerel experimentiert mit fotovoltaischen Elementen.

1861 Der Franzose Augustin Mouchot erfindet einen Sonnenmotor. Bei ihm wird mit einem Hohlspiegel Sonnenlicht auf einen wassergefüllten Kessel gelenkt, in dem Dampf entsteht. Dieser Dampf speist eine Dampfmaschine. 1878 führt er einen Kühlschrank mit diesem Antrieb vor.

1946 Der erste funktionierende (Versuchs-)Sonnenofen wird in Meudon bei Paris gebaut. Er erzeugt Temperaturen bis zu 3000°C.

1954 D. M. Chaplin, C. S. Fuller und G. L. Pearson entdecken, daß dünne Siliziumscheiben unter Lichteinstrahlung Strom erzeugen. Die damit erfundene Solarzelle hat einen geringen Wirkungsgrad. Sie wandelt nur sechs Prozent des Lichts in elektrische Energie um. Bis heute wurde dieser Wirkungsgrad mehr als verdreifacht.

1960 Das erste Großkraftwerk als Sonnenkraftanlage wird im lasiatischen Turkmenistan gebaut. Es hat 1293 Spiegel mit über 20 000 m^2 Spiegelfläche.

1978 Der Vakuum-Sonnenkollektor wird patentiert. Durch die Luftleere im Kollektorraum kann die Hitze nur noch in die Rohrschlangen abwandern. Das Wasser kann so erstmals auf bis zu 120°C erhitzt werden.

1876 In den USA kommen erste windgetriebene Motoren zur Erzeugung von Elektrizität auf.

1983 Im französischen Lyon wird die erste Fabrik gebaut, die ihre Energie allein aus Sonnenkraft bezieht.

1989 In Deutschland beginnt die Förderung von Windenergieanlagen. Der Staat erstattet bis zu 60% der Baukosten.

1991 In Norddeutschland (im Kaiser-Wilhelm-Koog bei Husum) wird der größte Windpark Europas eröffnet. In ihm befinden sich 35 verschiedene Windräder. Sie liefern zusammen Strom für 6500 Haushalte, jährlich rund 19 Mio. kW.

Transport über Wasser...

Große und kleine Wasserflächen trennen Kontinente und Landschaften. Besonders um Lasten über Gewässer zu transportieren, wurden daher Fahrzeuge erfunden. Die ersten Verkehrsmittel für diesen Zweck waren Flöße. Außer Holzstämmen wurden auch Papyrusbündel zu Flößen zusammengebunden. Angetrieben wurden sie mit Paddeln, die über die Jahrtausende die Antriebsart für kleine Boote geblieben sind.

Vor rund 6000 Jahren kamen erste Boote auf: ausgehöhlte Baumstämme, sogenannte Einbäume, und aus Holzbrettern hergestellte schwimmende Hohlkörper. Anfangs wurden Boote gebaut, deren Schiffskörper rund oder viereckig waren – wie heutige chinesische Dschunken. Beide Bootstypen bewegten sich mit Segeln oder Rudern voran. Später entwickelte sich der Schiffsbau so weit, daß Schiffe die Bedingungen für einen seetüchtigen und stabilen Transport von Menschen und Waren erfüllten. Sie bekamen einen stromlinienförmigen Rumpf, der dem Wasser nur wenig Widerstand entgegensetzt. Balken im Rumpf, sogenannte Spanten, verstärkten den Schiffskörper, so daß er sich nicht verbog. Eine an der tiefsten Stelle des Rumpfes angebrachte Beschwerung, der Kiel, sorgte dafür, daß ein Schiff nur schwer seitlich umkippte. Der schwere Kiel zieht den Schiffsboden nach unten und richtet damit das Schiff auf.

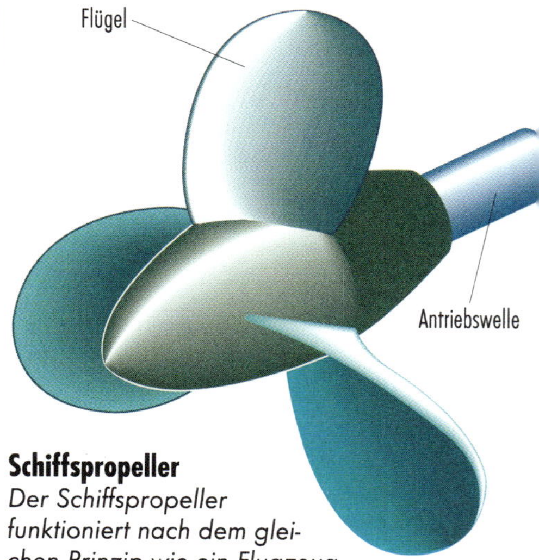

Schiffspropeller
Der Schiffspropeller funktioniert nach dem gleichen Prinzip wie ein Flugzeugpropeller: Mehrere Flügel werden rechtwinkelig auf einer Welle befestigt und gedreht. Die größte Schubkraft wird beim Schiffspropeller durch ein den Schrauben ähnliches »Hineinbohren« in das relativ feste Medium Wasser erzeugt. So hatten die ersten Schiffsschrauben auch tatsächlich die Form einer Schraube. Wesentlich mehr der eingesetzen Energie setzt die heute übliche »Ericsson-Schraube« mit ihrer gewölbten Oberfläche der Flügel in Schubkraft um. Durch die Wölbung strömt das Wasser bei der Drehung der Schraube an der Vorderseite schneller als auf der flachen Hinterseite. Es entsteht ein Sog nach vorne, der den gleichen Gesetzen gehorcht wie der Auftrieb bei Flugzeug- und Hubschrauberflügeln (siehe S. 71).

Niedrige Geschwindigkeit:
der Rumpf liegt im Wasser

Hohe Geschwindigkeit:
das Tragflügelboot hebt sich weit aus dem Wasser

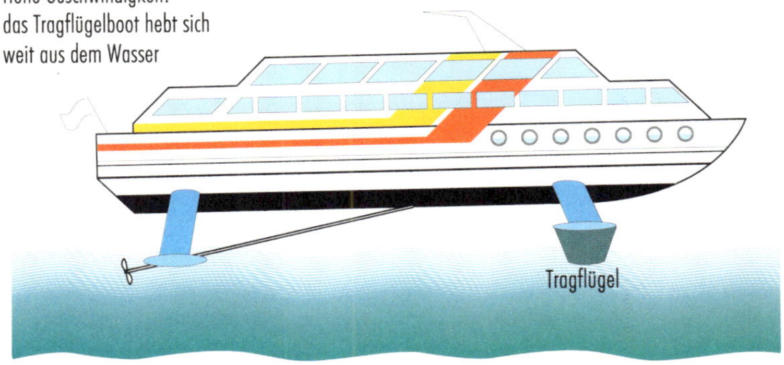

Diese etwa 2000 Jahre vor unserer Zeitrechnung entwickelte Grundform der Schiffe veränderte sich nicht mehr, wohl aber deren Antrieb: Zuerst waren Ruder das Hauptantriebsmittel der Schiffe. Die anfangs nur zur Unterstützung der Ruderer eingesetzten Segel traten nach und nach an deren Stelle. – Bis zu sieben Masten verschafften den Schiffen in der Blütezeit der Segler die Vorwärtskraft.

Ab 1778 wurden die Segel von Dampfmotoren verstärkt und später weitgehend abgelöst. Lange wurde die Kraft der Dampfmotoren auf Schaufelräder gelenkt, die jedoch für die Hochsee-Schifffahrt untauglich waren. Erst 1829, mit

Tragflügelboot

Die meiste Energie verbrauchen Schiffe damit, den Rumpf durchs Wasser zu schieben. Daher werden sie möglichst stromlinienförmig gestaltet. Der Wasserwiderstand kann aber auch gesenkt werden, indem der Rumpf so wenig wie möglich im Wasser liegt. Aus dieser Überlegung heraus entstanden Tragflügel- und Luftkissenboote.
Tragflügelboote heben sich bei hoher Geschwindigkeit aus dem Wasser. Sie nutzen dabei dasselbe Prinzip des Auftriebs wie die Flugzeuge (siehe S. 71) – nur daß das strömende Medium hier Wasser und nicht Luft ist. Bei hohen Geschwindigkeiten heben die meist vorne seitlich angebrachten Flügel das Boot nach oben und damit den Rumpf aus dem Wasser. Der Wasserwiderstand sinkt fast völlig, das Boot liegt nur noch auf den Flügeln und dem hinteren Ende des Hecks auf. Während die schnellsten »normalen« Schiffe kaum mehr als 90 km/h zurücklegen können, sind Tragflügelboote bis zu 130 km/h schnell.

Tanker

Ein modernes Tankschiff kann im Laderaum Erdöl, Chemikalien oder flüssige Gase transportieren. Bei Gastankern muß die Ladung gekühlt werden, um sie flüssig zu halten. Die meisten Tankschiffe sind Öltankschiffe, die als sogenannte »Supertanker« mehr als 500 000 Tonnen Rohöl laden können.

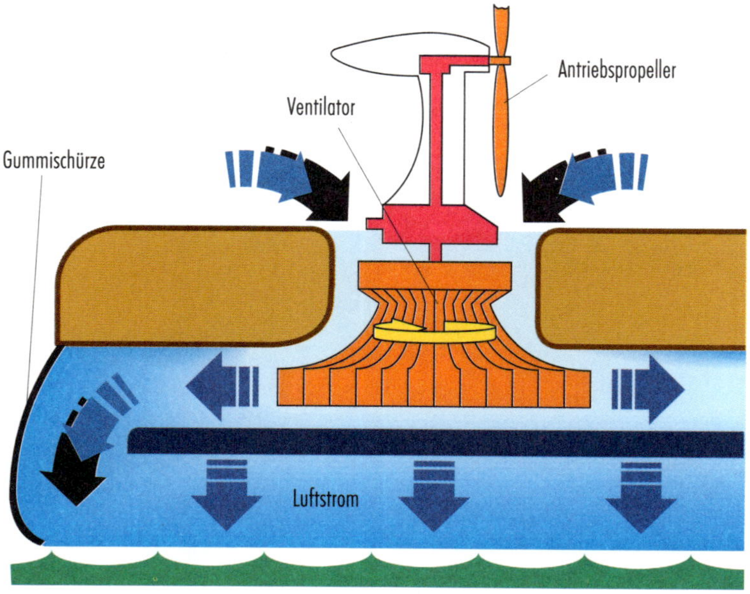

dem Einsatz der Schiffsschraube wurden Schiffe hochseetauglich, die allein mit Dampfmotorkraft angetrieben wurden. Der langsame Dampfkolbenmotor wurde später durch den Dampfturbinen-Antrieb ersetzt. Dieser Antrieb konnte, ständig modernisiert, bis heute neben dem später erfundenen Dieselmotor bestehen.
Schiffe spielen heute, wie vor Jahrtausenden, eine große Rolle im Warentransport. Obwohl weltweit Straßen und Bahnlinien ausgebaut wurden, transportieren Schiffe Güter in größeren Mengen und billiger als andere Fahrzeuge.

...und unter Wasser

Über und unter der Wasseroberfläche können sich Menschen in Unterseebooten, kurz: U-Booten, bewegen. Es sind dichte Behälter, die mit Sauerstoff zum Atmen gefüllt, den Aufenthalt unter Wasser ermöglichen. Um dem starken Druck standzuhalten, der in größeren Tiefen herrscht, haben U-Boote heute eine dicke Hülle aus Stahl.

Das erste U-Boot der Welt bestand aus einem mit gefettetem Leder bespannten Holzrahmen. Außer dieser wasserdichten Hülle hatte es wenig Ähnlichkeit mit einem heutigen U-Boot. Es konnte weder gezielt ab- noch aufgetaucht werden. – Das erste Unterseeboot, das diese Bedingungen erfüllte, entstand 1775 als Ein-Personen-Minigefährt. Es wurde mit zwei handbetriebenen Antriebsschrauben bewegt und konnte auch in der Richtung gesteuert werden. Dieses U-Boot wurde zu Kriegszwecken gebaut. Die kriegerische Anwendung ist seitdem das Haupteinsatzgebiet von U-Booten geblieben.

Luftkissenboote
– nach dem ersten Modell auch »Hovercraft« genannt – sind keine Schiffe mehr. Sie werden aber vor allem eingesetzt, um Wasserflächen zu überqueren. Dabei berühren sie das Wasser nicht: Ein starker Ventilator bläst Luft unter den flachen Rumpf. Eine feste, am Rand des Rumpfes verlegte Gummischürze sorgt dafür, daß ein Kissen aus gepreßter Luft entsteht. Auf diesem Luftpolster schwebt das Boot über die Oberfläche. Das ist nicht nur auf Wasser, sondern auf jeder einigermaßen ebenen Fläche möglich. Die Schubkraft nach vorne erzeugen beim Luftkissenboot – genau wie bei vielen Flugzeugen – mehrere Propeller. Sie beschleunigen das Luftkissenboot auf bis zu 180 km/h.
Unten:
Ein Luftkissenboot mit vier Antriebspropellern.

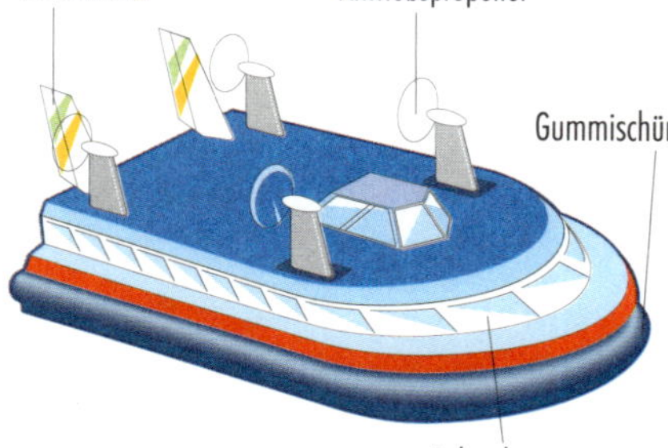

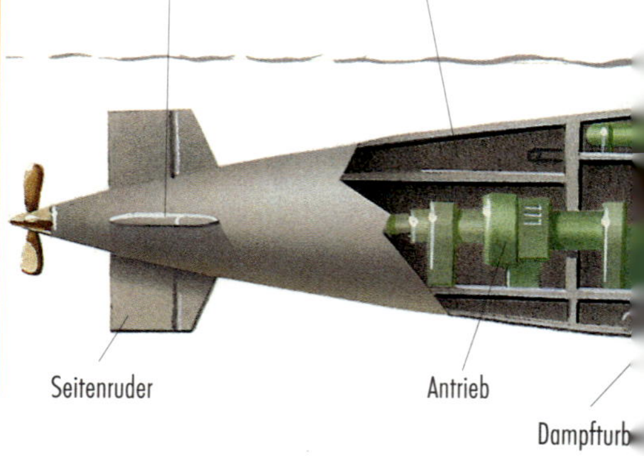

Während der Entwicklung der U-Boote wurde ständig versucht, den Antrieb zu verbessern. Anfangs konnte nur die Geschwindigkeit gesteigert werden. Doch blieb ein starker Nachteil: Verbrennungsmotoren verbrauchen im Betrieb Sauerstoff, den die Besatzung zum Atmen braucht, und sie erzeugen gleichzeitig giftige Abgase. Erst 1889 entstanden U-Boote mit der noch heute üblichen, sogenannten dieselelektrischen Antriebstechnik: Unter Wasser treiben starke Elektromotoren, die ohne Sauerstoffverbrauch arbeiten, die U-Boote an. Den Strom beziehen sie aus Akkumulatoren, die in Tauchpausen an der Wasseroberfläche von Dieselmotor-Generatoren aufgeladen werden. Die Tauchzeit wird so verlängert, ist aber noch immer eingeschränkt. Sind die Akkumulatoren leer, muß das Boot auftauchen.
1954 wurde dann das erste atomgetriebene U-Boot zu Wasser gelassen. Der Atomantrieb ist ideal für U-Boote, da er keinen Sauerstoff verbraucht. Trotzdem reicht der Brennstoff eines Atommotors für Jahre. Heutige Atom-U-Boote können mit einer Brennstoffladung rund 200 000 km unter Wasser zurücklegen. Da in diesen U-Booten Trinkwasser und Frischluft erzeugt werden kann, brauchten sie praktisch jahrelang nicht auftauchen. Schnelle U-Boote legen unter Wasser rund 80 km/h zurück.

Echolot
Mit einem Echolot oder »Sonar« kann vom Schiff oder U-Boot aus die Entfernung vom Meeresboden und von großen Gegenständen gemessen werden. Auch Fischschwärme lassen sich mit einem Echolot aufspüren. Das Echolot sendet einen Schallimpuls aus, der zum Beispiel vom Meeresboden zurückgeworfen wird. Der Empfänger des Gerätes empfängt das Signal und mißt die Zeit, die der Schall zum Boden und zurück gebraucht hat. Aus dieser Zeit wird die Tiefe oder die Entfernung errechnet.

U-Boot
Im Inneren eines U-Boots befinden sich Mannschaftsräume, Maschinenraum, Torpedoräume, Kommandoturm, Treibstofflager und die Drucktanks. Diese Tanks werden zum Abtauchen mit Wasser geflutet: Das U-Boot wird schwerer und sinkt. Um wieder aufzutauchen, wird das Wasser mit Preßluft aus den Drucktanks gedrückt. Kriegs-U-Boote tauchen rund 1,5 km tief. Noch tiefer tauchen Forschungs-U-Boote, sogenannte Tiefsee-Tauchkapseln: bis zu 11 km unter die Wasseroberfläche.

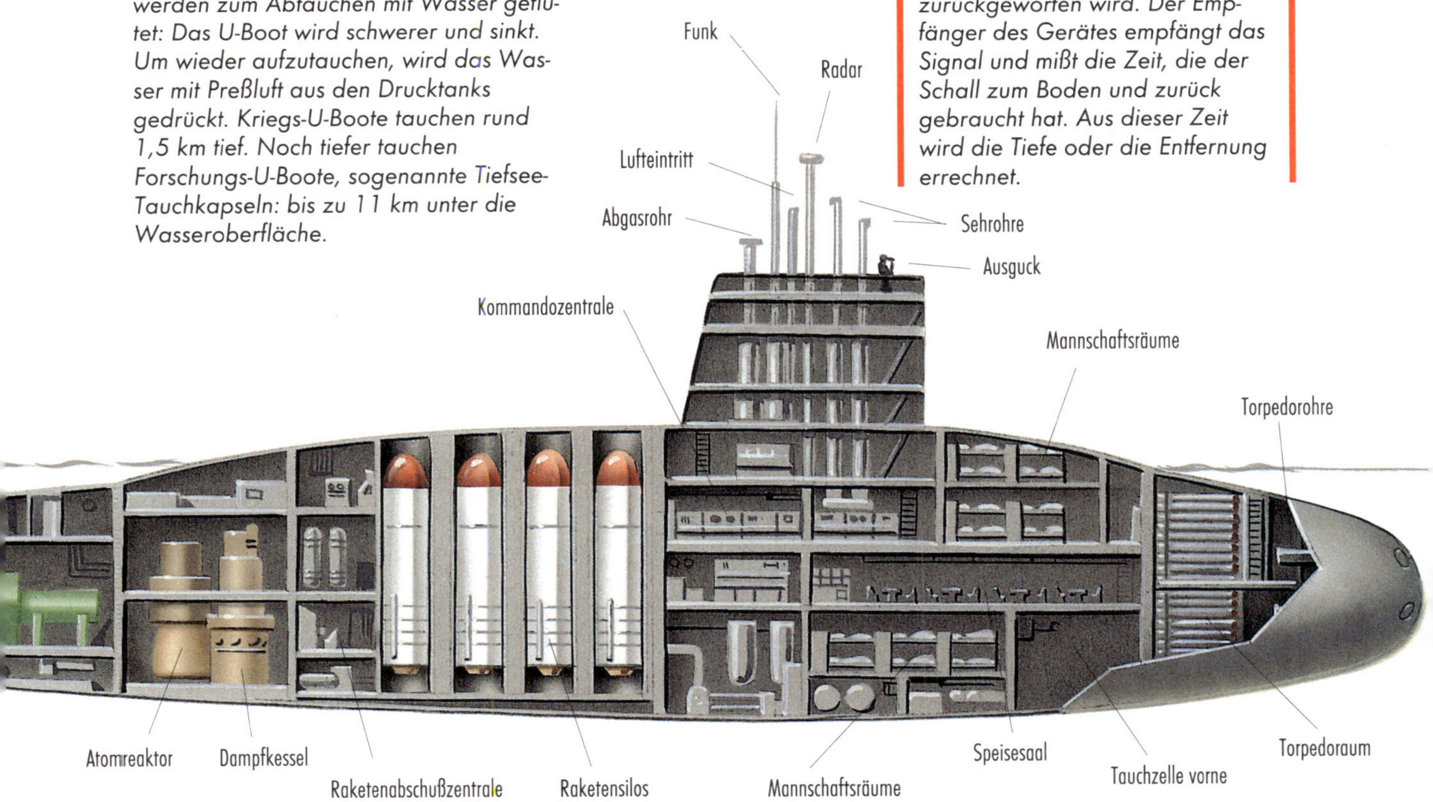

Chronik der Schiffahrt

4000 v.u.Z. Die älteste Darstellung eines Bootes entsteht (Ägypten).

750 v.u.Z. Das Ruder wird als Antriebsmittel entdeckt.

300 v.u.Z. Erste Schiffe mit Spanten werden gebaut. Diese sind mit einer dünnen Lederhaut überzogen, um das Holz vor Verrottung und Würmern zu schützen.

1450 Kleine Segelschiffe, sogenannte Karavellen, werden gebaut, die schon große Lasten tragen können. Mit solchen Schiffen entdeckte Kolumbus 1492 Amerika.

1550 Schiffe sind zum wichtigsten Transportmittel geworden. Waren, die früher etwa aus China oder Indien mit Karawanen über Land transportiert werden mußten, können nun, nachdem die Seewege entdeckt sind, weit billiger und sicherer nach Europa geschafft werden.

1707 Denis Papin stellt Versuche mit einem Schiffs-Dampfantrieb an.

1730 Ein Schlepper wird mit dem Dampfantrieb ausgerüstet, den Thomas Newcomen erfunden hat.

1778 Claude de Jouffrey baut aus einem Ruderboot das erste Dampfboot. 1783 entwickelt er daraus einen Raddampfer – das erste Dampfschiff, das auch gegen den Strom schwimmen kann.

1781 John Fitch baut das erste Dampfschiff Amerikas.

1807 Robert Fulton baut das Dampfschiff »Claremont« mit zwei an den Seiten angebrachten Schaufeln. Mit diesem Schiff wird die erste regelmäßige Schifffahrtslinie der Welt auf dem US-amerikanischen Hudson-Fluß eröffnet. Erfolgreich werden solche Raddampfer als Flußboote eingesetzt.

1819 Das erste Schiff überquert mit Hilfe eines Dampfmotors den Atlantik. Es fährt in 25 Tagen von England nach New York.

1826 Der Österreicher Joseph Ressel erfindet die erste (noch unvollkommen) funktionierende Schiffschraube.

1842 Das erste Schiff mit der vom Schweden John Ericsson 1837 erfundenen Antriebsschraube nimmt den Betrieb auf. Die »Ericsson-Schraube« ist bis heute die übliche Schiffsschrauben-Form.

1861 Das erste ganz aus Metall bestehende (Kriegs-)Schiff der Welt läuft vom Stapel.

1894 Das erste Schiff mit Dampfturbinen-Antrieb, die »Turbinia«, nimmt seinen Betrieb auf. Dieser Antrieb erlaubt höhere Geschwindigkeiten als die bis dahin übliche Umlenkung der Dampfkraft auf Motorkolben.

1898 Der erste Eisbrecher, die »Ermark«, wird gebaut.

1905 Der Außenbordmotor wird gleichzeitig in Amerika von Ole Evinrude und in Deutschland von Fritz Ziegenspeck entwickelt. Enrico Forlamini baut in Italien ein kleines Tragflügelboot.

1910 Erste Diesel-Motoren treiben Schiffe an, die den Dampfantrieb schnell ablösen.

1913 Der deutsche Techniker A. Behm erfindet das Echolot.

1918 Alexander Graham Bell baut ein funktionierendes Tragflügelboot. Es fährt über 100 km/h schnell. Das Funktionsprinzip schaut er von Enrico Forlamini ab.

1955 Christopher Cockerell entwirft das Luftkissenboot »Hovercraft«, das 1959 fertiggestellt wird und den Ärmelkanal zwischen England u. Frankreich überquert.

1956 Das erste atomgetriebene Handelsschiff läuft vom Stapel. Der Dampf, der mit der Hitze eines Atomreaktors erzeugt wird, treibt eine Dampfturbine.

1966 Das erste Containerschiff läuft in den USA vom Stapel

Chronik des U-Boots

1624 Der in England lebende Holländer Cornelius Drebbel stellt König James I. das erste U-Boot der Welt vor. An Bord des lederbespannten Hohlkörpers, der 2 Stunden taucht, befinden sich zwölf Ruderer.

1775 David Bushnell baut in Nordamerika das U-Boot »Turtle«, um damit britische Schiffe zu attackieren. Die »Turtle« ist mit einem Bohrer bewaffnet, der gegnerische Boote leckschlagen soll, und kann eine Person transportieren.

1801 Der Dampfmotor-Pionier Robert Fulton beginnt Experimente mit Dampfmotoren für U-Boote, die sich aber erst 1887 durchsetzen.

1863 Die französische Armee experimentiert mit einem U-Boot, das von komprimierter Luft getrieben wird. Das 420 t schwere Gefährt ist jedoch zu langsam, um eingesetzt zu werden.

1864 Während des amerikanischen Bürgerkrieges findet der erste Torpedo-Angriff von einem mit acht Personen besetzen U-Boot aus statt.

1879 Die russische Marine baut 50 U-Boote für den Küstenschutz.

1887 Der britische Erfinder Samuel Garret entwirft das erste seetaugliche, dampfmotorgetriebene U-Boot. Es wird im gleichen Jahr in Schweden für die türkische Marine gebaut.

1889 John Holland baut die ersten modernen U-Boote in der heutigen Form. Sie benutzen den neuartigen dieselelektrischen Antrieb. Mit ihnen kämpfen die Iren gegen die Briten. Hollands Modelle setzen die US-Marine im Jahre 1900 und die britische Marine 1901 ein.

1954 Das erste atomgetriebene U-Boot wird zu Wasser gelassen. Entworfen von US-Admiral Hyman Rickover, wird es in der Themse getestet und sticht 1955 erstmals in See.

Containerschiffe, die rund 3000 mit Gütern gefüllte Kisten transportieren, verdrängen zunehmend andere Transportschiffe.

Zeitgenössische Darstellung einer Dampfmaschine in einer Pariser Alkohol-Brennerei um 1860.

Mit Dampfkraft

Bis ins 18. Jahrhundert hatten Menschen keine transportable Maschine zur Verfügung, die Kraft erzeugen konnte. Allein Wind- und Wasserräder sowie Räder, die von Tieren und Menschen gedreht wurden, waren vorhanden. Alle diese Mittel der Krafterzeugung wurden nach der Erfindung der Dampfmaschine schnell verdrängt. Diese neuen Maschinen revolutionierten die Krafterzeugung in allen Bereichen, vor allem aber in der Industrie, wo sie die gesamte Produktionsweise entscheidend veränderten.

Nach vielen nur schlecht funktionierenden Vorgängermodellen schaffte der Engländer James Watt mit seiner Dampfmaschine 1781 den Durchbruch: Schnell wurde sie eingesetzt, um Lokomotiven, Fabrikmaschinen, Autos, Schiffe und sogar (nicht fliegende) Flugzeuge anzutreiben. Die ersten Dampfmaschinen waren reine Energieverschwender. Der Dampf wurde im Arbeitszylinder erzeugt, der anschließend wieder abgekühlt werden mußte, damit sich der Kolben zurückziehen konnte. Die meiste Energie wurde dadurch mit dem Abkühlen des Zylinders vergeudet. Das änderte James Watt grundlegend: Bei seiner neuen Dampfmaschine wurde das Wasser nicht im Arbeitszylinder, sondern in einem Kessel zum Kochen gebracht. Der Dampf entweicht in einen kleinen Arbeitszylinder und bewegt dort einen Kolben.
Mit der Entwicklung von Elektro- und Verbrennungsmotoren wurden Dampfmaschinen kaum noch eingesetzt. Vor allem deshalb, weil sie auch bei bester Konstruktion nicht mehr als ein Zehntel der eingesetzten Energie in Bewegungskraft umsetzen können.

Dampfkraft

Wasser, das in normaler Umgebung auf über 100°C erhitzt wird, beginnt zu kochen. Es geht vom flüssigen in einen gasförmigen Zustand über. Dieses Gas, der Dampf, nimmt dabei – wie jede Flüssigkeit, die zu Gas wird – einen viel größeren Raum ein als der Ausgangsstoff. Ein Liter Wasser wird zu 1700 Litern Dampf. – Auf diesem einfachen physikalischen Prinzip beruhte die Entstehung der Dampfmaschine im 18. Jahrhundert.

Dampflokomotiven

Bevor Lokomotiven mit großen Elektro- oder Dieselmotoren ausgerüstet wurden, schnaubten sie jahrzehntelang erfolgreich als Dampflokomotiven durch die Welt. Neben den Fabriken veränderte die Dampfmaschine vor allem den Transport. Dampflokomotiven, die auf Rädern rollenden Dampfmaschinen, eroberten die Welt. Strecken, die vorher mühselig in Pferdekutschen oder gar zu Fuß zurückgelegt werden mußten, konnten nun sehr schnell überwunden werden. Gleichzeitig besaßen die neuen Maschinen soviel Kraft, daß wesentlich mehr Menschen und Güter transportiert werden konnten als zuvor. Vor allem in den USA halfen sie, neue Gebiete zu erschließen und zu besiedeln. So waren schon im Jahr 1850 an der Ostküste der USA etwa 15 000 km Schienen verlegt, in Deutschland zur gleichen Zeit etwa 6000 km.

Von der Mitte des 19. Jahrhunderts an wurden weltweit die Schienennetze und Zugverbindungen ausgebaut. Die Eisenbahn wurde zum wichtigsten Transportmittel auf dem Landweg.

Die Dampfmaschine einer Lok

Bei einer Dampflokomotive wird in einem Heizkessel Kohle verbrannt. Die heißen Verbrennungsgase erhitzen Wasser in einem Kessel, in dem Dampf entsteht. Der entstehende Dampf wird zu einem Dampfmotor geleitet. Die Menge des ausströmenden Dampfes – und damit die Geschwindigkeit des Motors – wird über ein Ventil geregelt. Der Dampf wird zum Zylinder geleitet, wo er einen Kolben hin- und herdrückt. Dieser Kolben ist über Wellen und Stangen direkt mit den Antriebsrädern verbunden.

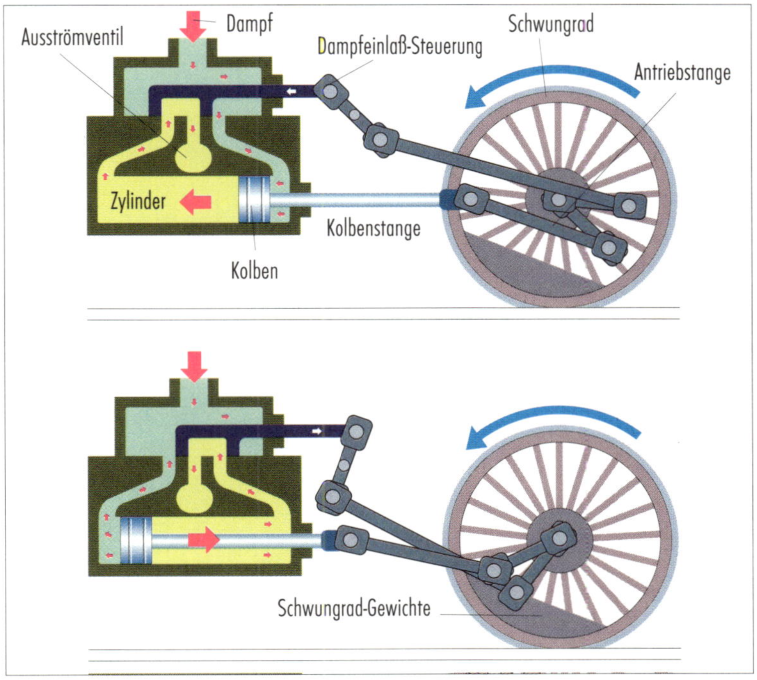

Funktion der Dampfmaschine

Der Kolben einer Dampfmaschine wird vom Dampf solange in eine Richtung gedrückt, bis er die Ausströmschlitze des Zylinders freigibt. Durch sie entweicht der Dampf, der Kolben kann sich zurückbewegen, bevor der Zylinder erneut mit Dampf gefüllt wird. Bei einer doppelt wirkenden Dampfmaschine, die James Watt 1781 erfand, wird der Kolben von beiden Seiten durch Dampf hin- und hergedrückt (Bild links). Der Dampfeinlaß wird dabei mechanisch gesteuert.
Der Kolben ist über Stangen mit einem Rad verbunden, das durch die Hin- und Herbewegung der Stangen gedreht wird. Für den gleichmäßigen, ruckfreien Lauf der Dampfmaschine sorgt ein Schwungrad.

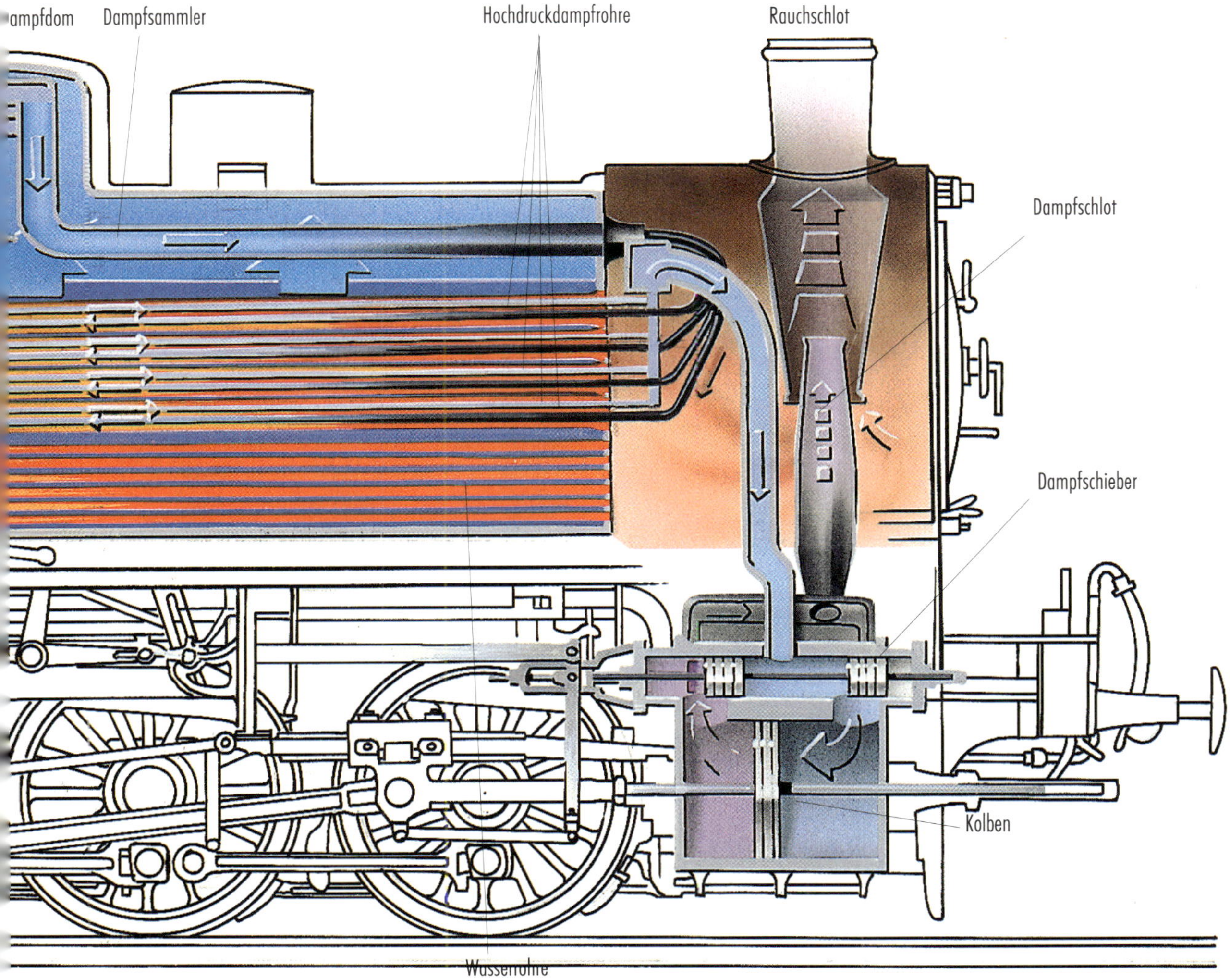

Die österreichische Südbahn führte um 1850 von Wien nach Baden. In den Industrieländern sind Dampflokomotiven nur noch als technische und touristische Attraktion in Betrieb. Als Verkehrsmittel wurden sie von Elektro- und Diesellokomotiven verdrängt. Diese verbrauchen weit weniger Energie als Dampflokomotiven und können gleichzeitig höhere Geschwindigkeiten erreichen.

Chronik der Dampfmaschine und -lokomotive

1.Jh. Heron von Alexandrien wendet als erster Mensch Dampfkraft an. Er baut eine drehbar gelagerte Kugel, in die Dampf strömt. Der Dampf verläßt die Kugel durch zwei seitwärts angebrachte Düsen und dreht die Kugel durch den Rückstoß.

16.Jh. Schienen werden entwickelt, auf denen Bergwerkskarren per Hand oder mit Tieren gezogen werden.

1698 Thomas Savery läßt in Großbritannien eine Dampfpumpe ohne Kolben patentieren. Sie soll Wasser in Bergwerke pumpen, funktioniert aber nur sehr schlecht und verbraucht sehr viel Brennmaterial. – Diese Pumpe ist die erste Maschine, die Wärmeenergie für Hebearbeiten nutzt.

1701 Denis Papin, der Erfinder des Dampfkochtopfs, erfindet die erste Dampfmaschine mit Hubkolben.

1712 Der Brite Thomas Newcomen experimentiert mit Papins Vakuum-Dampfmaschine. Er findet heraus, daß der Dampf schneller kondensiert, wenn kaltes Wasser in den Arbeitszylinder gespritzt wird. Die Maschine hebt und senkt den Kolben 16mal pro Minute. Papins Modell schaffte einen Hub pro Minute. – Newcomens Maschine verbreitet sich als Wasserpumpe in Englands Kohlegruben. Sie ersetzt bis zu 50 Pferde, die vorher die Pumpen antrieben.

1767 Der erste Zug – noch von Pferden gezogen – wird in einer Bergwerksgrube über fest verlegte Eisenschienen gezogen.

1769 James Watt erhält das englische Patent auf seinen Entwurf einer Dampfmaschine. Sie soll mehr als ein Hundertstel der eingesetzen Energie in Kraft umsetzen. Mehr leisten die Newcomen-Maschinen nicht. – Im gleichen Jahr baut Nicolas Cugnot den ersten, kaum funktionierenden Dampfwagen der Welt mit einer Newcomen-Maschine. Er wird bald wieder verschrottet.

1781 James Watt baut eine entscheidend weiterentwickelte Dampfmaschine. Sie erzeugt Dampf außerhalb des Arbeitszylinders und bewegt mit dem Dampfdruck und nicht mit dem Unterdruck im Zylinder den Kolben. Gleichzeitig entwickelt Watt eine Ventilsteuerung, die die Ein- und Ausströmschlitze des Zylinders öffnet und schließt. Sie können so gesteuert werden, daß der Dampf den Kolben in beiden Bewegungsrichtungen kräftig hin- und herschiebt.

1802 Richard Trevithick, ein britischer Ingenieur, baut eine kleine Dampfmaschine und mit ihr die erste Dampflokomotive. Sie erzeugt einen sehr hohen Dampfdruck und fährt noch auf der Straße. Zwei Jahre später baut Trevithick die erste schienengebundene Lokomotive mit Dampfantrieb als Bergwerksbahn.

1803 Die erste öffentliche, pferdegezogene Schienen-Eisenbahn nimmt in England den Betrieb auf.

1814 George Stephenson baut in Großbritannien seine erste Dampflokomotive »Blücher«.

1829 Das erste Lok-Wettrennen findet zwischen fünf Lokomotiven statt. Die »Rocket« von George Stephenson gewinnt das Rennen und ist dabei mit 46 km/h als erstes Fahrzeug schneller als ein Pferd.

1835 Mit der Lokomotive »Adler«, gebaut von Stephensons Sohn Robert, wird die erste deutsche Eisenbahnlinie Nürnberg-Fürth eröffnet. Die Hälfte aller Eisenbahnstrecken der Welt befinden sich in diesem Jahr in den USA.

1836 Johannes Andreas Schubert entwickelt mit der »Saxonia« die erste deutsche Dampflokomotive.

1830 In England verkehren erste Dampf-Omnibusse im Linienverkehr. Weitere Einsatzgebiete in Fahrzeugen folgen, die später fast alle von Verbrennungsmotoren verdrängt werden.

1854 Die erste Eisenbahnlinie über einen Gebirgspaß wird mit der Semmeringbahn in Österreich eröffnet.

1869 In den USA wird die erste durchgehende Bahnverbindung von der Westküste zur Ostküste fertiggestellt. Sie hilft entscheidend bei der Erschließung des Landes.

1938 Mit 202,7 km/h wird in England die höchste Geschwindigkeit gefahren, die je eine Dampflok erreicht hat. Wenig langsamer fuhr zwei Jahre zuvor eine deutsche Lok auf der Strecke Neustadt-Nauen mit 200,4 km/h. Mit diesen Rekorden ist die Dampftechnik im Schienenverkehr ausgereizt.

Fahren mit Muskelkraft

Bis zur Erfindung des Fahrrads war es ein langer Weg: Die Idee, ein Zweirad zum Transport von Menschen zu bauen, ist mindestens 3000 Jahre alt. Das erste funktionierende Zweirad wurde aber erst im 18. Jahrhundert gebaut. Seitdem wurde die energiesparende Fortbewegung per Fahrrad immer weiter verbessert und auf der Welt verbreitet. – Das Fahrrad ist heute das am meisten benutzte Verkehrsmittel der Welt.

Die Vorläufer heutiger Räder waren zweirädrige Holzgestelle, bei denen sich der Fahrer mit den Füßen vom Boden abstieß. Dieser zweirädrige Roller wurde schon 1790 in Frankreich erfunden, jedoch erst durch die Weiterentwicklung und konsequente Benutzung durch Freiherr Karl Friedrich Drais ab 1817 ein bekanntes Verkehrsmittel. Von seiner Umgebung nur verspottet, legte Drais mit diesem Laufrad beispielsweise die Strecke von seiner Heimatstadt Karlsruhe zur französischen Grenze viermal so schnell zurück wie Fußgänger. Das Laufrad war lange nicht so bequem wie heutige Fahrräder, es konnten damit aber auf längeren Strecken schon Durchschnittsgeschwindigkeiten von 15 km/h erreicht werden. Laufräder verbreiteten sich vor allem in Großbritannien, bis 1861 das pedalgetriebene Fahrrad erfunden wurde. Die Kette als Kraftüberträger zwischen den Pedalen und dem Hinterrad wurde erstmals 1869 verwendet und setzte sich 1879 endgültig durch. Das damals entwickelte »Rover-Sicherheitsrad« hatte damit eine Rahmenform wie heutige Räder. Aus diesem Rad entwickelten sich später Motorfahrräder (Mofas) und Motorräder. Nach seiner Entwicklung löste es die inzwischen

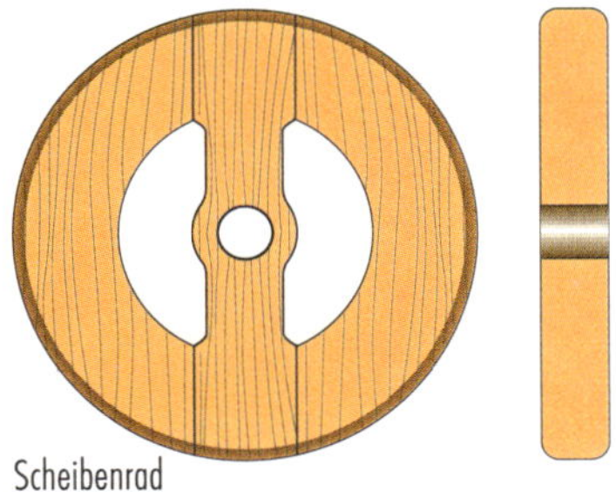

Scheibenrad

Speichenrad

Rad

Wer vor mehr als 5000 Jahren das Rad erfand, ist nicht mehr herauszufinden. Es entstand in vielen Regionen der Welt gleichzeitig und ist seitdem ein wesentlicher Teil der Technikentwicklung. Der augenfälligste Vorteil, der zur Erfindung der Räder führte: Bequemer als auf Rädern gelagert, lassen sich Lasten nicht bewegen oder transportieren. So wurden die riesigen Steine zum Bau der Pyramiden auf Baumstämmen gelagert bewegt. Mit solchen Walzen begann die Entwicklung der Räder, ohne die kaum eine moderne Erfindung möglich gewesen wäre und ist.
Die ersten wirklichen Räder wurden zur gleichen Zeit als Wagenrad und als Töpferscheibe erfunden. Es waren runde Holzscheiben, die direkt von einem Baum abgeschnitten oder aus Holzbrettern zusammengebaut wurden. Speichenräder kamen erst vor 4000 Jahren auf: Sie sind zugleich leichter und stabiler als die massiven Scheiben. Sie wurden auf der Lauffläche mit Metallringen beschlagen, um sie haltbarer zu machen.

Links:
Um die Jahrhundertwende herum war Radfahren eine beliebte Freizeitbeschäftigung.

erfundenen Hochräder und Laufradkonstruktionen ab. An der Grundform des Fahrrads wurden bis heute nur noch Details verändert. Ständig wurden bessere Räder, Schläuche, Bremsen, Schaltungen, Dynamos und anderes Zubehör erfunden. Moderne Fahrräder werden so leicht und stabil wie möglich gebaut. Neben Stahlrohren werden deshalb zunehmend leichte Aluminiumrohre und -teile oder Kohlefaserkunststoffe im Fahrradbau verwandt.

Schaltung und Kraftübertragung

Das wichtigste Teil, um die Kraft von den Pedalen auf das Hinterrad zu übertragen, ist die Fahrradkette. Sie verbindet das an den Pedalen befestigte Kettenrad mit dem Zahnkranz am Hinterrad. Die einzelnen Zähne dieser Zahnräder grei-

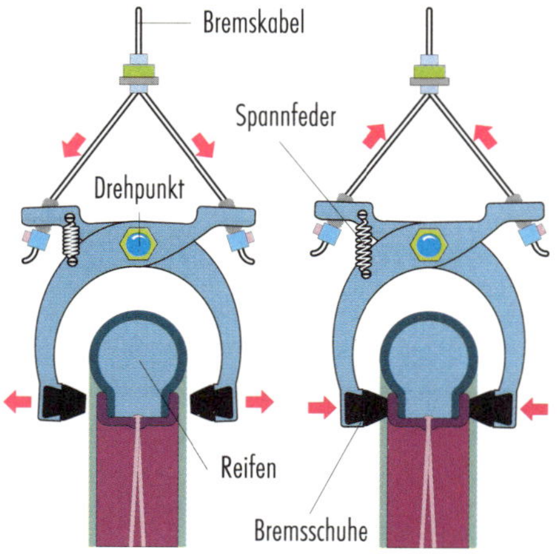

Fahrradbremse
Bei der Felgenbremse werden zwei Gummiklötze zangenartig gegen die Felge eines Rades gedrückt. Wird der Bremshebel gezogen, wird das Bremskabel aus der es umgebenden Hülle herausgezogen.
Diese Verkürzung des Drahtes bewirkt, daß die Zange vorne zusammengedrückt wird. Eine Feder zieht den Draht in seine ungebremste Ausgangsstellung zurück, sobald der Bremshebel nicht mehr gezogen wird.

Fahrrad
Bei diesem geländegängigen, nicht für den Straßenverkehr zugelassenen Mountain-Bike finden sich alle Grundelemente eines Fahrrades: Am stabilen Rohrrahmen mit der Lenkgabel sind zwei Speichenräder, der Lenker und der Sattel befestigt. Die Kraft wird durch Treten der Pedale erzeugt und über eine Kette an das Hinterrad weitergegeben. Eine Schaltung sorgt als Getriebe dafür, daß die aufzuwendende Kraft an Steigung und Geschwindigkeit angepaßt werden kann. Hebelbremssysteme, sogenannte Cantilever-Bremsen, entwickeln über Handbremsen eine starke Bremskraft. Um ein solches Rad verkehrstauglich zu machen, müssen eine Lichtanlage und Sicherheitsreflektoren angebaut werden.

Nabenschaltung
Die Nabenschaltung (oben) beinhaltet ein sogenanntes Planetengetriebe. Es besteht aus einem fest mit der Steckachse des Rades verbundenen, stillstehenden »Sonnenrad«, auf diesem aufliegenden »Planetenräder«, die von einem Planetenring gehalten werden, und einem die Planetenräder umgebenden »Hohlrad«. Durch den Zug am Schaltdraht werden im Normalgang Ritzel und Nabenhülse direkt verbunden, im Schnellgang das Ritzel mit dem Planetenring und die Nabenhülse mit dem Hohlrad; im Berggang werden die Nabenhülse mit dem Planetenring und das Ritzel mit dem Hohlrad verbunden.

fen fest in die Glieder der Kette ein. Über ein »Schaltung« genanntes Schaltgetriebe können verschiedene Übersetzungen zwischen den Zahnrädern eingestellt werden. Es gibt dabei zwei Schaltungsbauarten: Nabenschaltung und Kettenschaltung.
Bei beiden Schaltungen wird die Kraft der Pedale übertragen, indem ein großes Zahnrad fest mit den Pedalen verbunden wird. Die Zähne dieses Rades greifen fest in die Glieder der Kette ein. Die Kraft wird am Hinterrad mit einem kleineren Zahnrad auf die Nabe übertragen.

Übersetzung und Geschwingkeit

Das Größenverhältnis zwischen dem vorderen Kettenrad und dem hinteren Zahnkranz bestimmt, ob die eingesetzte Muskelkraft eher in Geschwindigkeit oder in die Überwindung der hemmenden Kräfte wie Steigung und Gegenwind eingesetzt wird.
Ist das hintere Zahnrad kleiner als das vordere, muß beim Radfahren mehr Kraft aufgewendet werden, als wenn die Zahnräder gleich groß wären. Die Kraft, um das Hinterrad

Kugellager

Erste Konstruktionen, die die Reibung zwischen Antriebsachse und Fahrzeug verringern, kamen 100 v.u.Z. in Dänemark auf. Sie sahen genauso aus wie die heutigen Rollenlager: Runde Holzstäbe zwischen der Wagenachse und einem umgebenden Holzring verringern die Reibung. Die Holzrollen zwischen Achse und Nabe laufen auf der Achsseite in leichten Vertiefungen, um die Rollen in Position zu halten. Heute bestehen solche Rollenlager und die genauso funktionierenden Kugel- und Kegellager aus Stahl. Sie vermindern die Reibung vor allem bei den Radnaben, dem Tretlager und der Gabel eines Fahrrades.

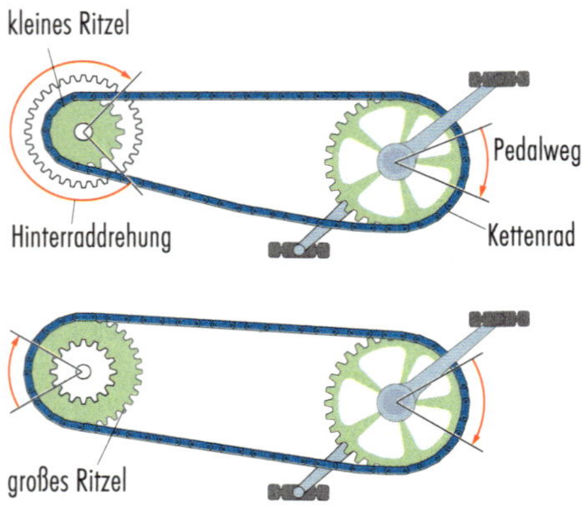

Kettenschaltung

Bei der Kettenschaltung wird ein »Kettenkäfig«, der die Kette über zwei Rollen führt, von einem Zahnkranz zum anderen geschoben. Die Bewegung des Kettenkäfigs wird mit einem Draht gesteuert, der mit einem Schalthebel verkürzt oder verlängert wird. Eine Bewegung des Schalthebels führt zu einer Veränderung der Übersetzung.

einmal ganz zu drehen, muß bei einem kleinen Zahnkranz (Ritzel) während einer kurzen Umdrehungsstrecke des Kettenrades – im Beispiel oben etwa ein Drittel – erzeugt werden. Sind beide Zahnräder gleich groß, kann die Kraft, die das Hinterrad einmal dreht, auf eine ganze Umdrehung der Pedale verteilt werden. Das Treten der Pedale ist in diesem Fall dreimal einfacher, sie müssen aber auch dreimal so schnell getreten werden, um die gleiche Geschwindigkeit zu erreichen wie im oberen Beispiel.

Reifen

Die ersten Fahrradreifen waren noch Vollgummireifen aus dem Naturkautschuk der Gummibäume. Als immer mehr Fahrzeuge gebaut wurden und der Gummibedarf für Reifen sprunghaft anstieg, konnte er mit pflanzlichem Kautschuk nicht mehr gedeckt werden. 1910 wurde mit dem »Buna« ein Ersatzstoff gefunden. Buna wird aus einer Mischung von Butadien und Natrium hergestellt. Heute wird dieser noch der flüssige Kunststoff Styrol beigemischt. Diese Mischung bildet ein Kunstgummi, das viel elastischer, abriebfester, hitzebeständiger sowie unempfindlicher gegen Öl und Benzin ist als Naturgummi.

Das Gummi der Manteldecke ist nicht der einzige Bestandteil eines Reifens – er muß auch unter Belastung in Form bleiben. Belastungen sind Straßenunebenheiten und der Luftdruck, der zwischen Felge und Mantel herrscht. Um Druck auszuhalten und Schläge abzufangen, befindet sich unter dem Gummi ein festes und trotzdem biegsames Trägermaterial aus Gewebe. Beim Fahrrad reichen dafür feste Stoffe, bei Autos besteht das Gewebe meist aus einem Stahlgeflecht. Ein Draht auf jeder Seite des Mantels sorgt außerdem dafür, daß am offenen Ende der Reifen ein stabiler Wulst entsteht, damit der Reifen nicht aus seiner Halterung, der Felge, herausrutschen kann. Auto- und Motorradreifen können so gebaut werden, daß sie allein durch den Luftdruck an der Felge schließen. Fahrräder brauchen Luftschläuche, um die federnde Luftschicht zwischen Felge und Mantel zu halten.

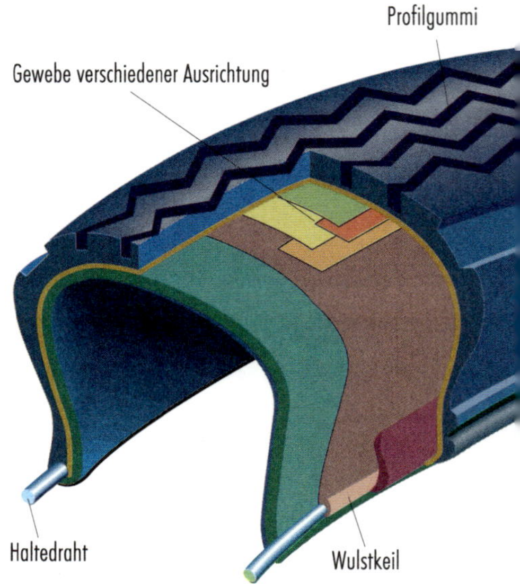

Autoreifen

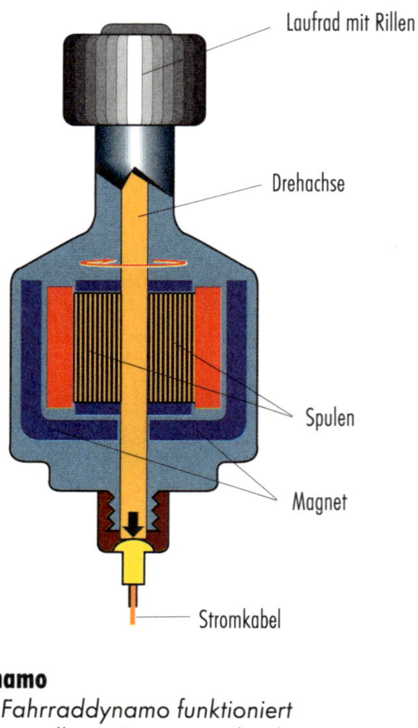

Dynamo

Ein Fahrraddynamo funktioniert prinzipiell wie Dynamos, die den Haushaltsstrom erzeugen (siehe S. 40-42): Eisenmagneten erzeugen ein Magnetfeld, in dem eine Elektrospule gedreht wird. Die Rotation der Spule im Magnetfeld erzeugt elektrischen Wechselstrom. Die Bewegung der Welle, auf der die Spule angebracht ist, wird in Gang gesetzt, sobald das Treibrad des Dynamos gegen ein drehendes Rad gedrückt wird.

Rikscha
In vielen Ländern ist der Transport von Menschen und Waren per Muskelkraft noch üblich. Vor allem in Asien sind kippsichere und stabile Rikschas in großer Zahl und auf allen Straßen zu sehen.

Chronik des Fahrrades

1654 Der Magdeburger Bürgermeister Otto von Guericke erfindet die Luftpumpe. Von nun an ist es möglich, Luftleere oder Überdruck in Gefäßen zu erzeugen.

1790 Graf von Sivrac erfindet in Frankreich die Célérifère. Es ist ein Laufrad mit Holzgestell, das nicht gelenkt werden kann.

1817 Der deutsche Adelige Karl Friedrich Drais entwickelt das Laufrad weiter. Die wesentliche Verbesserung ist die von Drais entwickelte Lenkung des Vorderrads.

1830 Philipp Fischer erfindet in Deutschland das Hochrad. Es besteht aus einem bis zu zwei Meter hohen Vorderrad, an dem Pedale angebracht sind. Das Hinterrad ist ein kleines Stützrad. Das Hinterrad und die Lenkgabel sind durch eine einzige Stange miteinander verbunden, auf der ein Ledersattel montiert ist.

1839 Der Brite Kirkpatrick Macmillan erfindet das erste Fahrrad, bei dem Vorder- und Hinterrad nahezu gleich groß sind. Es besteht aus einem Holzrahmen, einem kleineren Vorderrad und einem etwas größeren Hinterrad. Die Räder sind mit Eisenringen beschlagen, um sie stabiler zu machen. Die Pedale dieses Rades sind noch nicht drehbar auf einer Welle angebracht. Wie bei einem Tretroller werden sie auf- und abgetreten und treiben das Hinterrad über ein Gestänge an. 1842 wird Macmillan in Glasgow zu einer Strafe verurteilt, weil er mit dem Fahrrad ein Kind anfährt.

1845 Der Schotte R. W. Thompson baut in London den ersten Vollgummireifen. Dieser Reifen ist leiser als die bis dahin verwendeten Stahlringe über einem Holzrad, jedoch kaum komfortabler.

1847 Lord Loraine erfindet in Großbritannien den Schlauchreifen. Dieser ist so teuer, daß er kaum gekauft wird und bald wieder in Vergessenheit gerät.

1861 Pierre Michaux entwickelt die Idee eines Fahrrades mit sich drehenden Pedalen. Diese werden an der Vorderradnabe eines Drais'schen Laufrades angebracht. Sein Sohn Ernest baut dieses Rad, das als Véloziped schnell berühmt wird. Die gleiche Erfindung machte 1853 in Deutschland der Schweinfurter Moritz Fischer. Sie konnte sich jedoch noch nicht durchsetzen.

1869 In Hamburg wird der erste deutsche Radfahrclub gegründet.

1870 Das erste Ganzmetall-Fahrrad, die »Ariel«, wird in Großbritannien von der Coventry Machine Company gebaut. Es ist das erste Fahrzeug mit Drahtspeichenrädern.

1879 Der Brite Harry Lawson erfindet die Fahrradkette. Im britischen Coventry wird daraufhin von der Tangent & Coventry Tricycle Company das erste Fahrrad mit einer Kette zwischen Pedalen und Hinterrad gebaut. Mit der dadurch möglichen Übersetzung wird – anders als bei den Hochrädern – kein riesiges Vorderrad mehr gebraucht, um trotz langsamen Tretens schnell zu fahren.

1885 John Starley baut in Großbritannien sein »Rover Sicherheitsrad« – das erste Fahrrad, bei dem Vorder- und Hinterrad die gleiche Größe besitzen. Dadurch ist dieses Rad das erste in der heutigen Bauform.

1886 Der Leipziger Richard Weber läßt eine Dynamo-Fahrradbeleuchtung patentieren.

1888 Der Tierarzt John Boyd Dunlop gründet mit der Dunlop Rubber Company die erste Reifenfirma. Kurz vorher hatte er im nordirischen Belfast zufällig den Schlauchreifen erfunden: Um seinen Garten zu schützen, hatte er um die Reifen des Dreirades seines Sohnes ein Stück Gartenschlauch gespannt, das er mit Wasser füllte. Sein Freund John Fagen empfahl, die Schläuche mit Luft zu füllen. Diesen Reifen pumpte Dunlop mit einer Fußballpumpe auf. Damit wiederholt Dunlop die Erfindung des Schlauchreifens von 1847, von dem er nie gehört hatte.

1895 Edouard Michelin, französischer Fahrradreifenhersteller, baut in Paris die ersten Gummireifen für ein Auto.

1934 Percy Shaw erfindet die »Katzenaugen« – Reflektoren, die Fahrradpedale, Straßenbegrenzungen und vieles mehr reflektieren lassen, wenn sie von Licht angestrahlt werden. Sie bestehen aus einem Prisma, das Licht auf eine dahinterliegende Spiegelfläche lenkt und von dort zurückwirft.

1983 Die französische Firma Badier entwickelt das erste Fahrrad, dessen Rahmen aus Kohlefaserkunststoff besteht.

Fahren mit Motorkraft

Seit Jahrtausenden kennen Menschen den Transport von Personen und Gütern mit rollenden Wagen. Ebenso lange suchten sie nach Hilfen, die das Ziehen der Wagen erleichtern sollten. Mit Erfindung des Verbrennungsmotors war der entscheidende Schritt getan. Dieser wurde anfangs nur dazu eingesetzt, ortsgebundene Maschinen anzutreiben. Als ein solcher Motor aber erstmals in eine Pferdekutsche eingebaut wurde, war das erste Auto entstanden.

Bald wurden Lenkung, Fahrwerk und Karosserie der Pferdewagen so umgebaut, daß sie mit dem neuen Antrieb besser zusammenpaßten. Ebenso erging es dem Fahrrad, das zum Motorrad umgebaut wurde. Viele neue Erfindungen verbesserten Autos und Motorräder, bis hin zu den schnellen, bequemen Fahrzeugen, die heute in ihrer Menge zum Verkehrs- und Umweltproblem geworden sind.
Bevor Verbrennungsmotoren in Fahrzeuge eingebaut wurden, experimentierten Erfinder mit Fahrzeugen, die von Dampfkraft angetrieben wurden. Erfolg hatten diese Versuche langfristig allerdings nur bei der Eisenbahn. Andere Erfinder bauten Wagen, die von Segeln oder den Uhrwerken nachempfundenen Federwerken angetrieben wurden, bis Étienne Lenoir 1860 den Gas-Verbrennungsmotor erfand. Die in diesem Motor erstmals gelungene Verbrennung von Energieträgern direkt im Arbeitsraum eines

Dieser erste liegende, schnellaufende Motor wurde von Gottlieb Daimler im Jahre 1883 gebaut. Der Einzylindermotor vereinte eine damals hohe Leistung von einem 3/4 PS und geringes Gewicht bei einer langen Lebensdauer. Dieser Motor konnte als Antrieb in Fabriken und im Verkehr eingesetzt werden.

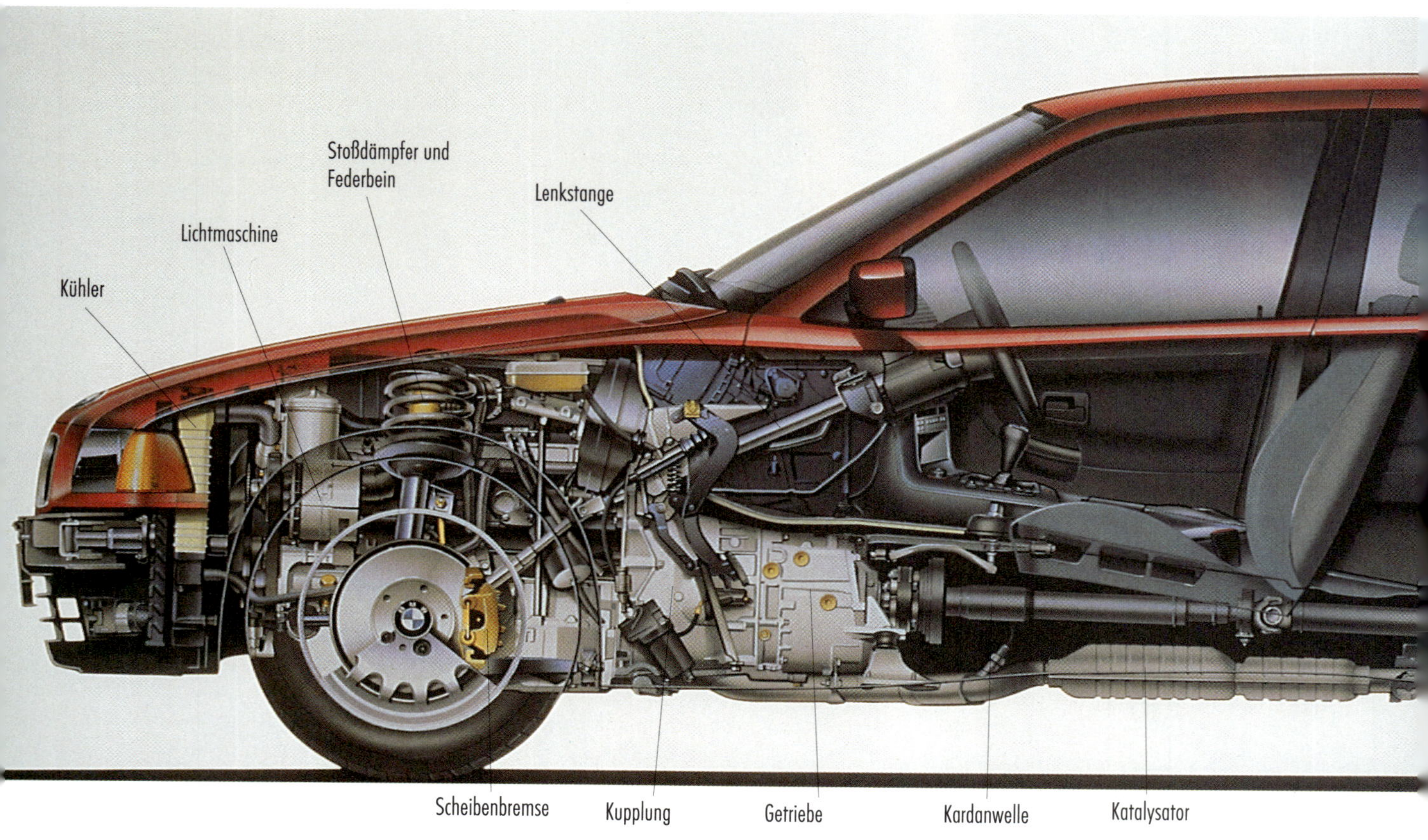

Der »Mercedes« genannte Daimler-Motorwagen aus dem Jahre 1901 war das erste von vielen Automodellen der Firma Daimler-Benz, das diesen Namen trug. Seit 1989 heißt auch jenes Tochterunternehmen des heutigen Technologie- und Rüstungskonzerns Daimler-Benz AG, das Autos fertigt »Mercedes-Benz AG«.

Motors beflügelte die Fantasie anderer Erfinder. Sie suchten und fanden andere Treibstoffe, die für Verbrennungsmotoren geeignet sind, ebenso wie neue Verfahren, den Treibstoff zu zünden. Der Verbrennungsmotor wurde ursprünglich nur in Fabriken benutzt, wo er die Dampfmaschine ersetzte. Es lag jedoch nahe, diesen leichten Motor auch in Fahrzeuge einzubauen. Schon 1862 fuhr Lenoir eine mit dem Gasmotor ausgerüstete Kutsche.
Die ersten Fahrten mit Benzinmotor unternahm Gottlieb Daimler 1883 auf einem Motorrad und zwei Jahre später im Automobil. – Damit war der Name für das neue Fahrzeug gefunden: Automobil heißt »Selbstbeweger«.

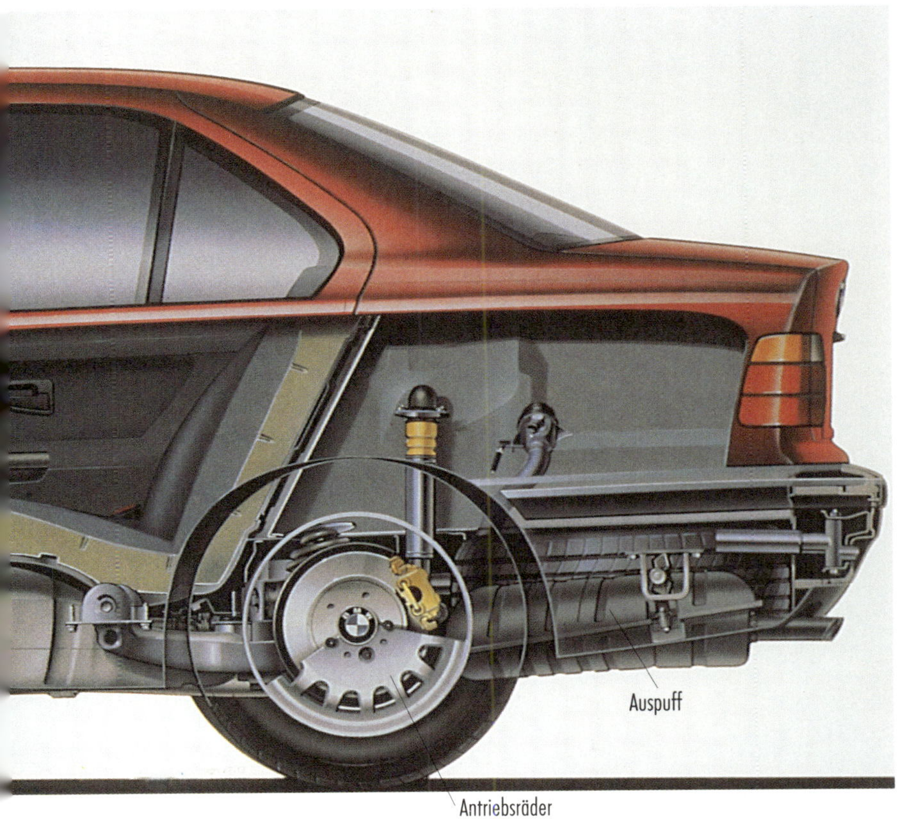

Auto
Ein Auto besteht heute aus den Elementen Karosserie, Motor, Antrieb und Fahrwerk. Die Karosserie ist die Stahlblechhülle, in und an die alle anderen Teile montiert werden. Der Antrieb besteht aus Getriebe, Kupplung, Kardanwelle und allen anderen Teilen zur Kraftübertragung zwischen Motor und Antriebsrädern. Das Fahrwerk bilden die Federung und alle anderen Autoteile, die den Kontakt zur Straße herstellen.

Die ersten Autos fuhren mit dem 1876 von August Otto entwickelten Viertaktmotor. Zur gleichen Zeit erfand Carl Benz einen anderen Verbrennungsmotor, den Zweitaktmotor, um Patentstreitigkeiten mit Otto zu entgehen. In diesen Zweitakter wurde die erste elektrische Zündanlage eingebaut. Nach dem Bau des Glühzünder-Motors durch Rudolf Diesel im Jahre 1892 war die Entwicklung neuer Verbrennungsmotoren für lange Zeit abgeschlossen. Mit der Erfindung des Wankelmotors im Jahre 1956 entstand das letzte Modell der heute verwendeten Verbrennungsmotoren. Im Prinzip unterscheiden sich sämtliche Arten der Verbrennungsmotoren nur wenig.
1908 begann mit der Einführung der Fließbandproduktion im US-amerikanischen Ford-Werk das Automobil-Zeitalter. Im 20. Jahrhundert dienten die meisten Erfindungen rund um das zum Massenprodukt gewordene Auto dazu, nicht den Motor, sondern die anderen Bestandteile zu verbessern. So ist von der ursprünglichen Kutschenform – außer dem Prinzip, auf vier Rädern zu fahren – wenig übriggeblieben. Der Fahrkomfort und die Straßenlage wurden durch die Konstruktion neuer Fahrwerke so weit verbessert, daß schnelle Kurvenfahrten und holprige Wegstrecken kaum noch Probleme machen.
Vor allem durch den Einsatz von Computern konnten Autos entscheidend verbessert werden. Heute zeigt sich das unter anderem in »denkenden Fahrwerken« – Fahrwerke, bei denen der Computer die beste Stellung der Räder in Kurven und die Einstellung der Federung steuert. Auch

Zündanlage

Die Zündanlage erzeugt den Funken, der das Benzin-Luft-Gemisch entzündet. Für die Zündung wird der Batteriestrom in der Zündspule von einer 12 V-Spannung auf 15 000 V erhöht. Die Zündspule ist ein Transformator: In ihrem Kern liegt die Hochspannungswicklung aus einigen tausend Wicklungen dünnen Drahts mit einer Länge bis zu 1,6 km. Um diese Spule herum liegt die Niederspannungswicklung mit ein paar hundert Wicklungen dicken Drahts. In diese wird der Batteriestrom eingespeist. In der Zündkerze springt der hochgespannte Strom von einem Pol zum anderen und erzeugt dabei einen Funken. Bei schneller Umdrehung wird eine Zündkerze rund 50mal pro Sekunde gezündet. Ein Verteiler sorgt für die Zündung im richtigen Moment.

Viertakt-Kreislauf

Ein Benzinmotor hat vier Arbeitsgänge – die sogenannten Takte: Ansaugen, Verdichten, Verbrennen und Ausstoßen. Beim Ansaugen bewegt sich der Kolben nach unten und saugt vom Vergaser kommendes Benzin-Luft-Gemisch ein. Beim Verdichten wird dieses Gemisch vom sich nach oben bewegenden Kolben zusammengepreßt. Kurz bevor der Kolben seinen höchsten Punkt erreicht, wird das Gemisch von der Zündkerze entzündet. Im Verbrennungstakt, dem eigentlichen Arbeitstakt, dehnt sich das verbrennende Gas aus und drückt den Kolben nach unten. Dann öffnet das Auslaßventil den Weg zum Auspuff. Der nach oben drückende Kolben preßt die verbrannten Gase aus dem Zylinder. Das Auslaßventil schließt sich, das Einlaßventil öffnet sich und der nächste Viertakt-Kreislauf beginnt.

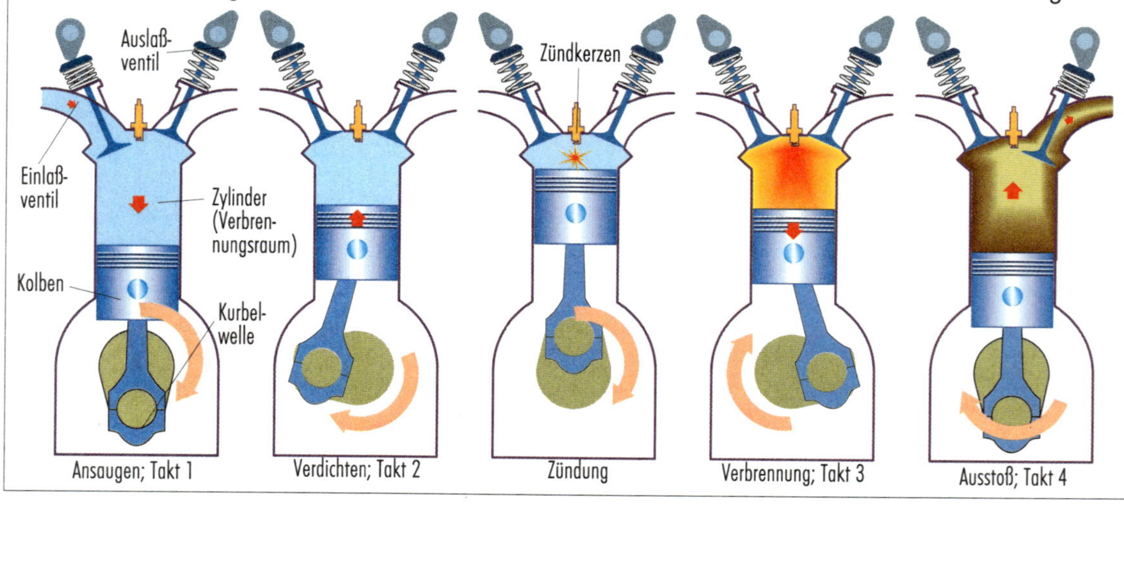

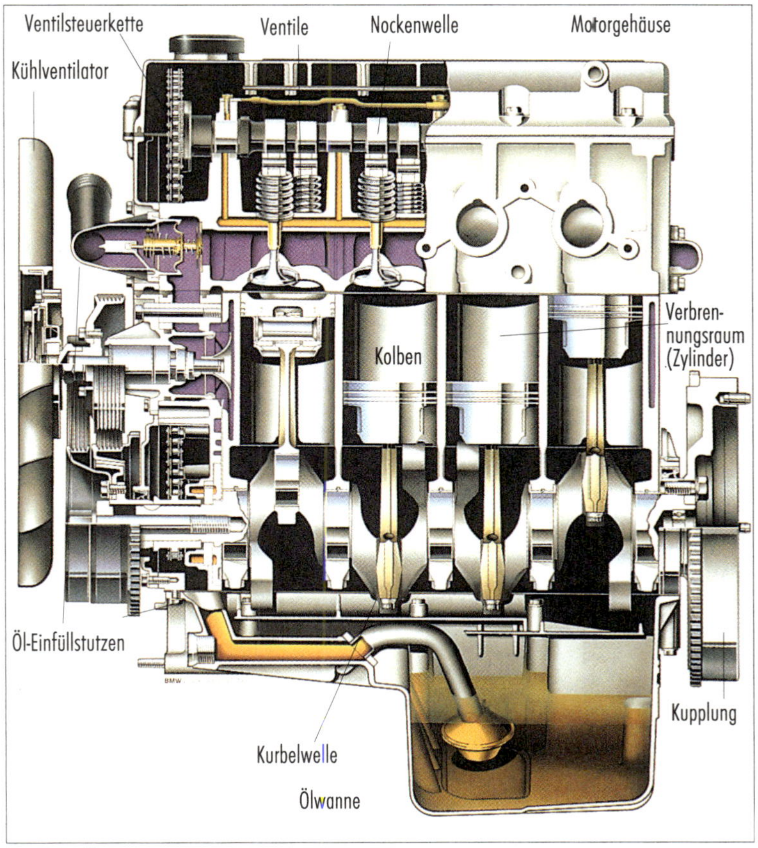

beim 1982 erfundenen Anti-Blockier-System (ABS) sorgt ein Computer dafür, daß Fahrzeugräder nicht blockieren. Die meisten Verbesserungen der Kraftfahrzeuge betreffen den Verbrennungsmotor, dessen Wirkungsgrad immer wieder verbessert wurde. Auch hier ist es der Einbau von Computern – in die Zündanlage –, der zu den stärksten Verbesserungen führte. Andere Weiterentwicklungen sind die Verwendung von vier Ventilen pro Zylinder, neue Zündkerzentypen und bessere Vergaser. All diese Erfindungen und Entwicklungen halfen, den Benzinverbrauch der Verbrennungsmotoren – und damit die Verschwendung nicht wieder zurückzugewinnender Rohstoffe – auf rund ein Viertel des Verbrauchs der ersten Motoren zu senken.
Dem gleichen (Spar-)Ziel dient der Einsatz neuer Materialien, die das Gewicht des Autos senken. So ersetzt das leichte Metall Aluminium immer mehr Eisenteile der Kraftfahrzeuge, und auch Kunststoffe ersetzen bei vielen Teilen – etwa der Stoßstange – die über Jahrzehnte eingesetzten Metalle. Selbst ganze Karosserien werden manchmal aus Kunststoffen anstelle von Blech gefertigt. Mit dem Einsatz leichter, porzellanähnlicher Keramiken als Werkstoff für Motoren wird heute ebenfalls experimentiert, um das Gewicht der Maschinen zu senken.
Ein weiterer Weg, Autos sparsamer und unabhängig vom begrenzten Rohstoff Öl zu machen, ist der Einsatz neuer Verbrennungsstoffe und Antriebsarten. So werden seit den

Verbrennungsmotor

Die meisten Kraftfahrzeuge werden heute mit Verbrennungsmotoren angetrieben. In diesen Motoren wird ein explosionsfähiges Kraftstoff-Luft-Gemisch entzündet. Der Druck der Explosion treibt in einem Arbeitszylinder einen Kolben nach unten. Die Kraft beträgt dabei bis zu 15 t. Der Kolben wiederum dreht eine Kurbelwelle mit ihrem Schwungrad, die die Kraft auf ein Getriebe und schließlich auf die Antriebsräder überträgt.
Im Wankelmotor ist es ein Drehkolben, der die Kraft auf eine Antriebsachse überträgt. Zwischen Motor und Antriebsräder ist bei allen Verbrennungsmotoren ein Getriebe zwischengeschaltet. Es erlaubt es, die Kraft des Motors gezielt einzusetzen.
Neben dem Getriebe besteht ein Motor noch aus vielen anderen Teilsystemen: Kühlung, Zündung, Ölsystem und Vergaser.
Die Energieausbeute solcher Motoren ist nicht sehr günstig: Nur rund ein Viertel der Energie, die im Benzin enthalten ist, wird in Bewegungsenergie umgesetzt.
Der Rest verpufft als Abwärme, denn im Verbrennungsraum entstehen Temperaturen bis zu 1800°C.
Trotzdem hat sich der Verbrennungsmotor durchgesetzt, weil der Brennstoff billig und leicht zu transportieren ist und andere Energieträger nicht überall zur Verfügung stehen. Zudem ist ein Verbrennungsmotor immer noch effektiver und leichter als die vorher benutzten Dampfmotoren.

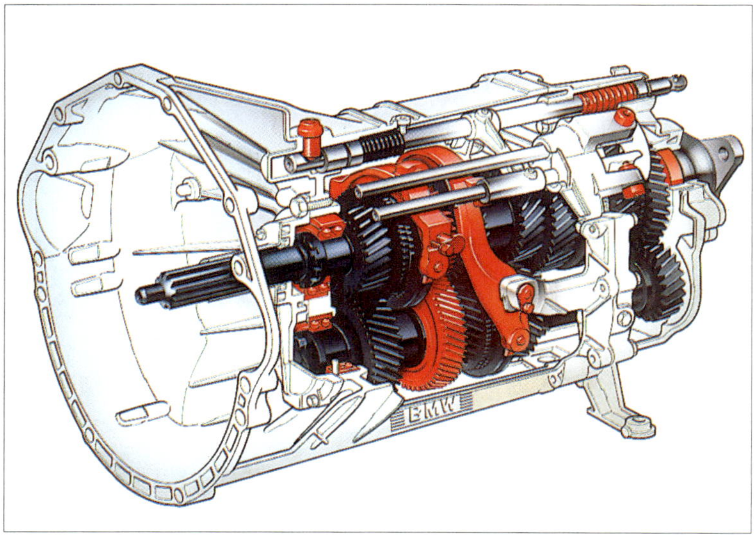

Getriebe
Verschiedene Übersetzungen können mit dem Getriebe eines Autos eingestellt werden. Ein Getriebe sieht recht kompliziert aus (oben). Seine Funktion wird jedoch sehr deutlich, wenn es als Schemazeichnung dargestellt ist (rechts): Das Getriebe verbindet verschieden große Zahnräder, die zwischen die vom Motor kommende Kraft- oder Kurbelwelle (im Schemabild links oben) und die zu den Rädern führende Antriebswelle (im Schemabild rechts oben) eingebaut sind. Die gewünschte Übersetzung – der eingestellte Gang – wird mit dem Schalthebel gewählt. Um rückwärts zu fahren, wird ein zusätzliches Zahnrad zwischen das letzte Übersetzungszahnrad und die Antriebswelle geschaltet (rechts unten).

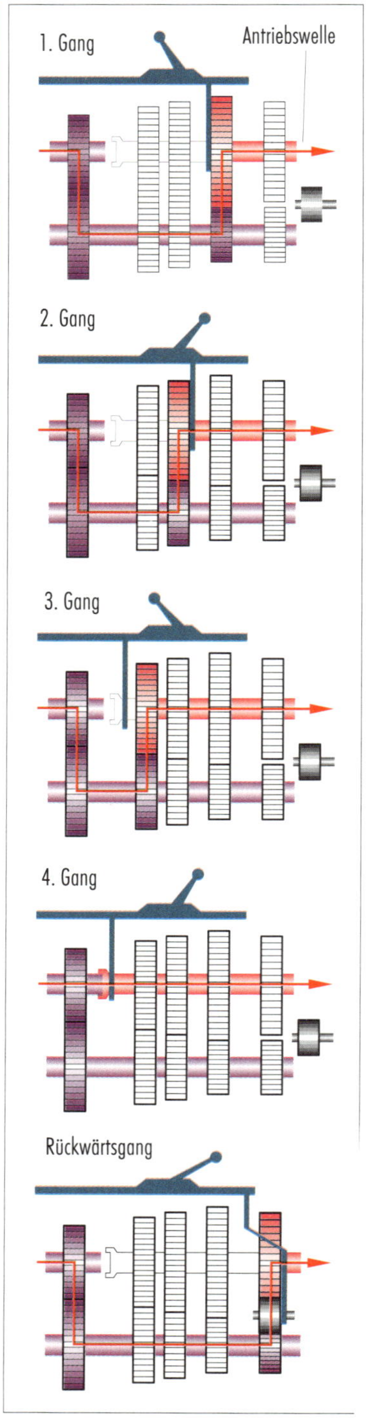

70er Jahren dieses Jahrhunderts verschiedene Gase als Kraftstoff eingesetzt. Am vielversprechendsten ist dabei der Einsatz von Wasserstoff, der aus Wasser gewonnen werden kann und bei der Verbrennung als »Abgas« lediglich Wasser erzeugt. Um den Ausstoß giftiger Gase – vor allem in den Städten – zu vermeiden, werden bei allen großen Autofirmen außerdem zunehmend Elektroautos entwickelt. Die Umweltprobleme, die Kraftfahrzeuge verursachen, können letztendlich aber nur wirksam verringert werden, wenn sie möglichst wenig gefahren und durch andere Verkehrsmittel wie Fahrrad, U-Bahn und Eisenbahn ersetzt werden.

Getriebe

Damit die Motorkraft der jeweiligen Belastung angepaßt auf die Räder übertragen werden kann, werden Getriebe zwischen Motor und Antriebsräder gebaut. Da Motoren nur bei bestimmten Drehzahlen ihre Kraft entfalten können, reicht es nicht, die Drehzahl der Räder über die Gaszufuhr des Motors zu regeln. Auch bei geringen Geschwindigkeiten muß der Motor eine Mindestdrehzahl behalten. Erreicht wird dies im Autogetriebe – genau wie bei der Fahrradschaltung – dadurch, daß Zahnräder mit verschiedenen Durchmessern miteinander in Verbindung gebracht

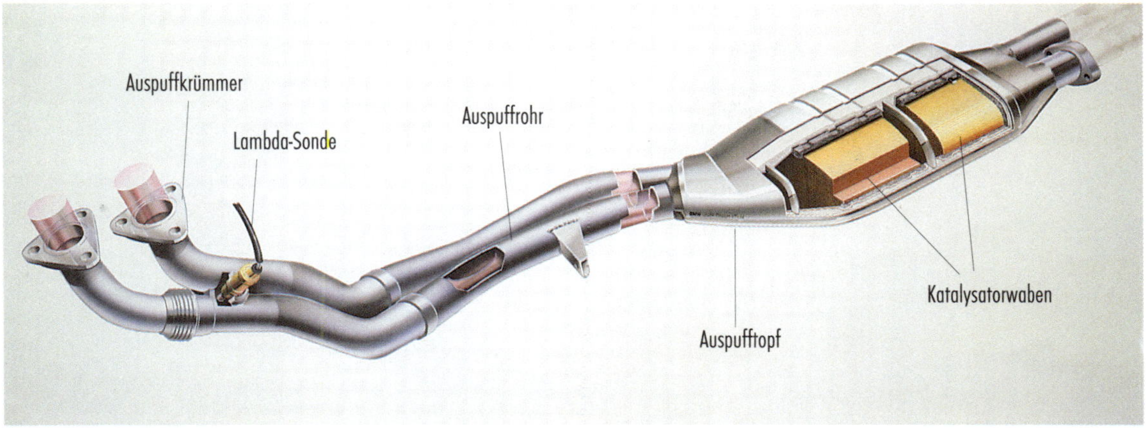

Katalysator

Ein Katalysator wandelt giftige Autoabgas-Bestandteile wie Kohlenmonoxid, Stickoxide und Kohlenwasserstoff in die für Mensch und Umwelt weniger gefährlichen Stoffe Kohlendioxid, Wasser und Stickstoff um. Diese Stoffe haben auf Menschen keine schädliche Wirkung. Seinen Namen hat dieses Entgiftungsgerät von dem chemischen Begriff des Katalysators: Er ist ein Stoff, der chemische Prozesse anregt, ohne sich dabei zu verändern. – Genau das tun die Wirkstoffe Platin und Palladium im Autokatalysator. Sie wandeln zum Beispiel Kohlenmonoxid in Kohlendioxid um, ohne dabei chemische Verbindungen einzugehen. Damit möglichst viele Kohlenmonoxid-Teilchen zur Umwandlung in Kohlendioxid angeregt werden können, muß die Oberfläche der Katalysatorstoffe möglichst groß sein: Sie werden auf wabenförmige Keramikträger aufgetragen und bedecken dadurch auf kleinstem Raum etwa die Fläche von zwei Fußballfeldern. Eine Lambda-Sonde mißt zusätzlich den Sauerstoffgehalt der Abgase, um die schadstoffärmste Mischung von Luft und Benzin regeln zu können.

werden. Jede dieser Verbindungen wird »Gang« genannt. Autos haben heute meistens fünf, Motorräder sechs und Lastkraftwagen bis zu 30 Gänge. Um die Gänge wechseln zu können, werden Motor und Antriebsräder kurzzeitig durch die Kupplung voneinander getrennt. Bei eingekuppeltem Gang besteht eine feste Verbindung zwischen den Rädern und dem Motor. Das Getriebe wird direkt am Motor angebaut und bildet mit ihm eine Einheit.

Elektroauto

Ein von der Firma VW auf der Basis des Modell »Golf« entwickeltes Elektroauto, das den Strom zur Ladung der Akku-Batterien aus dem Haushalts-Stromnetz bezieht.

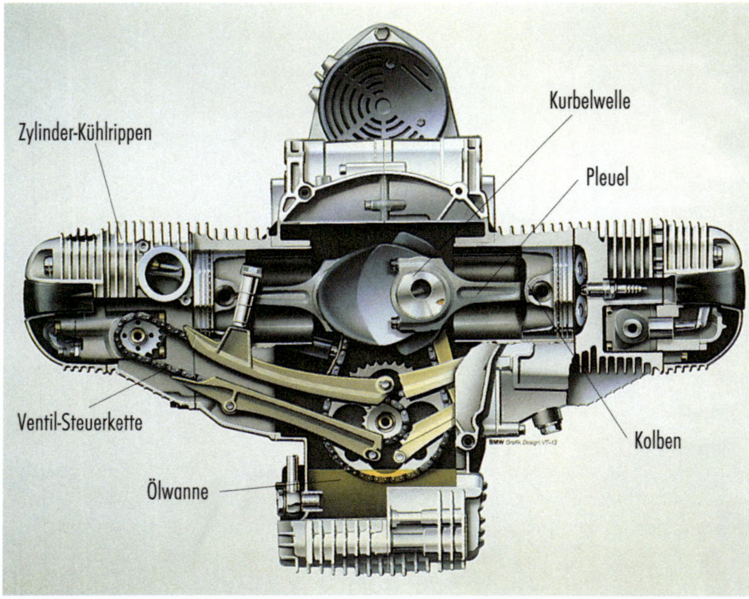

Boxermotor

Schon früh wurden Motorräder mit Boxermotoren ausgestattet. Beim Boxermotor stehen sich zwei oder vier Zylinder paarweise gegenüber und arbeiten so an einer Kurbelwelle. Auch der frühe Volkswagen »Käfer«-Motor war ein Boxermotor.
Die Autoproduktion wurde jedoch früher als die der Motorräder auf Reihen- und V-Motoren umgestellt.
Außer neuen Motortypen wurden viele andere Erfindungen, die das Motorrad oder Auto verbesserten, schnell auch in die jeweils andere Fahrzeuggruppe eingebaut. Dazu zählen Scheibenbremse, Kardanantrieb, Stoßdämpfer und Katalysator.

Chronik des Automobils

1800 v.u.Z. Erste Wagen fahren in Ägypten, die nicht gezogen oder geschoben werden brauchen. Die Fahrzeuge werden von Segeln angetrieben.

1600 baut der Holländer Simon Stevin ein Windfahrzeug, das eine Geschwindigkeit von rund 20 km/h erreicht.

1649 Johann Hautsch, ein Nürnberger Uhrmacher, baut einen mechanisch getriebenen Wagen. Ein Federwerk erzeugt die Kraft, die auf die Räder übertragen wird.

1769 Nicolas Cugnot baut in Frankreich den ersten dampfgetriebenen Wagen. Das von Thomas Newcomens Dampfmaschine bewegte, dreirädrige Fahrzeug erreicht eine Geschwindigkeit von 4 km/h, läuft jedoch nur rund 15 Minuten unter enormem Verbrauch an Brennstoffen. Seitdem werden mehrere Dampfwagen gebaut. In Großbritannien werden sogar Buslinien mit Dampfautos eröffnet.

1792 Gas wird als Beleuchtungsmittel eingesetzt. Mit dem neuen Brennstoff steht ein neuer Energieträger für Motoren zur Verfügung. Anfangs wird Gas jedoch nur als Brennstoff für Dampfmotoren eingesetzt.

1827 Onésiphore Pecqueur entwickelt in Frankreich das Differentialgetriebe, das heute in jedes Auto eingebaut wird.

1857 Erstmals wird Benzin aus Rohöl gewonnen. Der US- Amerikaner Richard Dudgeon baut einen funktionierenden Dampfwagen.

1860 Étienne Lenoir baut in Frankreich seinen Gasmotor – den Vorläufer des heutigen Motors. Zuerst zündet er darin Leuchtgas mit glühender Kohle, später mit einer elektrischen Zündung.

1865 In Großbritannien werden Geschwindigkeitsbeschränkungen für Autos eingeführt. Sie verbieten, innerorts schneller als die Schrittgeschwindigkeit von 3 km/h zu fahren. Außerhalb von Ortschaften wird die Geschwindigkeit auf 6 km/h beschränkt. In jedem Auto müssen zwei Personen sitzen, tagsüber muß eine dritte Person mit roter Warnflagge in 50 m Entfernung vorausgehen, bei Nacht mit einer roten Laterne. Mit diesem Gesetz sollen die Eisenbahngesellschaften vor Konkurrenz der Dampf- und Gasmotorfahrzeuge geschützt werden. Erst 1896 wird dieses »Rote-Flaggen-Gesetz« wieder aufgehoben und durch reine Tempobeschränkungen ersetzt.

1868 Der Engländer J. P. Knight errichtet die erste Verkehrsampel vor dem Britischen Parlament. Sie zeigt die Farben Rot und Grün.

1869 Die Brüder Ernest und Pierre Michaux bauen in Frankreich das erste Motorrad – ein von einer hinter dem Sattel montierten Dampfmaschine getriebenes, stabiles Fahrrad.

1873 Nicolaus August Otto, gründet mit seinem Ingenieurskollegen Eugen Langen in Deutz bei Köln die Motorfirma »Deutz-Maschinenwerke«.

1876 Der erste Otto-Motor, ein Viertakt-Verbrennungmotor, wird gebaut. Er ist eine Erfindung von Nicolaus August Otto. Beim Bau des Motors sind Gottlieb Daimler und Wilhelm Maybach maßgeblich beteiligt. Dieser Motor wird mit Leuchtgas angetrieben und besitzt schon einen von Otto erfundenen Vergaser sowie mehrere Zylinder, die den Motorlauf ruckfrei machen.

1880 Carl Benz erfindet den Zweitaktmotor, den er 1885 in ein Dreirad einbaut. Es ist der erste Motor, der mit Batterie und Zündanlage arbeitet, während Daimlers Motor noch mit einer Glühzündung betrieben wird. Dieser Motor leistet 0,6 PS.

1885 Der bis 1882 bei den Deutz-Maschinenwerken als technischer Direktor angestellte Gottlieb Daimler baut eine Kutsche mit Benzinmotor – das erste Automobil. Zwei Jahre zuvor hatte er einen Verbrennungsmotor in ein hölzernes Zweirad eingebaut und damit das erste Motorrad mit Verbrennungsmotor erfunden.
Bei der Entwicklung der Motoren hilft ihm sein Freund Wilhelm Maybach, der vorher bei Ottos Deutz-Maschinenwerken als Konstrukteur arbeitete. Ihr Motor besitzt gegenüber den Otto-Motoren ein wesentlich verbessertes Zündsystem: Sie verwenden eine Glühkerze anstelle einer Gasflamme zur Zündung des Benzins. Damit erreichen sie mit 800-900 Umdrehungen pro Minute (U/min) eine viermal höhere Drehzahl als die der 200 U/min schnellen Otto-Motoren.

1889 Gottlieb Daimler baut den »Stahlradwagen«. Dieser Wagen ist das erste Auto, das sich nicht mehr an die Konstruktion einer Kutsche anlehnt. Dieses Auto besitzt ein Fahrgestell, das mit dem Zweizylinder-Motor eine Einheit bildet. Mit 1,65 PS fährt das Auto beachtliche 20 km/h.

1891 Die US-Firma Morris und Salomon baut das erste Elektroauto.

1892 Der deutsche Ingenieur Rudolf Diesel erfindet den nach ihm benannten Dieselmotor. Der Dieselmotor arbeitet mit Leichtöl, das allein durch den Druck der Kolben im Zylinder zündet. Beim Verdichten der Luft steigt deren Temperatur auf über 500°C. Erst nach dieser Verdichtung wird Öl eingespritzt, das sofort verbrennt. Bis auf die Einspritzanlage ist der Dieselmotor wie ein Benzinmotor aufgebaut.

1894 Das erste offizielle Autorennen der Welt wird auf der 126 km langen Strecke Paris-Rouen ausgetragen. Das Rennen gewinnen Panhard und Peugeot mit einem Daimler-Wagen in einer Durchschnittsgeschwindigkeit von 17,5 km/h.

1901 Das erste Motorrad nach heutigem Konstruktionsprinzip wird gebaut: Der Motor ist zwischen den Rädern angebracht, der Tank darüber.

1902 Der Brite Frederik Lanchester erfindet die Scheibenbremse.

1908 Im Autowerk des US-Amerikaners Henry Ford beginnt die Fließband-Produktion des Modells »T«, der »Tin Lizzy«. Es ist das erste Auto, das in Fließbandarbeit hergestellt wird, nachdem das Modell seit 1896 einzeln gefertigt wurde.
Durch die Massenproduktion wird das Auto so billig, daß sich breite Bevölkerungsschichten das Fahrzeug kaufen können. Das Ford-Werk produziert in 19 Jahren über 15 Millionen Exemplare des T-Modell, bis es vom Modell »A« abgelöst wird. Dieser Mengenrekord konnte erst 45 Jahre später vom Volkswagen »Käfer« eingeholt werden.

1909 Der Franzose Michel Frenkel erfindet den Katalysator im Auspufftopf. Erst 1974 beginnt General Motors in den USA ein verbessertes Modell in seine Autos einzubauen.

1910 E. Benedictus erfindet die aus drei Glasschichten bestehende Verbundglasscheibe, nachdem seit 1903 Autoscheiben aus Fensterglas gebaut wurden.

1912 Der elektrische Anlasser wird erfunden. Bis dahin wurde mit Feder- und Druckluftstartern experimentiert, um das Starten mit Handkurbel zu ersetzen.

1920 Georges Messier erfindet die hydropneumatische Federung. In seiner Heimat Frankreich verbessert die Firma Citroën die Federung mit ölgefüllten Stoßdämpfern und baut sie ab 1953 in Autos ein.

1916 In den USA werden erste handbetriebene Scheibenwischer gebaut.

1925 André Citroën baut eine selbsttragende Karosserie. Bei dieser sind alle Karosserieteile miteinander verbunden.

1926 Georges Latil stellt in Frankreich ein Allradauto vor, bei dem alle vier Räder vom Motor angetrieben werden.

1934 André Lefebvre erfindet für die französische Firma Citroën den Frontantrieb, mit dem heute fast alle Autos angetrieben werden. Der Deutsche Abraham Neimann erfindet das Lenkradschloß.

1963 Felix Wankel stellt auf der Internationalen Automobilausstellung in Frankfurt das erste Auto mit dem von ihm entwickelten Drehkolbenmotor vor, der ohne auf- und abbewegten Kolben arbeitet. Der Drehkolben überträgt seine Kraft aus zwei Brennkammern direkt auf die Antriebswelle. Dieser Motor hat drei statt vier Arbeitstakte.

1964 Die ersten Dreipunkt-Sicherheitsgurte werden serienmäßig in einen Volvo eingebaut. Sie basieren auf einer Erfindung des Franzosen Gustave Désiré Liebau aus dem Jahre 1903.

1971 Im holländischen Auto »Daf« wird die erste Vollautomatik eingesetzt. Bei diesem Auto muß nicht mehr geschaltet werden. Ein Keilriemen läuft zwischen zwei Scheiben, die ein Antriebsrad bilden. Die Scheiben rücken bei großer Belastung auseinander wodurch der Keilriemen nach unten rutschen und wie auf einem kleineren Rad weiterlaufen kann. Sinkt die Belastung, drücken Federn die Scheiben wieder zusammen.

1982 Die deutsche Firma Bosch stellt ihr Anti-Blockier-System (ABS) vor. Ein kleiner Computer überprüft ständig, ob sich die Räder während des Bremsens noch drehen und lockert die Bremse, wenn ein Rad blockiert.
Diese Erfindung macht Autos sicherer, denn ein stark gebremstes, rollendes Rad bremst stärker, als ein blockiert rutschendes Rad. Außerdem bleibt beim rollenden Rad die Lenkfähigkeit des Fahrzeugs erhalten.

1984 Die britische Firma Sinclair stellt das erste kleine Elektroauto für den Stadtverkehr vor, das in großer Serie gebaut werden soll.
Dieses Auto wird nur wenig verkauft, gibt aber anderen Fimen den Anstoß, Elektroautos zu entwickeln.

Fließbandarbeit
Die 1908 in den USA eingeführte Fließbandarbeit ist auch in Deutschlands Autoindustrie noch die vorherrschende Arbeitsform in Produktionsbereichen. Immer mehr werden die Menschen jedoch von Industrierobotern ersetzt oder verlieren ihren Arbeitsplatz aufgrund des fehlenden Wachstums der Automobilindustrie.

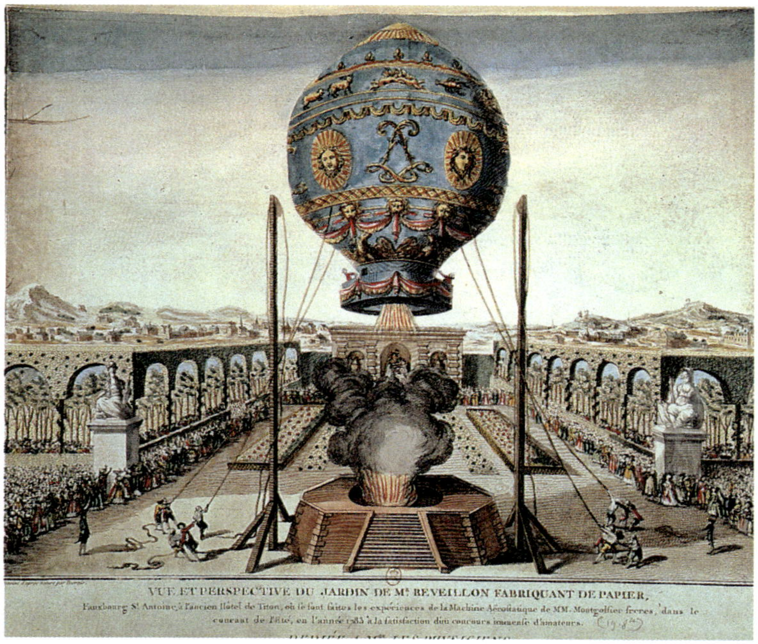

Links:
Eine zeitgenössische Radierung zeigt, wie sich 1783 die ersten Menschen mit einer Flugmaschine – dem Heißluftballon der Gebrüder Montgolfier – in die Luft erheben. Nicht nur für die vielen Schaulustigen am Startplatz war das eine Sensation: Dieser Flug machte Étienne und Joseph Montgolfier schnell weltberühmt.

Über den Wolken

Der Traum vom Fliegen ist so alt wie die Menschheit. Zwei erfolgreiche Wege wurden beschritten, um diesen Traum zu erfüllen: die Ballonfahrt und der Gleitflug auf Tragflächen. Bis sich 1783 die ersten Menschen in die Luft erhoben, scheiterten unzählige Versuche, Flugmaschinen zu bauen. Entweder fehlten – wie bei Leonardo da Vincis mechanischen Schwingen – Motoren, um die nötige Kraft zu erzeugen, oder die erdachten Flügelformen konnten keinen Auftrieb erzeugen.

Im Jahr 1783 flogen erstmals Menschen. Sie starteten im Heißluftballon der Brüder Étienne und Joseph Montgolfier und in dem gasgefüllten Ballon des Physikers Alexandre Charles. Beide Fluggeräte beruhten auf dem gleichen Prinzip: Eine Hülle umschließt ein Gas, das leichter ist als normale Umgebungsluft. Das kann ein Gas wie Helium oder auch heiße Luft sein. Eine große Menge dieses leichten Gases zieht die Ballonhülle – und daran befestigte Kabinen oder Gondeln – nach oben. Genauso funktionieren heutige Ballons und Luftschiffe. Verändert haben sich seit der Erfindung aber wesentliche Details: Heißluftballons können heute die Dauer ihrer Fahrten bestimmen. Sie haben Gasbrenner an Bord, mit denen sie heiße Luft nachfüllen können. Die Modelle der Brüder Montgolfier bekamen die

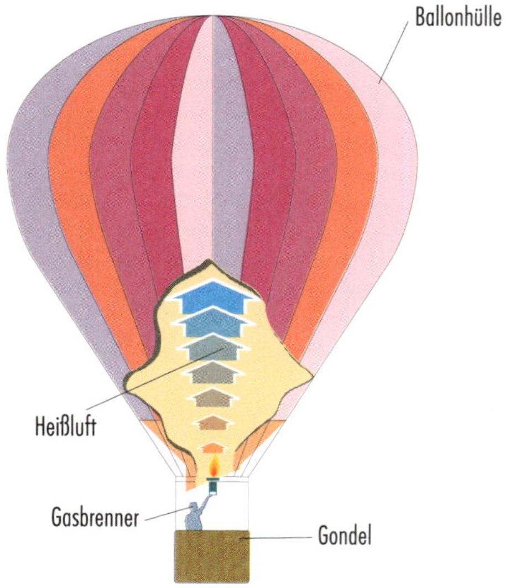

Eine große Menge leichten Gases zieht eine damit gefüllte Ballonhülle und die daran befestigte Gondel nach oben.
Um einen Ballon zum Sinken zu bringen, wird das leichte Gas durch eine Öffnung in der Ballonhülle abgelassen.

Rechts:
Luftschiffe haben ein starres, mit einer gasdichten Hülle bespanntes Metallgerüst. Anfangs wurden Luftschiffe mit extrem brennbarem Wasserstoffgas gefüllt. Nach vielen Explosionsunfällen wurde der Wasserstoff dann durch nicht brennbares Helium ersetzt.

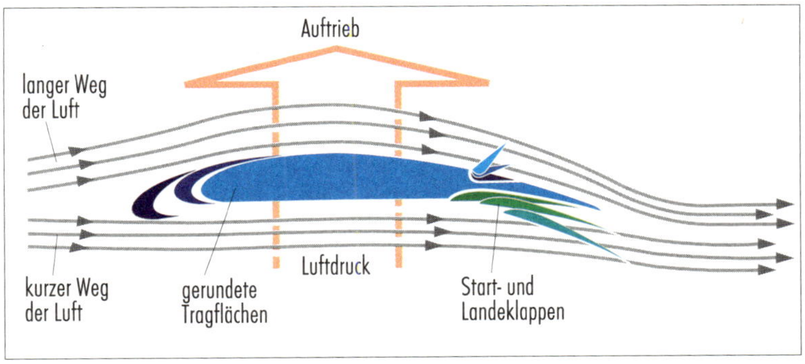

heiße Luft allein durch ein Feuer am Startplatz. Bei gasgefüllten Ballons änderte sich vor allem die Form. Ballons wurden abgelöst durch stromlinienförmige Luftschiffe. Diese haben ein Metallgerüst, an dem die Passagierkabine, die Motoren und das hintere Steuerleitwerk befestigt sind.

Flugzeuge

Im Lufttransport haben sich die Flugzeuge durchgesetzt. Als ihre Geburtsstunde gilt das Jahr 1809. Damals wurde das erste unbemannte Segelflugzeug mit gewölbter, durchgehender Tragfläche und einem stabilisierenden Leitwerk am Heck gebaut. Dieses Modell erfüllte die wichtigsten Voraussetzungen aller Flugzeuge: Es besaß als Tragflächen Flügel, die Auftrieb erzeugen und ein Leitwerk, das die Flugrichtung stabilisiert. Bis zum ersten Tragflächenflug eines Menschen vergingen dann noch rund 40 Jahre. 1848 begann die Zeit bemannter Segelflüge – allerdings mit Flugzeugen, die eher Drachenfliegern glichen. Vor allem die systematischen Gleitflugstudien Otto Lilienthals halfen, die Flügelwölbung und das Leitwerk dieser Flugzeuge schnell zu verbessern.

Auftrieb

Auftrieb wird die Kraft genannt, die einen Flügel nach oben zieht. Auftrieb entsteht bei einer nach oben gewölbten Form der Flügel, wenn der Flügel in stehender Luft nach vorne bewegt wird. – Bei Rückenwind muß der Flügel entsprechend schneller bewegt werden als die Luft. Dann teilt der Flügel den Luftstrom. Durch die Rundung muß die Luft an der Oberfläche eine weiteren Weg zurücklegen: Die Luft strömt an der Oberfläche schneller vorbei als an der Unterseite. An der Oberfläche sinkt der Luftdruck – das Gewicht der Luft. An der Unterseite wird der Druck stärker. Je schneller der Flügel nach vorn bewegt wird, desto stärker wird der Auftrieb. Bei Starts und Landungen erhöhen Start- und Landeklappen die Wölbung und damit den Auftrieb.

Flugpioniere

Mit zu den ersten Rekordhaltern im Motorflug gehörte Hellmuth Hirth. Er wurde 1912 mit dem Eindeckermodell »Taube« Sieger des Wettfluges von Berlin nach Wien. Die Motorflugzeuge dieser Zeit waren ohne Kabine ausgestattet, denn die Konstrukteure verzichteten auf jedes nicht absolut notwendige Gewicht.

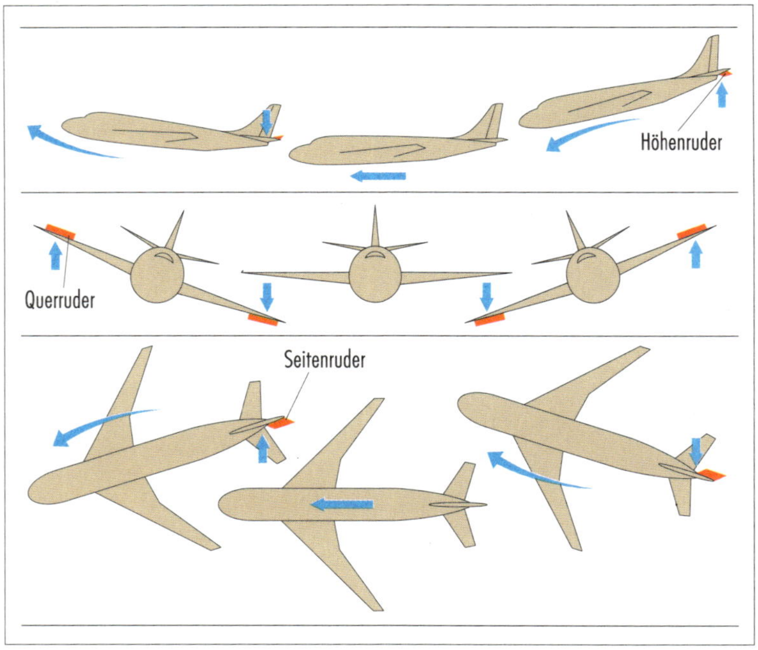

Ein Flugzeug ist um drei Achsen steuerbar (links, von oben nach unten):
*Mit dem **Höhenruder** am hinteren Leitwerk wird ein Flugzeug nach oben und unten gesteuert; die **Querruder** bestimmen, ob und wie stark die Fluglage von der Horizontalen abweicht; das **Seitenruder** bestimmt die Flugrichtung nach links und rechts.*

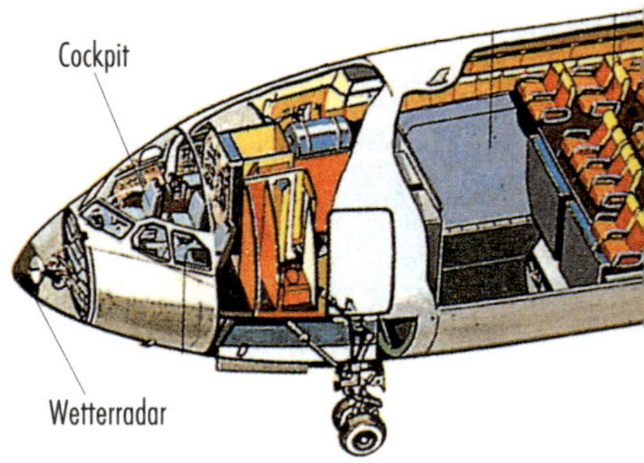

Angeregt von Lilienthals Ergebnissen und mit Hilfe der inzwischen erfundenen, leichten und zugleich leistungsfähigen Verbrennungsmotoren wurde 1903 das erste wirkliche Motorflugzeug gebaut – eines, das längere Zeit in der Luft blieb, gesteuert werden konnte und Menschen transportierte. Es war der Doppeldecker der US-amerikanischen Brüder Orville und Wilbur Wright. Mit ihm konnten schon 1908 rund 80 km zurückgelegt werden.
Besonders während der zwei Weltkriege wurde viel Geld in die Verbesserung der Flugmaschinen gesteckt. Heute sind sie von einem Menschheitstraum zu einem selbstverständlichen Verkehrsmittel geworden. – Große Flugzeuge können 500 Menschen auf einmal bequem, schnell und sehr weit transportieren.

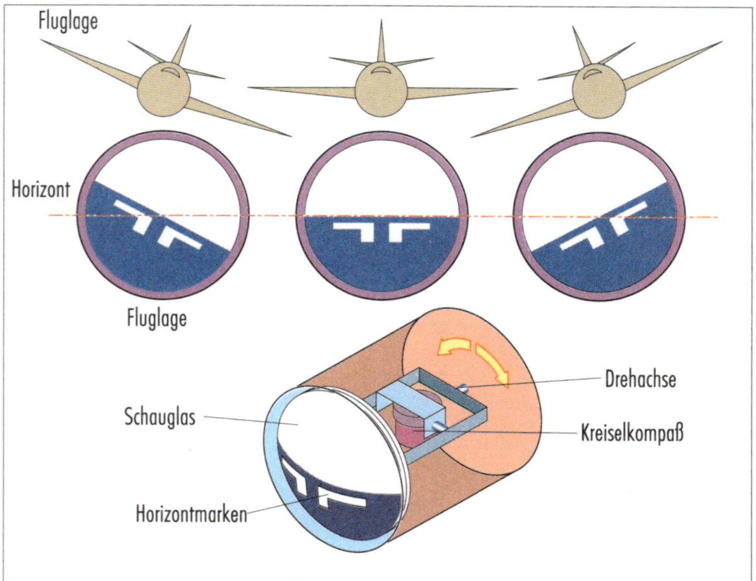

Künstlicher Horizont
*Die Seitenlage kann in der Luft mit dem künstlichen Horizont (links) oder Kreiselhorizont ermittelt werden. In diesem Gerät dreht sich ein **Kreisel** sehr schnell um die eigene Achse. Dadurch bleibt der Kreisel auch bei Schräglage eines Flugzeuges in der Horizontalen. Neigt sich das Flugzeug zur Seite, zeigt eine mit dem Kreisel verbundene dunkle Fläche die gerade Lage zum Erdboden an, das Schauglas des Kreiselhorizonts mit seinen gelben Markierungen dreht sich mit dem Flugzeug. So ist die Abweichung vom Horizontalflug deutlich abzulesen.*

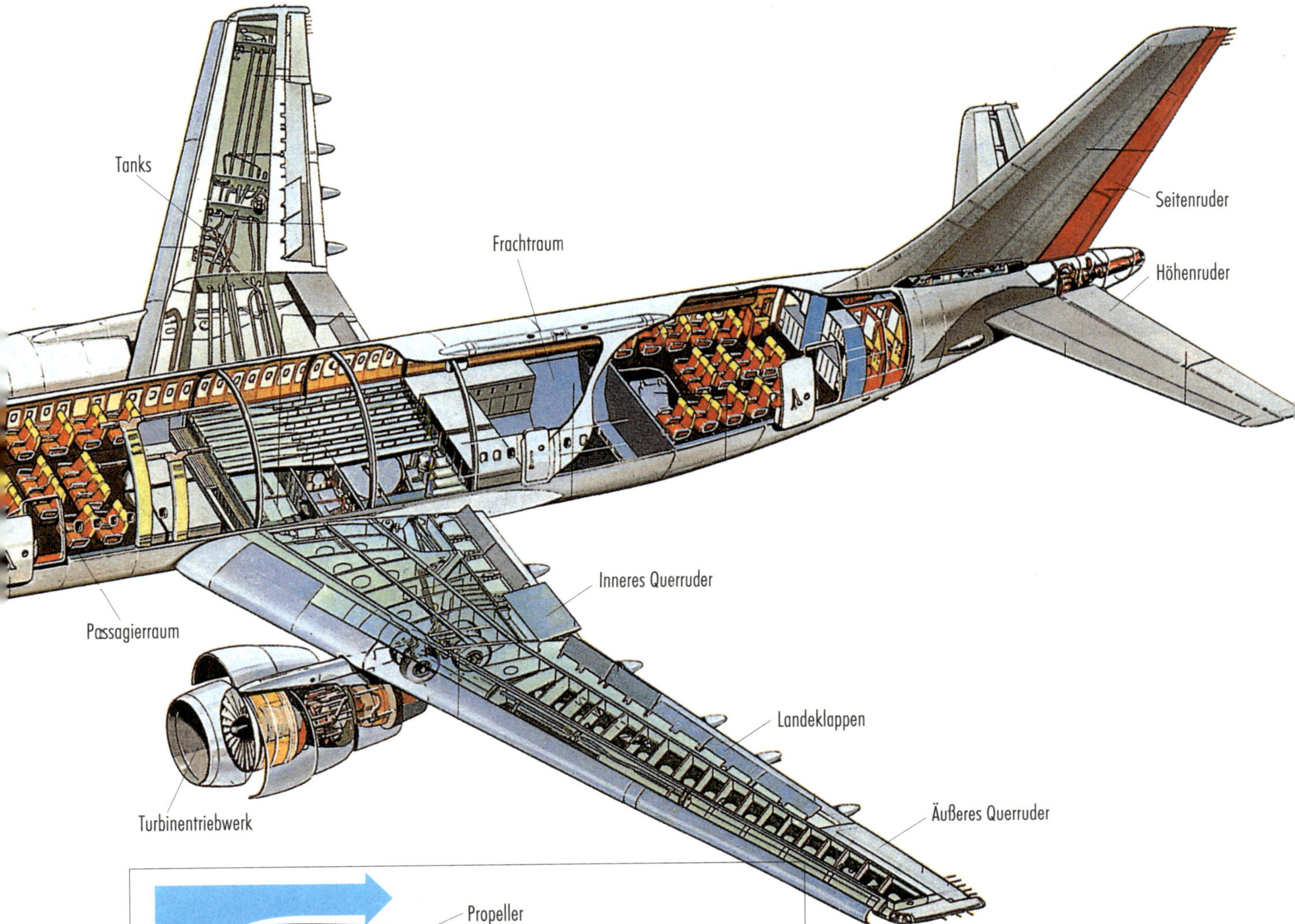

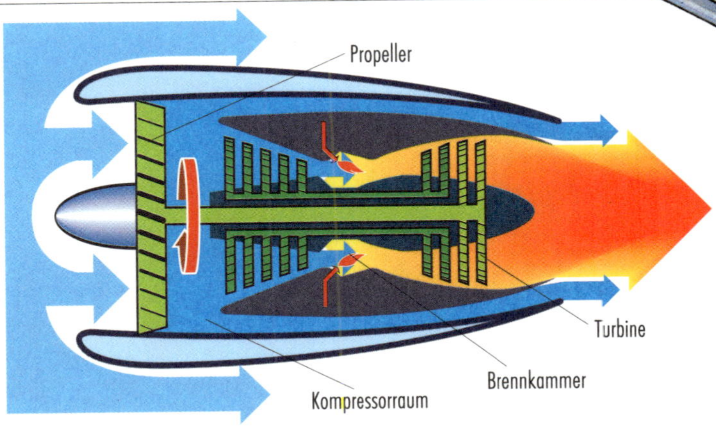

Düsenantrieb/ Turbopropmotoren

Erste Düsentriebwerke wurden 1939 in Kriegsflugzeugen eingesetzt. Während es vor 1939 nur Propellerflugzeuge gab, findet Lufttransport heute fast ausschließlich mit Düsenmotorantrieb statt: Benzin wird verbrannt und der entstehende heiße Luftstrahl nach hinten geleitet – das Flugzeug wird nach vorne geschoben. Noch kräftiger als Düsenmotoren sind Turbopropmotoren. Das sind Düsenmotoren, die zusätzlich mit einem Propeller Luft ansaugen. Diese Motoren beschleunigen Flugzeuge auf mehr als 1000 km/h.
Ein Turbopropmotor saugt vorne Luft mit einem Propeller ein. Im Kompressor wird sie zusammengepreßt und dann in die Brennkammer gedrückt. Dort wird Benzin eingespritzt und gezündet. Die heißen Gase der Verbrennung entweichen nach hinten und drehen eine Turbine, die mit dem Propeller verbunden ist.

Oben:
Die Grundbauform heutiger Düsenflugzeuge variiert kaum. Bei Modellen aller Hersteller finden sich die im Flugbetrieb bewährten und in der Zeichnung angegebenen Basis-Bauteile.
Die Unterschiede zwischen den Flugzeugmarken und -typen ergeben sich vor allem bei Sitzplatzangebot, Fluggeschwindigkeit und Verbrauch des Flugzeugtreibstoffes »Kerosin«.

Fliegen mit drehenden Flügeln

Flugmaschinen, die senkrecht starten und in jede Richtung fliegen können, wurden erst in diesem Jahrhundert erfunden. Vorher standen keine Motoren zur Verfügung, um einen solchen Hubschrauber zu bauen, für den Entwürfe seit dem Ende des 15. Jahrhunderts gezeichnet wurden.

Hubschrauber können auf kleinen Flächen starten und landen, da sie keine am Rumpf befestigten Flügel brauchen, um vom Boden abzuheben. Sie besitzen mit ihren Propellerblättern drehende »Flügel«. Angebracht sind sie am obenauf sitzenden Hauptrotor, der von einem Motor gedreht wird. Die Rotorblätter sind schmaler, aber ebenso gerundet wie Flugzeugflügel. Daher erzeugen sie ebenso Auftrieb, wenn sie vorwärts durch die Luft bewegt werden. Durch die Drehung der »Flügel« braucht ein Hubschrauber – anders als ein Flugzeug – also keine schnelle Vorwärtsbewegung, um den nach oben ziehenden Auftrieb zu erzeugen. Je schneller sich der Rotor dreht, desto größer wird

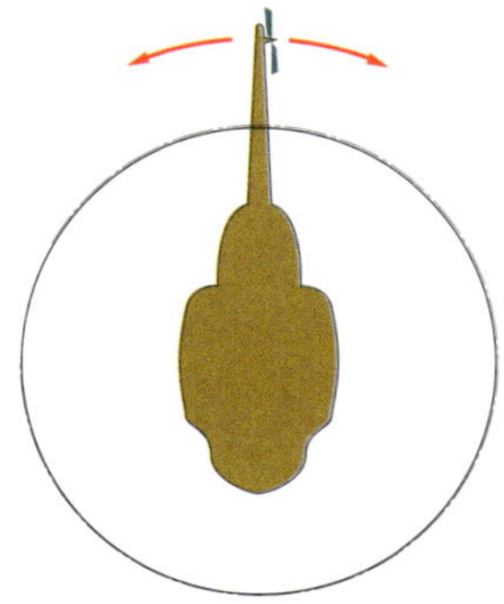

Drehmoment

Alle Erfinder von Hubschraubern mußten gegen ein Problem kämpfen: Hubschrauber haben keinen festen Halt mehr, sobald sie vom Boden abheben. Die Kraft, mit der die Rotorblätter gedreht werden, wirkt dann auch auf den Rumpf. Er beginnt, sich entgegen der Rotorbewegung zu drehen. Um dieses sogenannte Drehmoment des Rotors auszugleichen, wurden verschiedene Mittel ersonnen: Am häufigsten findet sich am Heck ein kleiner, senkrecht stehender Steuerrotor. Dieser zieht, wie ein Flugzeugpropeller, nach vorne. Da er seitlich angebracht ist, gleicht er die Drehkraft aus. Der gleiche Effekt wird mit zwei Hauptrotoren erzielt. Drehen sie sich gegeneinander, heben sie das Drehmoment des jeweils anderen Rotors auf.

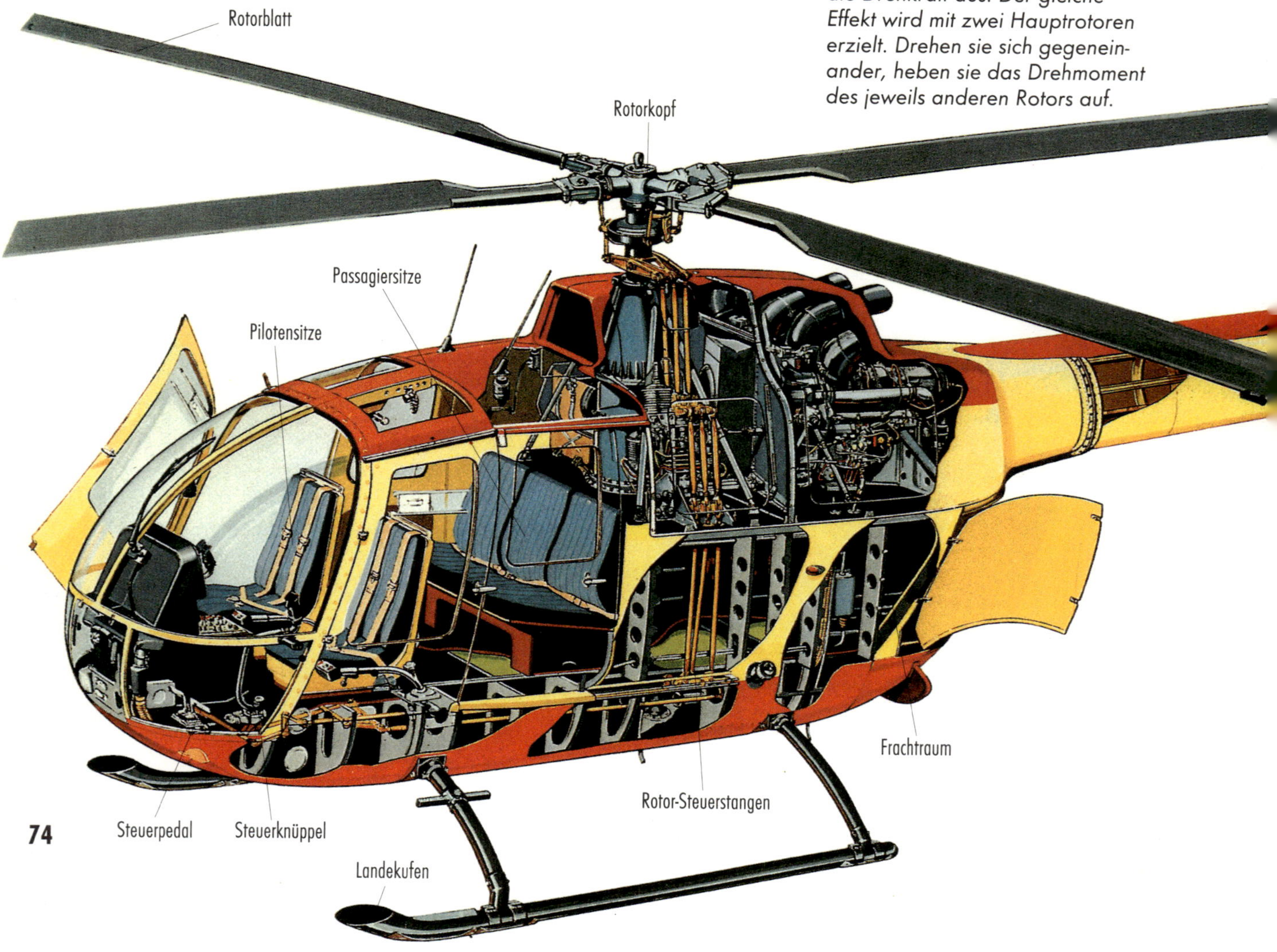

der Auftrieb der Rotorblätter. So kann sich ein Hubschrauber senkrecht nach oben »schrauben«, ohne sich vorwärts bewegen zu müssen. – Hubschrauber können auf Start- und Landebahnen verzichten.

Experimente, mit dieser neuen Art von Flugmaschinen, Menschen zu befördern, begannen im Jahre 1905. Ein Modell mit sechs Propellern wurde gebaut, bei dem – wie beim 1907 in Frankreich erfundenen Hubschrauber – das Problem des Drehmoments gelöst war. 1924 wurde dann ein Modell gebaut, das gezielt nach oben und vorwärts fliegen konnte. Eine echte Steuerung wurde aber erst 1939 entwickelt.

Wie viele Erfinder vor ihm stellte Igor Sikorsky fest: Die Flugrichtung kann bestimmt werden, indem der Rotor bewegt wird. Wird er etwa nach links gekippt, schraubt sich die Flugmaschine in die linke Richtung. In einer solchen Schräglage drehen sich die Rotorblätter aber so, daß sie nur noch auf kurzen Strecken des zurückgelegten Kreises starken Auftrieb erzeugen. Sikorsky erfand daher die heute übliche Blattverstellung. Dabei wird nicht mehr der Rotorkopf in die Flugrichtung geneigt, sondern es werden die Rotorblätter ständig bewegt. Bei dieser sogenannten zyklischen Blattverstellung wird der Anstellwinkel der Rotorblätter so verändert, daß beim Geradeausflug die Rotorblätter auf dem Weg nach vorn einen kleineren Anstellwinkel haben, auf dem Weg nach hinten einen größeren. Dadurch neigt sich der Hubschrauber während des Fluges leicht nach vorn und wird vom sich nach hinten bewegenden Rotorblatt gleichzeitig angehoben und nach vorn gedrückt.

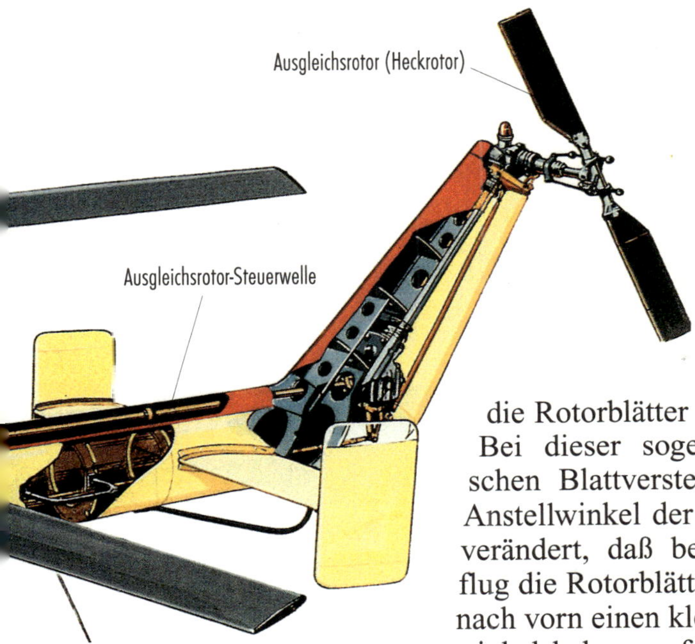

Der Pilot kann diese Blattverstellung beeinflussen und entscheiden, wohin die meiste Kraft der drehenden »Flügel« gelenkt werden soll. Er kann die Flügel auch so verstellen, daß sie keinen Auftrieb mehr erzeugen. Dann sinkt der Hubschrauber.

Seit Sikorskys Erfindung haben sich Form und Funktion der Hubschrauber nicht mehr wesentlich verändert.

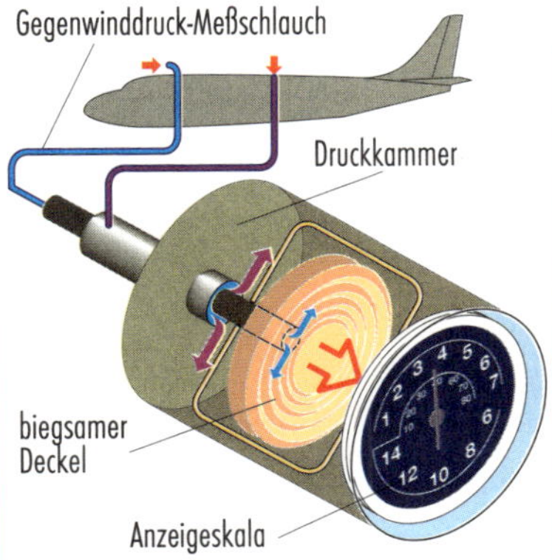

Fahrtmesser

Der Fahrtmesser von Luftfahrzeugen ist mechanisch ähnlich aufgebaut wie der Höhenmesser. Der Druck in der Dose, der mechanisch auf die Skala übertragen wird, wird durch den Gegenwind beim Flug erzeugt. Dazu wird ein nach vorn gestelltes Röhrchen in Flugrichtung eingebaut und über einen Schlauch mit dem Fahrtmesser verbunden. Um aus dieser Anzeige die tatsächliche Fluggeschwindigkeit über Grund zu ermitteln, müssen Windstärke und Flughöhe bekannt sein.

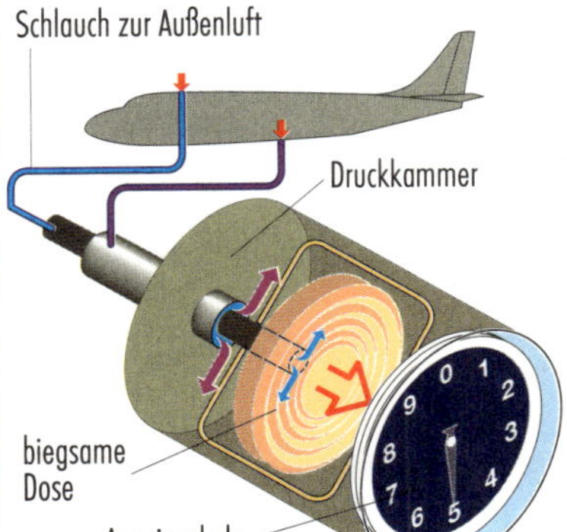

Höhenmesser

Die Flughöhe wird bei Flugzeugen und Hubschraubern mit einem Barometer ermittelt. Es handelt sich um ein »Aneroidbarometer«, bei dem der Luftdruck den biegsamen hinteren Deckel der sogenannten »Vidie-Dose« verformt. Je nach Flughöhe wird der Luftdruck stärker oder schwächer und drückt den Deckel mehr oder weniger stark in die Dose. – Über ein Hebelsystem wird die Verformung auf eine Anzeigeskala übertragen.

Chronik des Fliegens

1490 Erste Entwürfe einer Flugmaschine durch Leonardo da Vinci – eine Maschine, deren mechanische Schwingen Vogelflügeln nachgebildet sind.

1782 Die Brüder Étienne und Joseph Montgolfier, Papiermacher aus dem französischen Lyon, bauen die erste »Montgolfiere«. Der nach ihnen benannte Heißluftballon aus Stoff hat einen Durchmesser von 33,5 m und fährt unbemannt 1 km hoch und 5 km weit.

1783 Erste bemannte Fahrt mit einem Heißluftballon am 21. November. Zwei Personen legen damit acht Kilometer zurück. Zehn Tage später trägt Jacques Alexandre Charles' mit Wasserstoff gefüllter Ballon zwei Passagiere über die fünffache Strecke.

1797 Andre-Jacques Garnerin springt als erster Mensch mit einem von ihm entwickelten modernen Fallschirm aus einem Luftfahrzeug – einem Ballon.

1809 Der Brite Sir George Cayley baut das erste Segelflugzeug-Modell.

1848 Jean-Marie Le Bris gelingt in Frankreich der erste bemannte Tragflächen-Gleitflug.

1852 Der erste lenkbare Ballon startet. Das von Henri Giffard entwickelte Luftschiff wird von einem Dampfmotor getrieben und durch Motordrehung gelenkt.

1891 Otto Lilienthal beginnt mit Gleitfliegern zu experimentieren. Lilienthal stürzt 1896 tödlich ab, nachdem er über fünf Jahre mehr als 2000 gesteuerte Gleitflüge absolvierte.

1895 Graf Ferdinand von Zeppelin meldet sein Luftschiff zum Patent an, das 1900 erstmals startet.

1903 Der erste bemannte Motorflug findet in den Dünen nahe der US-amerikanischen Gemeinde Kitty Hawk statt. Mit dem Doppeldecker »Flyer I« der Brüder Orville und Wilbur Wright fliegt Orville in 12 Sekunden 37 m weit. Am selben Tag geht der vierte Flug bereits über 255 m, die in 59 Sekunden zurückgelegt werden. Da ihr Flugzeug höchstens 130 kg wiegen darf um abzuheben, bauen die Fahrradmechaniker einen 110 kg leichten Vierzylindermotor. Dieser Motor leistet 12 PS.

1908 Orville Wright stellt dem amerikanischen Militär ein weiterentwickeltes Flugzeug vor, das 62 Minuten fliegt.

1909 Der Franzose Louis Blériot baut den ersten »Eindecker« mit einer einzigen Tragfläche. Er überquert den Ärmelkanal zw. Frankreich u. Großbritannien.

1911 Luftpost wird mit einem Flugzeug transportiert. Drei Jahre später beginnen erste regelmäßige Passagierflüge.

1930 Frank Whittle erwirbt das britische Patent für einen Düsenmotor. Erstmals eingesetzt wird der Motor 1941.

1939 Erstmals werden Düsentriebwerke in »Heinkel He-178«-Kriegsflugzeugen eingesetzt. Entwickelt wurden sie vom Deutschen Hans von Ohain.

1969 Das erste Riesen-Düsenflugzeug, der »Jumbo Jet« Boeing 747 wird gebaut. Im gleichen Jahr startet die »Concorde« – das erste Zivilflugzeug, das schneller fliegt, als sich Töne in der Luft ausbreiten. Schon 1970 erreicht die französische »Concorde« mit rund 2400 km/h die zweifache Schallgeschwindigkeit.

1977 Ein Pedalkraftflugzeug, der »Condor«, fliegt 7,5 Minuten in mindestens 3 m Höhe. Bei diesem propellergetriebenen Flugzeug ist der »Motor« dessen Pilot und Erfinder Paul McCready. 1979 fliegt ein Nachfolgemodell in 2 ¾ Stunden über den Ärmelkanal zwischen England und Frankreich.

Chronik des Hubschraubers

1490 Leonardo da Vinci zeichnet das erste Modell einer Maschine, die sich in die Luft schraubt.

1905 E.R. Mumford entwickelt in Schottland Pläne für einen Hubschrauber. Diese von sechs Rotoren angetriebene Maschine hebt 1912 einen Menschen in die Luft. Da sie nicht gesteuert werden kann, ist sie mit einer Leine am Boden befestigt.

1907 Der Franzose Paul Cornu baut den ersten Hubschrauber, der mit einem Menschen vom Boden abhebt. Er fliegt ohne Bodenleine, hebt jedoch nur 20 Sekunden und 3 m vom Boden ab.

1924 Étienne Oehmichen erfindet den ersten echten Hubschrauber – eine Maschine, die gezielt nach oben und vorwärts fliegen kann. Er legt geplant einen kreisförmigen Vorwärtsflug zurück.

1936 Louis Breguet und René Dorand stellen in Frankreich ihren Hubschrauber vor, der in über 150 m Höhe rund 110 km/h fliegt. Dieses Modell kann gezielt seitlich und geradeaus fliegen, vor allem aber auch gezielt landen. Im gleichen Jahr präsentiert der Deutsche Heinrich Focke seinen ab 1932 entwickelten Hubschrauber, der mit 120 km/h kaum schneller fliegt als das Modell der Franzosen, jedoch mit 2400 m rund 16 mal so hoch.

1939 Igor Sikorsky baut den bislang modernsten Hubschrauber VS-300. Dessen Erfolg beruht vor allem auf einer neuen Antriebsmechanik, die es ermöglicht, den Hubschrauber mit den Propellerblättern gleichzeitig in der Luft zu halten und ihn in jede gewünschte Richtung zu bewegen.

Segelflug
Beim Segelflug werden verschiedene Luftströmungen ausgenutzt. So etwa die Aufwinde an Hängen und die nach oben strebenden Thermikwinde – aufsteigende, warme Winde – über warmen Böden. Sind keine oder nur schwache Winde vorhanden, kann beim Motorsegler (Bild) mit einem kleinen, leichten Propellermotor (der während des Fluges hochgestellt wird) Kraft für den Weiterflug erzeugt werden.

Das »Unsichtbare« sehen

Für alle optischen Effekte wie Vergrößerung und Verkleinerung sind Lichtbrechungen verantwortlich. Vermutlich begannen Menschen Linsen herzustellen, weil sie durch Zufall den Effekt von Lichtbrechungen beobachteten.

Wenn etwa Wassertropfen auf einem Gegenstand liegen, wird dieser Gegenstand durch die Krümmung der Tropfenoberfläche vergrößert abgebildet – ein Effekt, der mit Glas nachgebildet werden kann. Vielleicht wurde die Lichtbrechung auch erst entdeckt, als um das Jahr 2500 v.u.Z. erste Glasgegenstände hergestellt wurden. Die Möglichkeiten der Optik wurden jahrtausendelang überhaupt nicht und dann jahrhundertelang nur in Brillen genutzt.
Die ersten wissenschaftlichen Untersuchungen, wie die Lichtbrechung vor sich geht und wie sie genutzt werden könnte, stellte Ptolemäus um das Jahr 200 an. Er schrieb ein Buch über Optik, in dem er die Lichtbrechung in wasserge-

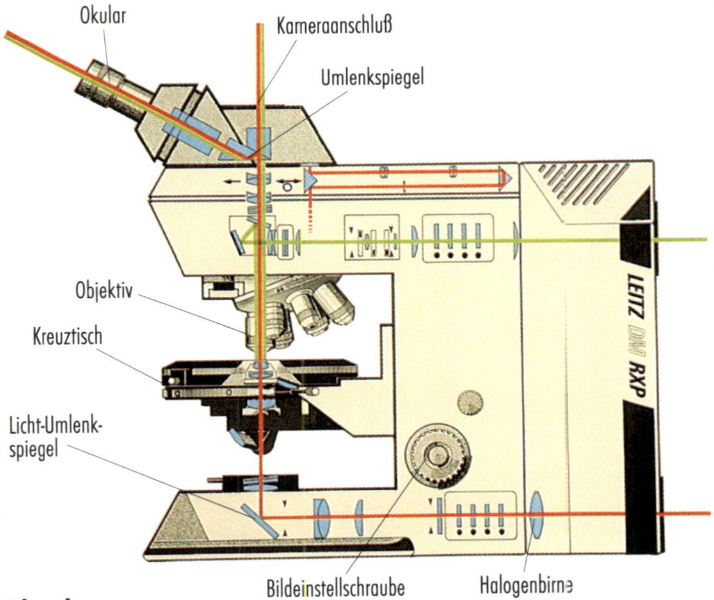

Mikroskop

Ein Mikroskop bildet wie ein Teleskop Gegenstände stark vergrößert ab. Die vordere Linse, das Objektiv, erzeugt ein Bild, die hintere Linse, das Okular, vergrößert es. Durch das Verschieben der Linsensätze gegeneinander kann die Schärfe eingestellt werden. Mikroskope besitzen heute verschiedene Objektive, so daß bis zur 2000fachen Vergrößerung viele verschiedene Vergrößerungsstufen zur Verfügung stehen. Der zu beobachtende Gegenstand wird auf den Kreuztisch gelegt, der von unten beleuchtet werden kann. Zur Schärfeeinstellung, also zur Veränderung des Abstandes zwischen Gegenstand und Objektiv, kann der Kreuztisch über eine Einstellschraube nach oben und unten bewegt werden.

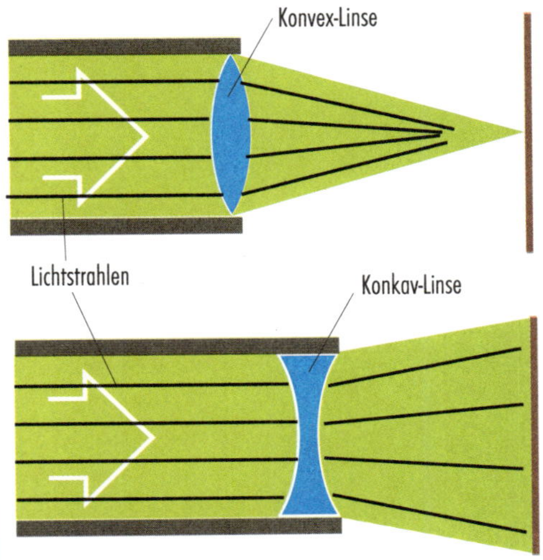

Lichtbrechung/Materialdichte

Tritt ein Lichtstrahl von einem durchsichtigen Medium in ein anderes ein, wird er »gebrochen«, das heißt: er wird abgelenkt. Wie stark die Ablenkung ist, hängt vom lichtbrechenden Medium ab. Beim Übergang von Luft in Wasser ist sie anders als beim Übergang von Luft in Glas. Die Ablenkung und damit die Vergrößerung oder Verkleinerung kann durch die Form des brechenden Mediums, etwa einer Glaslinse, bestimmt werden. Beim Schliff einer Linse wird die Brechung des Lichts beim Übergang von der Luft in Glas – der Eintritt in die Linse – und die des Übergang von Glas in Luft – der Austritt aus der Linse – bestimmt. Bei der auf beiden Seiten nach innen gewölbten konkaven Glaslinse werden einfallende Lichtstrahlen aufgefächert und das Abbild eines Gegenstandes dadurch vergrößert. Bei der beidseitig nach außen gewölbten konvexen Linse werden Lichtstrahlen gebündelt und das Abbild verkleinert.

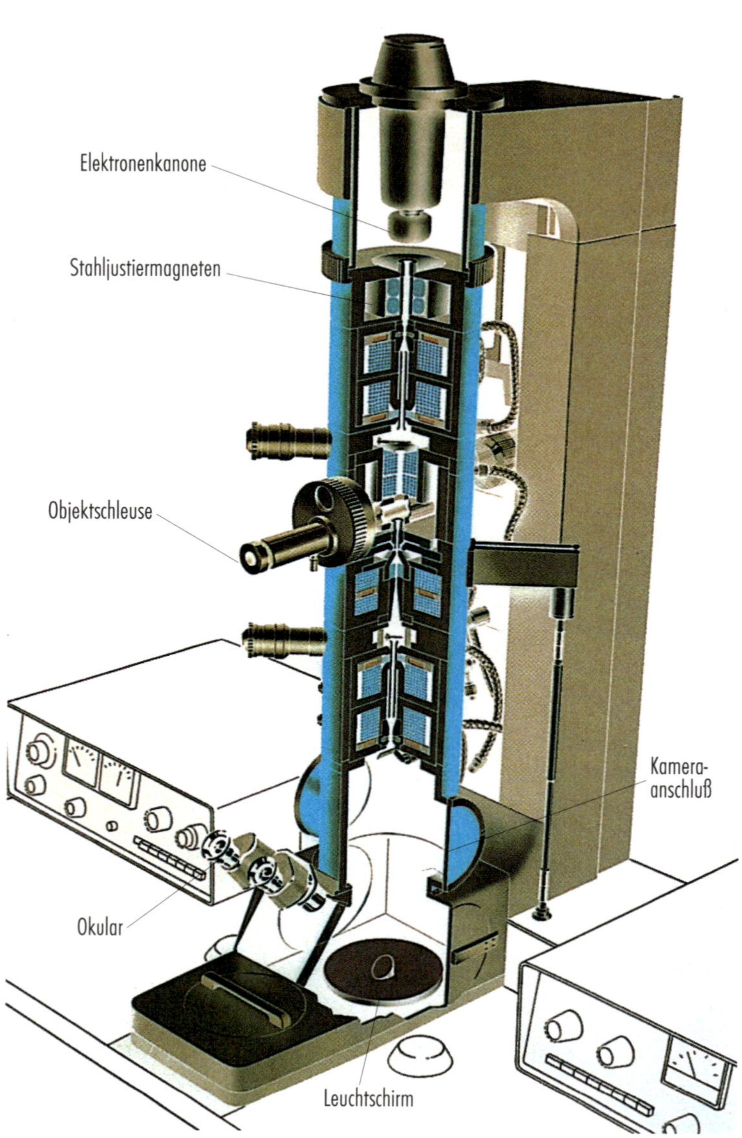

Elektronenmikroskop

Ein Lichtmikroskop kann Gegenstände höchstens 2000mal vergrößert darstellen – noch kleinere Gegenstände können sichtbares Licht nicht reflektieren. Sie sind kleiner als die Wellenlänge des Lichts. Eine höhere Vergrößerung kann mit einem Elektronenmikroskop erreicht werden. Beim Elektronenmikroskop beschießt eine Elektronenkanone mit einem Strahl von Elektronen das Untersuchungspräparat. Der Strahl wird von starken Magneten beschleunigt und punktgenau ausgerichtet. Er durchdringt die sehr dünn geschnittenen Präparate und wird von einer Magnetspule wieder »eingefangen« und auf einen Leuchtschirm (siehe S. 89) gerichtet. Je nach dem Widerstand, den das Präparat den Elektronen entgegengesetzt hat, erzeugt der auf dem Schirm auftreffende Strahl einen hellen oder dunklen Punkt. – Ein Abbild des Präparats in Graustufen entsteht. Ohne weitere Hilfsmittel kann ein Elektronenmikroskop Gegenstände bis zu 30 000fach vergrößert abbilden.

füllten Glaskugeln beschrieb. Im 11. Jahrhundert schrieb dann der islamische Gelehrte Ibn al Haithan ein Buch über Lichtbrechung und Spiegelung.

Alle diesen theoretischen Erkenntnisse wurden jedoch erst später im 13. Jahrhundert genutzt: Die Engländer Robert Grosseteste, Bischof von Lincoln, und sein Schüler Roger Bacon entwickelten die erste Theorie über Brillen, wenig später tauchten Brillen im italienischen Glaszentrum, der Stadt Venedig, auf.

Brillen waren die ersten optischen Gegenstände, die gezielt hergestellt wurden. Linsen wurden geschliffen, um Augenfehler auszugleichen. Gegenstände stark vergrößert abzubilden, begann erst mit dem Aufkommen der Teleskope, der wenige Jahrzehnte später die Herstellung von Mikroskopen folgte. Bis zur Erfindung des Teleskops im 17. Jahrhundert konnten die Menschen sehr entfernte und sehr kleine Dinge nur mit bloßem Auge erkunden.

Der erste Mensch, der Teleskope zur Forschung einsetzte, war Galileo Galilei. Der berühmte italienische Mathematiker hat das Teleskop aber nicht erfunden. Er kaufte es von holländischen Händlern, die in Venedig Waren anboten. Als eigentlicher Erfinder gilt der holländische Brillenmacher Zacharias Janssen. Er verband um 1590 zwei Linsen so, daß sie entfernte Gegenstände stark vergrößert abbildeten. Zur gleichen Zeit wurde auch in Italien ein Teleskop hergestellt, dessen Erfinder unbekannt blieb. Das Datum ist jedoch gesichert, da es in das Instrument eingeprägt ist. Dieses Teleskop wurde vom Holländer Hans Lippershey untersucht, der dann 1608 begann, Teleskope herzustellen. – Das mit dem Teleskop im Prinzip baugleiche Mikroskop wurde erstaunlicherweise erst 1650 vom Holländer Anton von Leeuwenhoek erfunden.

Ein Teleskop, das Gegenstände vergrößert abbildet, besteht in der einfachsten Form aus zwei Linsen, die an die beiden Enden eines Rohres montiert werden. 1610, erst 20 Jahre nach der Erfindung des Teleskops, begann Johannes Keppler die einfache zweilinsige Optik zu verbessern. Seine Teleskope erlaubten durch die Verwendung von vielen Linsen stärkere Vergrößerungen. Von da an begannen viele Forscher, Linsen verschiedener Stärke zu optischen Instrumenten zusammenzusetzen und neue Linsen zu entwickeln, die das Licht stärker bündeln. – Gegenstände müssen entweder sehr hell sein, um auch aus großer Entfernung noch sichtbar zu sein, oder das wenige Licht, das von ihnen ausgeht, muß komplett erfaßt und gesammelt werden. Besonders für die Beobachtung der weit entfernten und damit dunklen Sterne reichten einfache Teleskope nicht aus. Den Durchbruch erzielte der englische Physiker Isaac Newton mit der Erfindung des Spiegelteleskops. Ein großer, gekrümmter Spiegel empfängt das Licht auf einer großen Fläche, bündelt es und schickt es erst dann durch ein vergrößerndes Linsensystem.

Zur Sternenbeobachtung werden heute Spiegelteleskope eingesetzt, deren Spiegeldurchmesser mehrere Meter beträgt.

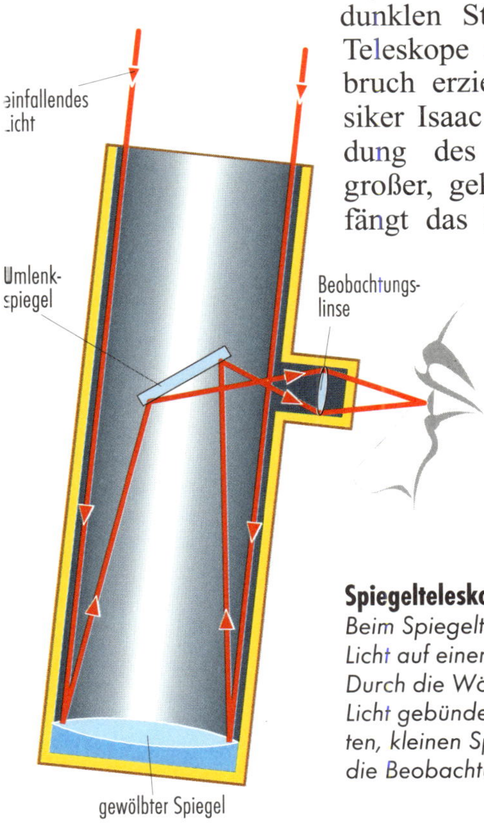

Spiegelteleskop

Beim Spiegelteleskop trifft das einfallende Licht auf einen Spiegel am Teleskopboden. Durch die Wölbung des Spiegels wird das Licht gebündelt und auf einen schräggestellten, kleinen Spiegel geworfen, der es auf die Beobachtungslinse reflektiert.

Vom dunklen Raum zur Kamera

Fotografie – Zeichnen mit Licht – ist eine recht junge Technik, die seit ihrer Erfindung Anfang des 19. Jahrhunderts die Kunst, Presseerzeugnisse und unsere Freizeit revolutioniert hat. Die Fotografie ist aus einem Zusammenspiel von Optik und Chemie entstanden.

Entscheidender als die Erfindung der Kamera – die es im Prinzip schon gab – war die Erfindung der Filme. Sie erlaubten es erstmals, schnell ein genaues und beliebig kopierbares Abbild von Gegenständen und Menschen herzustellen.

Die »Camera obscura« (lateinisch für »dunkler Raum«), deren Aufbau im 11. Jahrhundert von Ibn al Haithan beschrieben wurde, ist der Vorläufer aller Fotoapparate. Sie funktionierte ohne Linsen und ohne Film. Das einfache Bauprinzip: Wird ein kleines Loch in einen geschlossenen Kasten gebohrt, und diese Öffnung auf einen hellen Gegenstand gerichtet, erscheint an der dem Loch gegenüberliegenden Wand ein umgekehrtes Abbild des »aufgenommenen« Objekts. Dieses unscharfe Bild konnte nach der Erfindung der Linsen, die das Licht gezielt bündeln und brechen, schärfer dargestellt werden – eine Technik, die der Italiener Geromini Cardano im 16. Jahrhundert erfand. Es fehlte zur Fotokamera nur noch die Methode, dieses Abbild auch dauerhaft festzuhalten. – Nachdem von Nicéphore Niepce die Rückwand durch eine Filmplatte ersetzt wurde, war aus der Camera obscura 1827 die Fotokamera entstanden. Das von

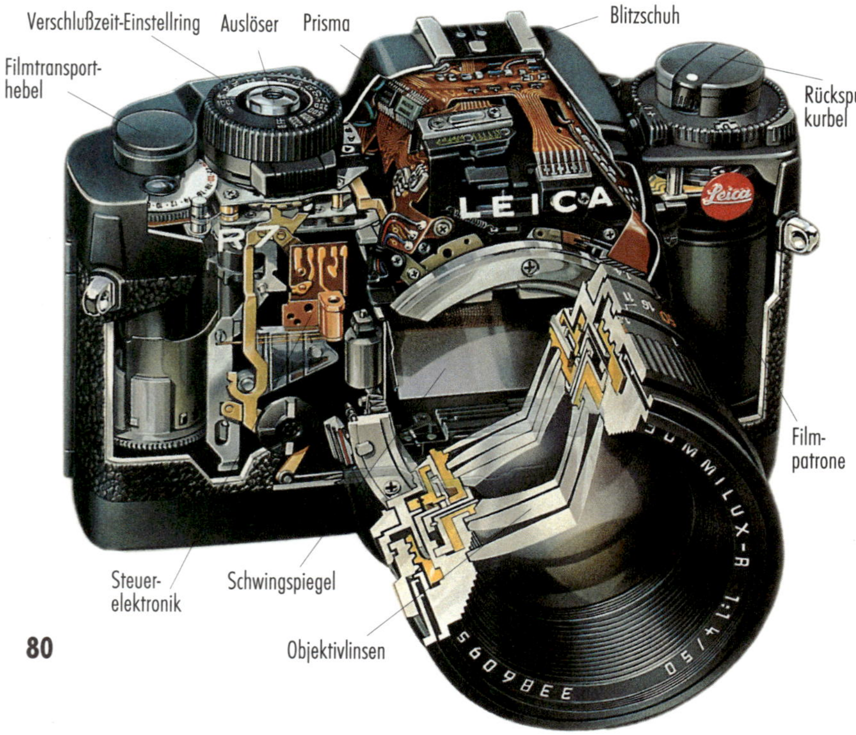

Sofortbildkamera

Bei einer mechanisch höchst komplizierten Sofortbildkamera wird ein Fotopapier mit einem Beutel aus Chemikalien versehen. Sobald das Papier belichtet ist, wird es von Transportwalzen aus der Kamera geschoben und dabei der Chemikalienbeutel zum Platzen gebracht. Die Chemikalien entwickeln dann ein Farbbild in etwa einer Minute. Das Objektiv einer Sofortbildkamera kann nicht verstellt werden. Daher reicht ein einfaches Sucherfenster zur Beobachtung des Bildausschnittes.

Spiegelreflexkamera

Bei einer Spiegelreflexkamera trifft das Licht, das durch das Objektiv einfällt, auf einen beweglichen Spiegel. Er lenkt das Bild auf ein Prisma und kann dort durch die Sucherlinse beobachtet werden. Wird der Auslöser gedrückt, schwingt der Spiegel blitzschnell nach oben und das Licht kann durch den offenen Verschluß auf den hinter dem Spiegel gelegenen Film fallen. Durch diese Technik ist im Sucher immer genau das Bild zu sehen, das später auf dem Film abgebildet wird. Die Verschlußzeit wird bei mechanischen Kameras noch per Hand eingestellt. Moderne Kameras besitzen Automatikfunktionen, die Belichtungszeit und Blendenöffnung computergesteuert einstellen. Filmtransport und -rückspulung sind heute meistens ebenfalls automatisch. Ein Motor erledigt diese Arbeit.

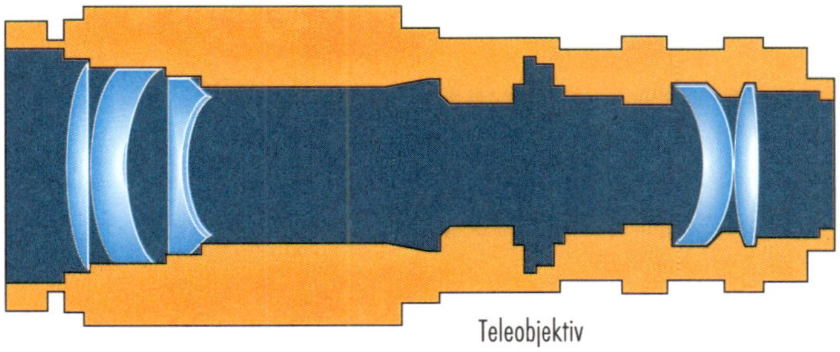

Teleobjektiv

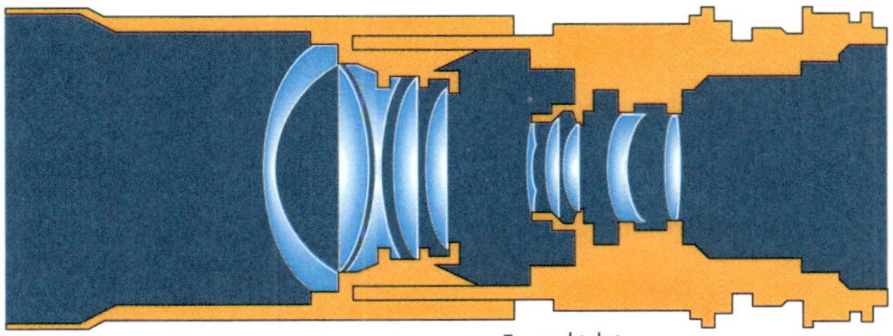

Zoomobjektiv

Niepce verwendete Material, das sich unter Lichteinfluß schwärzte, war Asphalt. Wegen der langen Reaktionszeit des Asphalts, die stundenlange Belichtungszeiten erforderte, begann die Suche nach neuen Filmchemikalien. Durch Experimente mit Silbersalzen, auf eine Kupferplatte aufgetragen, gelang dem Franzosen Louis Jacques Daguerre 1839 der Durchbruch. Bis heute sind Silbersalze wie Jodsilber und Bromsilber der wesentliche Bestandteil der reagierenden Schicht auf Schwarzweiß-Filmen und -Papieren.
Seitdem sind Kameras und Aufnahmeverfahren kaum noch verändert, aber entscheidend verbessert und erleichtert worden. Die Farbfotografie wurde ebenso erfunden wie neue Linsensysteme und Kameraformen. Elektronische Belichtungs- und Entfernungsmessung machen heute die unkomplizierte Fotografie für alle möglich. – Die Pioniere der Fotografie waren noch gezwungen, mit Kamera und Fotolabor rund 50 kg Ausrüstung herumzuschleppen, um Fotos zu erstellen.
Die Weiterentwicklung der Fototechnik gelang rund 70 Jahre nach dem Bau der ersten Standbildkamera: Die Bilder lernten laufen. Die Erfindung der Bewegtbildkamera wurde von Thomas Alva Edison angeregt, der 1891 erstmals einen Transportmechanismus baute, um eine Bewegung Bild für Bild hintereinander zu fotografieren. Den heute üblichen Transportmechanismus für Kinofilme erfanden Louis und Auguste Lumière 1895. Sie schauten den Mechanismus dem Transportvorgang bei einer Nähmaschine ab. Der Trick beim Kinofilm ist die optische Täuschung: Werden mindestens 24 Bilder pro Sekunde jeweils kurz gezeigt und die Bilder dann schnell weitertransportiert, kann das Gehirn die ruckende Bewegung nicht mehr wahrnehmen – es entsteht der Eindruck einer fließenden Bewegung.

Objektive

Bei Spiegelreflexkameras können die Objektive – die Linsensysteme, die die Abbildung von Gegenständen bestimmen – gewechselt werden. Für verschiedene Aufnahmesituationen kann so das jeweils geeignetste Objektiv an die Kamera montiert werden.
*Ein **Tele(skop)objektiv** (links oben) bildet Gegenstände stark vergrößert ab, ein **Weitwinkelobjektiv** (unten) verkleinert die Abbildung. Gleichzeitig ändert sich durch die Wahl des Objektivs der mögliche Bildausschnitt. Wird zum Beispiel ein Weitwinkelobjektiv, das ein ganzes Fußballfeld abbildet, durch ein Teleobjektiv ersetzt, sind dann – je nach Entfernung – vielleicht nur noch der Ball oder einzelne Personen zu sehen.*
*Eine Besonderheit sind **Zoomobjektive** (links unten). Bei einem Zoomobjektiv können die Linsen per Hand gegeneinander verschoben werden. Dadurch entstehen je nach Stellung der Linsen zueinander verschiedene Brennweiten. Das heißt: Einmal ist die Abbildung des Zoomobjektivs genauso wie die eines Weitwinkelobjektivs, ein anderes Mal wie die eines Teleobjektivs.*

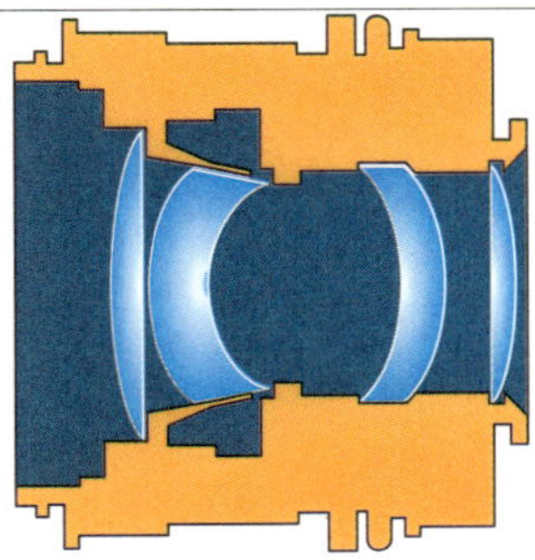

Weitwinkelobjektiv

Chronik der Fotografie

300 v.u.Z. Die Camera obscura wird in China erfunden.

950 In China werden erste Linsen hergestellt.

1300 Die Linsen- und Brillenherstellung beginnt in Venedig.

1550 Der Italiener Geromini Cardano baut eine Camera obscura mit einer Sammellinse. Sie dient wie die linsenlosen Modelle als Jahrmarktsattraktion und als Hilfsmittel für Maler.

1590 Der Holländer Z. Janssen erfindet ein zweilinsiges Teleskop.

1608 Hans Lippershey beginnt in Holland Teleskope herzustellen.

1609 Galileo Galilei entwickelt das Teleskop weiter und baut das erste Fernrohr mit Glaslinsen.

1610 Johannes Keppler verbessert das Teleskop durch die Verwendung von vielen Linsen.

1650 Der Holländer Anton von Leeuwenhoek erfindet das Mikroskop. 1674 beobachtet er mit diesem 270fach vergrößernden Mikroskop als erster Mensch rote Blutkörper und beschreibt sie.

1672 Isaac Newton baut das erste Spiegelteleskop. Sogenannte Reflektoren sammeln das Licht in einer halbkugelförmigen Schüssel. Von dort aus wird es auf das Beobachtungsokular geworfen. So kann ein schwaches Licht mit einem Spiegel von mehreren Metern Durchmesser noch in 25 000 km Entfernung wahrgenommen werden.

1725 Heinrich Schulze entdeckt, daß sich Silbernitrate unter Lichteinfluß schwarz färben. Er sieht jedoch keine Anwendungsmöglichkeit des Effekts. Heute beruht der Schwarzweiß-Fotoprozeß auf der Verarbeitung von Silberverbindungen.

1822 Nicéphore Niepce macht das erste, in Fototechnik hergestellte Abbild der Geschichte. Er kopiert eine Zeichnung auf eine asphaltbeschichtete Zinnplatte.

1827 Nicéphore Niepce entwickelt die erste Fotokamera. Er baut eine seiner lichtempfindlichen Platten in die Rückwand einer Camera obscura ein.

1829 Der Maler Louis Jacques Daguerre, der an der Verbesserung der Camera obscura arbeitet, tritt mit Nicéphore Niepce in Kontakt. Nach dem Tod Niepces im Jahre 1833 entwickelt Daguerre das Fotoverfahren alleine weiter und gibt die Fotografie als seine Erfindung aus.

1835 Fox Talbot macht in Großbritannien mit einer umgebauten Camera obscura erste Aufnahmen auf mit lichtempfindlichem Material beschichtetem Papier.

1839 Das erste Bild auf der Basis von Silberchemikalien entsteht. Von ihrem Erfinder wird die verbesserte Fototechnik als »Daguerregrafie« bezeichnet. Diese braucht »nur« noch 15 Minuten Belichtungszeit.

1850 Alexander Parkes erfindet in den USA ein hartes, biegbares und zugleich durchsichtiges Material. John Hyatt ändert den Namen des Kunststoffs in Zelluloid, das 20 Jahre später als Trägermaterial für Filmchemikalien eingesetzt wird.

1851 Der Brite Scott Archer erfindet die »Naßplatte«. Er beschichtet eine Glasplatte mit flüssigen Silbersalz-Filmchemikalien, die noch feucht entwickelt werden.

1871 Der Brite Richard Maddox entwickelt die »Trockenplatte«. Die Chemikalien sind, solange sie nicht mit Flüssigkeiten in Berührung kommen, in eine Gelatineschicht eingebettet.

1887 A. Mietke und J. Gaedicke erfinden in Deutschland das Blitzlicht: Eine explosive Mischung, die vor allem Magnesiumspäne enthält, wird entzündet, verbrennt schlagartig und erzeugt helles Blitzlicht.

1889 Die US-amerikanische Firma Eastman bringt in New York ihre handliche Kodak-Kamera »Brownie-Box« auf den Markt. Sie erlaubt eine kurze Belichtungszeit von 1/20 Sekunde. In dieser Kamera kommt der von George Eastman neuentwickelte Rollfilm aus Zelluloid zum Einsatz. Das neue Trägermaterial Zelluloid ersetzt die Glasplatten der Fotografie und ist Grundlage des Kinofilms.

1895 Max und Emil Skladanowski bauen eine Filmkamera und veranstalten in Berlin die ersten Filmvorführungen. Die Erfindung kann gegen die Projektion der Brüder L. und A. Lumière im gleichen Jahr nicht konkurrieren. Vorteil des Lumière-Verfahrens: die rotierende Blendenscheibe für unsichtbaren Filmtransport. Skladanowskis mußten zwei Filme parallel laufen lassen.

1896 Das erste Kino wird im US-amerikanischen New Orleans eröffnet.

1925 Paul Vierkotter erfindet die Blitzlichtbirne. In ihr wird die 1887 erfundene Blitz-Magnesiummischung unter Vakuum von elektrischem Strom in einem Glaskolben gezündet, ohne rauchende Blitzflamme.

1929 Mit dem Film »The Jazz Singer« wird der erste echte Tonfilm gedreht, der das Lichttonverfahren nutzt.

1931 In den USA erfindet Harold Edgerton den Elektronenblitz.

1935 Leopold Godowsky und Lepold Mannes erfinden für die US-Firma Kodak den substraktiven Dia-Farbfilm.

1939 In Deutschland entwickelt die Firma Agfacolor aus dem 1935 erfundenen Umkehrfilm den Negativ-Film.

1948 Edwin Lang erfindet die Polaroid-Sofortbildkamera.

1983 Polaroid entwickelt die automatische Scharfeinstellung.

1986 Die japanische Firma Fuji bringt eine Einweg-Kamera auf den Markt. Sie besteht aus einem Kasten mit einer Linse und einem Film in der Rückwand.

1992 Die Firma Kodak bringt ihr Foto-CD-System auf den Markt: Bilder werden nicht auf Papier reproduziert, sondern auf eine digitale Compact Disk.

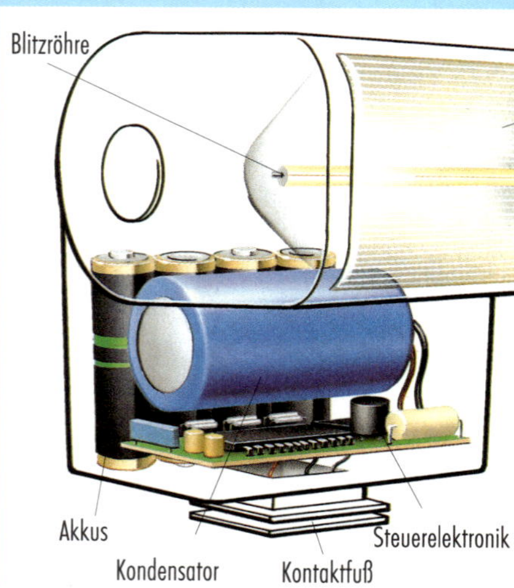

Blitzlicht

Beim Elektronenblitz entlädt sich der Strom eines von Akkus oder Batterien geladenen Kondensators schlagartig in eine gasgefüllte Röhre. Dort erzeugt der Stromfluß einen Blitz. Elektronenblitzgeräte arbeiten heute mit Spannungen von rund 5000 Volt.

Rechenmaschinen

Die ersten einfachen Rechenhilfen entstanden vor rund 5000 Jahren. Noch heute werden sie – vor allem in Asien – für Berechnungen verwendet. Die eigentliche Entwicklung von mechanischen Rechenhilfen aber begann erst im 17. Jahrhundert.

Im 17. Jahrhundert wurde eine Reihe von Additions- und Subtraktionsmaschinen erfunden. So baute der deutsche Universalgelehrte Gottfried Wilhelm Leibniz 1673 die erste Maschine, die alle vier Grundrechenarten berechnen konnte. Noch weitere 150 Jahre vergingen, bis der britische Professor Charles Babbage 1833 die erste programmgesteuerte Rechenmaschine erfand. Mit dem Konzept von Eingabeeinheit, Rechenwerk, Speicher und Ausgabe entwickelte Babbage die Grundlage programmgesteuerter Rechenautomaten und damit den Computer.
Erst nach der Erfindung des elektrischen Stroms konnten Computer entstehen. Computer beeinflussen heute die Weltwirtschaft, Politik, Medien und Gesellschaften. Die

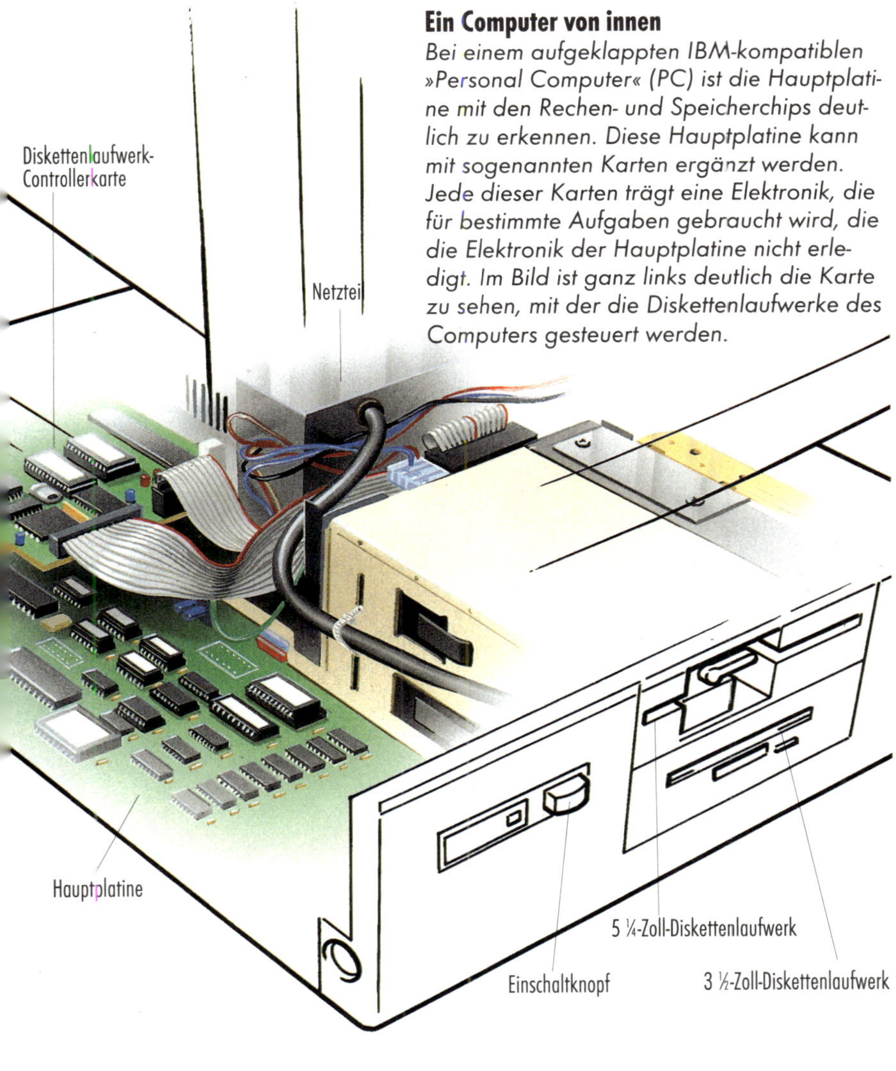

Ein Computer von innen
Bei einem aufgeklappten IBM-kompatiblen »Personal Computer« (PC) ist die Hauptplatine mit den Rechen- und Speicherchips deutlich zu erkennen. Diese Hauptplatine kann mit sogenannten Karten ergänzt werden. Jede dieser Karten trägt eine Elektronik, die für bestimmte Aufgaben gebraucht wird, die die Elektronik der Hauptplatine nicht erledigt. Im Bild ist ganz links deutlich die Karte zu sehen, mit der die Diskettenlaufwerke des Computers gesteuert werden.

Ein Computer-Chip im Größenvergleich zu Streichhölzern.

Künstliche Intelligenz?

Computer können nicht denken, sie können nur zählen – das aber so schnell, daß sie die meisten als Zahlen darstellbaren Informationen schneller und in größeren Mengen finden, ändern und speichern können als der Mensch. Oft scheint es daher, daß diese Maschinen eine Form von Denkfähigkeit und Intelligenz besitzen. Daß es damit nicht so weit her ist, zeigt sich in der Verarbeitung komplizierter Informationen. – Den Menschen ist der nicht denkfähige Computer in punkto Geschwindigkeit überall dort unterlegen, wo riesige Datenmengen auf einmal verarbeitet werden müssen. Dazu zählt die Bilderkennung, die die Gehirne von Lebewesen quasi nebenbei erledigen. Während wir das Gesicht einer bekannten Person sofort erkennen, muß ein Computer das Bild in Hunderttausende von Punkten auflösen und Punkt für Punkt mit den Punkten anderer Bilder vergleichen. Erst dann kann ein Computer »entscheiden«, ob ihm das Bild bekannt ist. Ist das Bild nur ähnlich, weil etwa ein Gesicht aus einer anderen Position gesehen wird, eine andere Frisur oder einen Bart hat, haben wir keine Schwierigkeit, die Person trotzdem zu erkennen – einem Computer ist das meist unmöglich.

ersten elektronischen Rechenmaschinen erfand der deutsche Bauingenieur Konrad Zuse im Jahre 1936. Weiterentwickelt wurden die Maschinen in den USA. Einen starken Einfluß auf die Entwicklung der Computer hatte das Militär. Bis zum Ende des »Kalten Krieges« zwischen Ost und West Anfang der 90er Jahre, trieb es den Bau von und die Forschung über schnelle Rechenmaschinen voran, um

Rechnen und Speichern

Die Recheneinheiten im Computer, die Mikroprozessoren, verarbeiten digitale Informationen. Solch ein digitales System kennt nur die Information »Strom an« oder »Strom aus«. Über die Aneinanderschaltung von Transistoren kann bestimmt werden, wie der Stromverlauf aussehen soll, mit Kondensatoren kann die Information als elektrische Ladung aufbewahrt werden. Ein Programm, das durch eine feste Verdrahtung dauerhaft in einem Chip gespeichert ist, kann nicht verloren gehen, wenn der Strom ausgeschaltet wird. Solche Programme werden in Chips gespeichert, in die keine Informationen hineingeschrieben werden können. Es sind die ROM genannten »Read Only Memorys«, die Nur-Lese-Speicher. Der Stromfluß im Chip und damit die Art der Informationsverarbeitung kann nicht nur durch feste Schaltung bestimmt werden: Es ist möglich, den Stromverlauf über Befehle zu steuern und eine Schaltung nur vorübergehend herzustellen. Die Steuerung erfolgt über die Aneinanderreihung digitaler Impulse, die Programm oder Software genannt werden. Die Software besteht aus elektrischen Impulsen, die in Rechenchips ein bestimmtes Schaltungsmuster erzeugen. Programme werden – wie alle anderen Informationen – im RAM genannten »Random Access Memory«, dem Schreib-Lese-Speicher des Computers gespeichert. Im RAM können die elektrischen Ladungen ständig verändert und so neue Informationen eingegeben werden – etwa wenn mit dem Computer ein Brief geschrieben oder eine Rechnung bearbeitet wird. Da die Informationsaufbewahrung mit Strom funktioniert, verschwinden alle Informationen aus dem RAM, wenn der Computer ausgeschaltet wird. Der Inhalt des RAM muß, soll er nicht verlorengehen, auf sogenannte Speichermedien – Disketten oder Festplatten – übertragen werden. Sie bewahren die Informationen, indem wie bei einem Tonband Eisenpartikel dauerhaft magnetisiert werden. So können die Daten immer wieder gelesen werden.

Flüssigkristall-Anzeigen (LCD)

Bei transportablen Computern muß an Gewicht und Größe gespart werden, um sie sinnvoll einsetzen zu können. Daher kann kein »normaler« Bildschirm eingesetzt werden, der Bilder mit einer Kathodenstrahlröhre erzeugt (siehe S. 89). Bei tragbaren Computern kommen daher sogenannte Flüssigkristall-Anzeigen oder LCDs (Liquid Cristal Display) zum Einsatz. Dabei werden Kristalle, die in einer Flüssigkeit gelagert sind, mit elektrischem Strom so gedreht, daß sie entweder Licht durchlassen oder nicht durchlassen. Wo sie kein Licht durchlassen, entsteht ein schwarzer Punkt. Bei einer sogenannten Aktivmatrix wird jeder Punkt von einem eigenen Transistor ein- und ausgeschaltet. Solche aktiven LCD-Bildschirme werden meist als Dünnfilmtransitor-Anzeigen oder TFTs (Thin Film Transistor) hergestellt. Seit 1993 sind auch sogenannte MIM-Displays (Metal Insulator Metal) zu kaufen. Diese benötigen keine Transistoren, sondern können den Strom zur Erzeugung der Punkte mit den einfacheren und billigeren Dioden schalten.

Wafer

Chips werden auf Wafern hergestellt. Ein Wafer ist eine dünne Siliziumscheibe; darin werden die Schaltkreise der Chips zum Teil mit Chemikalien hineingeätzt und zum Teil werden Bauteile von Chips auf ihnen aufgebaut. Sind die Chips fertig, wird der Wafer zersägt um die einzelnen Chips verkabeln zu können.

Vergrößerung eines Chip

Halbleiter und Transistor

Halbleiter sind Materialien, die weder elektrischen Strom leiten, noch als Widerstand für den Strom reagieren. Solche Halbleiter wie Silizium oder Germanium können mit anderen leitenden Stoffen gemischt werden. Je nachdem, welche Materialien den Halbleitern beigefügt werden, kann bestimmt werden, unter welchen Bedingungen und in welcher Richtung Strom durch den Halbleiter fließt.
Dieser Effekt wird in Halbleiterelementen genutzt. Dies sind Dioden, die den Strom nur in eine Richtung fließen lassen. Ein anderes Halbleiterelement ist der Transistor, der die Grundlage der Computertechnik ist. Ein Transistor hat drei Stromleitungen und funktiniert als Schalter: Kommt an einer Leitung ein schwacher Strom an, öffnet der Transistor den Durchfluß durch die beiden anderen Leitungen. Eine Leitung ist der Eingang, die andere der Ausgang für Strom. Als Verstärker kann ein Transistor genutzt werden, weil ein geringer Schaltstrom einen weit stärkeren Strom ein- und ausschalten kann. Eine geschickte Kombination von Transistoren kann Strom zu bestimmten Stellen fließen lassen. Genau das passiert in einem Computerchip, der viele Transistoren enthält.

damit immer bessere Vernichtungswaffen zu bauen. So entstand 1945 in den USA der erste vollelektronische Computer ENIAC als Militärrechner. Der Durchbruch zum »Computer für jede und jeden«, den Personal Computer (PC), in der industrialisierten Welt und der Einbau in zahlreichen Geräten wurde durch die Erfindung des Transistors im Jahre 1948 möglich. Auf Grundlage dieser Erfindung konnten die Bauteile des Computers immer kleiner und billiger werden.
Der eigentliche Rechner eines Computers ist heute die 1969 erfundene »Central Processing Unit« (CPU), die zentrale Recheneinheit. In ihr ist festgelegt, wie Informationen zu behandeln sind. Daneben braucht der Computer einen Speicher, in den Daten eingegeben und aus dem sie herausgeholt werden können. Um die Informationen, die die CPU verarbeiten soll, einzugeben, besitzen die meisten Computer die Eingabegeräte Tastatur und Maus. Über die Ausgabeeinheiten Bildschirm und Drucker können die Rechenergebnisse des Computers dargestellt werden.

Chip

Die Fähigkeit der Computer, rechnen zu können, basiert auf Chips. Solche Chips bestehen aus vielen Bauteilen, die durch feinste Drähte (Foto oben in 500facher Vergrößerung) miteinander verbunden sind. Daher heißt, ein Chip auch »Integrierter Schaltkreis« oder englisch »Integrated Circuit« (IC). Die Bauteile werden von einer Kunststoffhülle geschützt, aus der die »Beine« des IC herausragen. Es sind die festen Anschlußdrähte, die den Chip mit dem restlichen Computer verbinden.
In einem Chip werden Informationen gespeichert oder verarbeitet. Entweder sind Befehle zur Verarbeitung durch feste Verdrahtung dauerhaft im Chip gespeichert oder sie können in speziellen Speicherchips hineingeschrieben und ausgelesen werden. Dies geschieht mit Strom: Der Strom wird zu Kondensatoren geleitet – elektrischen Bausteinen, die eine einmal erhaltene Stromladung eine Weile speichern können. Zu welchem der vielen Millionen Kondensatoren Strom fließt, wird über Transistoren gesteuert. Transistoren bestimmen auch, welche Kondensatoren ihre Ladung wieder verlieren sollen. Dazu muß der Kondensator geerdet werden, wodurch er seine Ladung abgibt. Um den Speicherinhalt eines Chips zu lesen, wird von der Recheneinheit des Computer »nachgeschaut«, welche Kondensatoren geladen sind. Das beim Schreiben der Information bestimmte Muster aus »Ladung ist da« und »keine Ladung da« kann so wiedergegeben und in eindeutige Zeichen umgesetzt werden.

Chronik der Rechenmaschine

3000 v.u.Z. Mesopotamier entwickeln mit dem »Staubbrett«, Babylonier mit dem »Abacus« erste Rechenhilfen.

450 In Indien entsteht das Dezimalsystem, das die Zahlen von 0 bis 9 zur Grundlage der Rechnungen macht.

1624 Professor Wilhelm Schickard baut in Tübingen eine zahnradgetriebene Rechenmaschine, die sechsstellige Zahlen addieren und subtrahieren kann.

1642 Der Franzose Blaise Pascal führt eine mechanische Rechenmaschinen vor. Sie kann achtstellige Zahlen addieren und subtrahieren.

1673 Der deutsche Mathematiker Gottfried Wilhelm Leibniz erfindet eine Staffelwalzen-Rechenmaschine – die erste Maschine, mit der in allen vier Grundrechenarten gerechnet werden kann.

1804 Joseph-Marie Jacquard baut einen mechnischen Webstuhl mit Lochkartensteuerung.

1833 Der Brite Charles Babbage erfindet eine über Lochkarten gesteuerste programmierbare Rechenmaschine. Sie wird erst nach seinem Tod gebaut. Seine Freundin Ada Lovelace schreibt die Programme und ist eine der ersten Frauen, die in der bis ins 20. Jahrhundert männerorientierten Wissenschaftswelt Anerkennung findet. Ihr ist der Name der Computersprache ADA gewidmet.

1859 Der britische Mathematiker George Boole entwickelt die binäre Boolsche Algebra. Demnach lassen sich alle Zahlen durch eine Kombination der Zahlen »0« und »1« darstellen und jedes mathematische Problem durch eine Folge von »Ja«- und »Nein«-Entscheidungen zeigen. Dieses Rechensystem ist die Grundlage der computergesteuerten Datenverarbeitung.

1906 Der Deutsche Robert von Lieben erfindet den Transistorvorläufer.

1936 Der deutsche Bauingenieur Konrad Zuse beginnt mit dem Bau einer Rechenmaschine, die das Binärsystem mit den Zahlen »0« und »1« für Berechnungen verwendet. Dieser 1938 fertiggestellte elektromechanische Rechner, der »ZUSE Z1« besitzt einen mechanischen Speicher. Das 1941 fertiggestellte Nachfolgemodell »ZUSE Z3« ist der erste programmgesteuerte Computer der Welt. Sowohl das Binär-Rechenwerk als auch der Speicher funktionieren mit Relais, elektromechanischen Schaltern, die später durch Röhren, dann durch Transistoren und schließlich durch Integrierte Schaltkreise (IC) ersetzt werden.

1944 Der US-amerikanische Mathematiker John Neumann entwickelt die Idee, Computerprogramme anstelle fester Verdrahtungen in Rechenmaschinen zu verwenden. Die Idee wird 1948 im von IBM gebauten Computer SSEC umgesetzt.

1945 Die US-Amerikaner John Eckert und John Mauchly bauen den ersten vollelektronischen Computer ENIAC. Die Schaltvorgänge der Programme werden über 18 000 Elektronenröhren gesteuert. ENIAC füllt einen Raum von über 140 m² aus und verbraucht mehr als 150 kW Strom. Mit den schnellen Röhren kann gegenüber den langsamen Relais die Rechengeschwindigkeit vielfach gesteigert werden. Der Computer wird vom Militär bezahlt, das damit Berechnungen zum Bau der ersten Atombombe anstellt.

1948 Drei Angestellte der US-Telefonfirma Bell, William Shockley, John Bardeen und Walter Brattain entdecken, daß Silizium und Germanium als Halbleiter reagieren. Sie bauen daraus den ersten Transistor (1956 Nobelpreis für Physik).

1950 Yoshiro Nakamats erfindet in Japan die Diskette.

1955 Die Firma Bell baut für das amerikanische Militär den ersten Computer, der Transistoren statt Röhren verwendet. Die Rechengeschwindigkeit wird stark erhöht, der Stromverbrauch enorm gesenkt.

1959 Der US-Amerikaner Jack Kilby erfindet den Integrierten Schaltkreis (IC). Bei diesem auch Chip genannten Bauteil werden Transistoren, Widerstände und Kondensatoren nicht mehr als einzelne Bausteine auf einer Platine miteinander verdrahtet, sondern durch gezielte Manipulationen auf einer einzigen Siliziumplatte hergestellt.

1969 Marcian Hoff entwickelt den ersten Zentralprozessor (CPU). Es ist ein Chip, in dem alle wichtigen Funktionen eines Computers vereinigt sind. Die erste CPU mit der Typenbezeichnung »4004« besitzt die Funktion von 2300 Transitoren auf der fingernagelgroßen Fläche von 1 cm².

1970 Bob Abbott baut für die US-Firma INTER den ersten Schreib-Lese-Speicher, das RAM. In diesem Modell konnten 1024 Zeichen gespeichert werden.

1973 Die Firma R2E baut in Frankreich den ersten Microcomputer, bei dem ein Computer um einen Integrierten Schaltkreis (Hauptprozessor) herum gebaut wird. Populär wird der »Micro« durch das Modell »Altair 8000« des Herstellers MITS.

1976 Die Firma Hewlett-Packard stellt den ersten Taschenrechner der Welt vor. Dessen Vorgängermodelle waren noch nicht frei programmierbar.

1981 Das Betriebssystem Microsoft-Disk-Operating-System (MS DOS) wird vorgestellt. Es löst bei Personal Computern (PC) fast alle anderen Betriebssysteme ab.

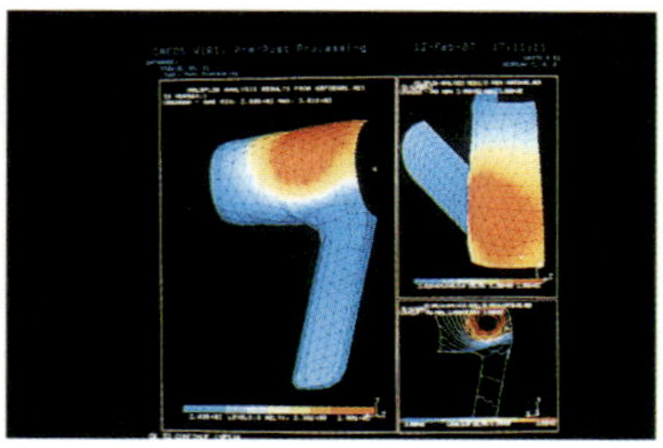

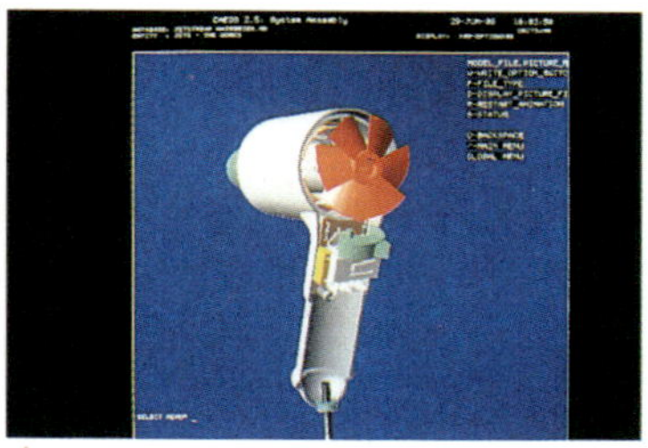

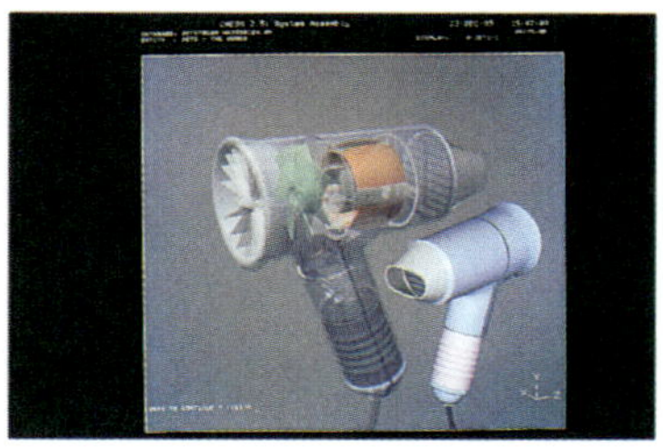

Computergestütztes Zeichnen

*Mit sogenannten CAD-Programmen (**C**omputer **A**ided **D**esign) werden heute Haushalts- und Gebrauchsgegenstände, aber auch Autos und Häuser am Computer entworfen. Das Abbild der Gegenstände kann erst einmal vom Computer errechnet und auf dem Bildschirm aus allen Richtungen betrachtet werden. Einzelheiten und -teile können dabei farbig markiert oder einzeln dargestellt werden. So erspart CAD – wie bei diesem Fön – den oft mühseligen Bau von Modellen.*

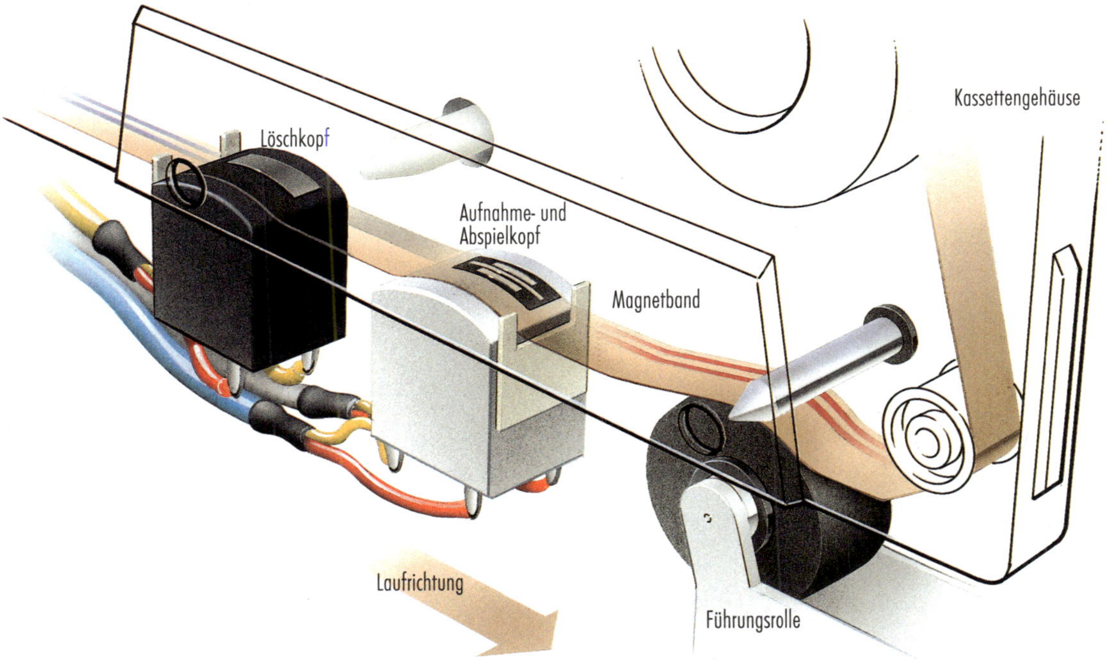

Meldungen und Meinungen für Massen

Nach der Zeitung war der Rundfunk das zweite Massenmedium. Er wurde in diesem Jahrhundert erfunden, denn vorher mußten sowohl der Strom als auch die Technik, mit Strom elektromagnetische Wellen zu erzeugen, entdeckt werden.

Die Entwicklung des Rundfunks verlief dabei parallel zu der der Telegrafie (siehe S. 92). Die Übertragungen von Radio-, Fernseh- und Telegrafiesendungen sowie von Telefongespächen über weite Strecken beruhen alle auf einer Erfindung Guglielmo Marconis, der 1895 erstmals elektromagnetische Wellen zur kabellosen Informationsübertragung nutzte, und der Erfindung der Elektronenstrahlröhre im Jahre 1906.

Technisch sind sich Radio, Fernsehen und Telekommunikation sehr ähnlich: Texte oder Bilder werden in elektromagnetische Stahlen umgewandelt, ausgesendet und vom Empfängergerät wieder in die ausgesendete Information umgesetzt. Dabei sind die technischen Anforderungen an die Geräte, die die ursprüngliche Sendung in Wellen und wieder zurückverwandeln, beim Fernsehen ungleich höher als beim Radio. Radiosendungen wurden daher bereits 1906 erfunden, die erste taugliche Fernsehsendung jedoch erst im Jahre 1934 in Berlin ausgestrahlt – regelmäßige Sendungen begannen erst rund ein Jahrzehnt später.

Aufgrund sehr unterschiedlicher Anforderungen an die Qualität der Übertragung trennten sich die Entwicklungswege zwischen Radio- und Fernsehtechnik auf der einen und Fernmeldetechnik auf der anderen Seite bald nach der

Aufnahme und Löschkopf

Um Musik- und Bildinformationen auf Kassetten, Tonbänder und Videobänder zu speichern, werden die Eisenoxid-Partikel der Bänder magnetisiert. Beim Kassettenrecorder geschieht dies mit zwei Magneten. Der erste Magnet, über den das Magnetband bei der Aufnahme läuft, ist der ***Löschkopf.*** *Er richtet alle Eisenpartikel gleichmäßig aus und löscht damit eine auf bespielten Bändern vorhandene Magnetisierung. Der eigentliche Aufnahme- und* ***Abspielkopf*** *ist ein kleiner Elektromagnet (siehe S. 16), der in der Mitte geschlitzt ist. Der Strom, der durch die Spule des Elektromagneten fließt, wird vom Verstärker oder direkt von einem Mikrofon geliefert. Dieser Strom wechselt je nach Ton die Stärke und erzeugt ein wechselndes Magnetfeld in dem Schlitz. Auf dem über dem Schlitz des Magneten vorbeilaufenden Tonband werden so die Magnetpartikel stärker oder schwächer magnetisiert. – Ein Abbild der Töne ist als Magnetmuster entstanden. Dieses Muster kann wieder ausgelesen werden, indem das Magnetfeld des Bandes in der Spule des Elektromagneten einen Strom erzeugt. Dieser wird verstärkt und über Lautsprecher hörbar gemacht.*

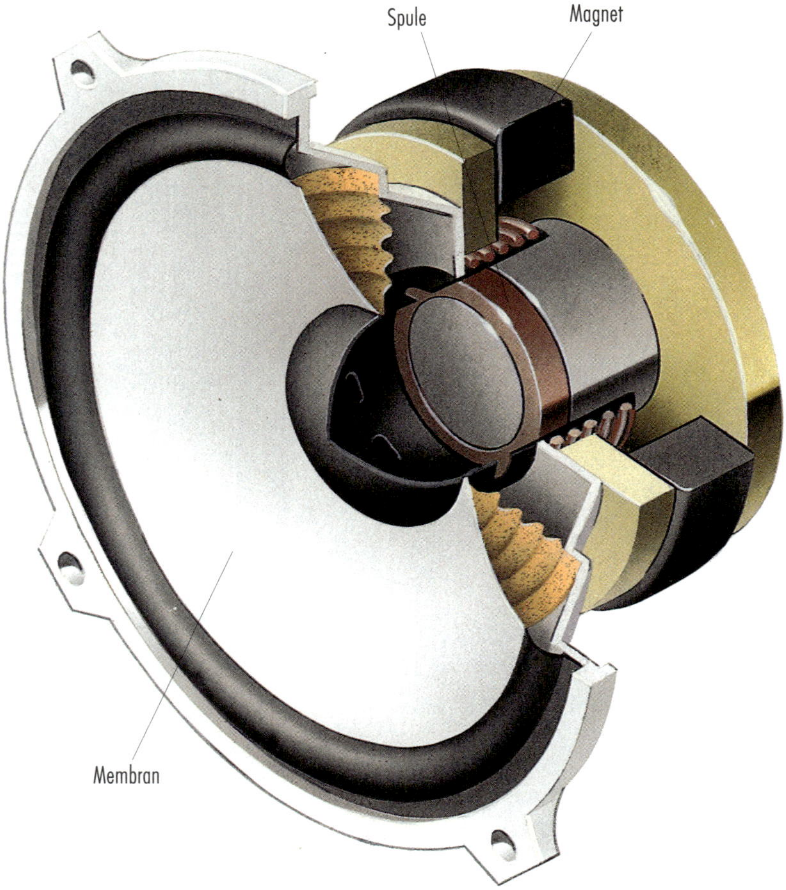

Erfindung des Radios. In vielen Teilbereichen – etwa der Satellitentechnik – jedoch verläuft die Entwicklung nach wie vor parallel. Auch andere wesentliche Erfindungen wie neue Mikrofone oder die Digitaltechnik werden in all diesen Bereichen genutzt.

Plattenspieler-Tonabnehmer

Eine Schallplattenrille ist eine sich ständig nach links und rechts schlängelnde Vertiefung in einer Schallplatte. In dieser Rille fährt die Plattenspielernadel entlang und schwingt dabei hin und her, wodurch das dünne Rohr, an dem die Nadel befestigt ist, ebenfalls hin- und herschwingt. Diese Bewegung kann in einem sogenannten Tonabnehmer auf zwei Arten in elektrischen Strom umgesetzt werden: elektromagnetisch oder piezoelektrisch.
Beim elektromagnetischen Tonabnehmer befindet sich eine Spule an dem der Nadel entgegengesetzten Ende des Rohres. Durch die Bewegung der Spule im Magnetfeld, das ein hinter der Spule liegender Magnet erzeugt, entsteht über den Effekt der Induktion elektrischer Strom (siehe S. 40). Beim piezoelektrischen Tonabnehmer wird der Ton über einen speziellen Kristall erzeugt. Dieser piezoelektrische Kristall erzeugt elektrischen Strom, wenn er gedrückt wird. Diesen Druck übt das hin- und herschwingende Rohr aus.
Die Zahl der Schwingungen beeinflußt bei beiden Abnehmersystemen die Tonhöhe. Je öfter die Nadel hin und hergeführt wird, desto höher wird der Ton. Die Schallplattenrille ist aber auch verschieden breit: Je weiter die Nadel hin- und hergeführt wird, desto lauter wird der Ton.

Lautsprecher

Sogenannte Drehspulenlautsprecher erzeugen Töne mit einem Elektromagneten (siehe S. 18). Dieser Elektromagnet ist umgeben von einem Permanentmagneten – einem Magneten, dessen magnetisches Feld immer gleich bleibt. Beim innenliegenden Elektromagneten hingegen kann das magnetische Feld verändert werden. Dies geschieht durch den elektrischen Strom, der den Verstärker verläßt. Dieser Strom erzeugt um die ***Lautsprecherspule*** *herum ein elektrisches Feld. Je nach der Stärke des Stroms verändert sich die magnetische Anziehung zwischen Spule und Permanentmaget. Da die Spule beweglich gelagert ist, bewegt sie sich hin und her, wenn sich ihr Magnetfeld verstärkt und abschwächt. Diese Bewegung geschieht sehr schnell und bringt eine an der Spule befestigte Membran – meist eine biegsame Pappe – zum Schwingen. Diese Schwingungen nehmen Menschen als Töne wahr. Ein* ***Drehspulenmikrofon*** *ist genauso aufgebaut wie ein Drehspulenlautsprecher – nur ist hier der Stromfluß umgekehrt. Wie beim Tonabnehmer eines Plattenspielers wird hier die Drahtspule in dem Magnetfeld bewegt. Die Bewegung verursachen Schallwellen von Tönen, die auf die Membran treffen: Die Membran wird zum Schwingen gebracht, die an der Membran befestigte Spule bewegt sich hin und her. Der Stromfluß, der dabei erzeugt wird, ist abhängig von der Tonhöhe und der Lautstärke. Mikrofone können auch mit einem piezoelektrischen Kristall Strom erzeugen: Ein solcher Kristall erzeugt elektrischen Strom, wenn er gedrückt wird. Diesen Druck übt die hin- und herschwingende Membran auf den Kristall aus.*

Fernsehen

Die Umwandlung von Bildern in elektrische Signale begann schon 1843. Erst nach der Erfindung der Kathodenstrahlröhre im Jahre 1897 durch Ferdinand von Braun war jedoch an ein Fernsehbild von hoher Qualität zu denken.

Bis Kenjiro Takayanagi 1926 in Japan das elektronische Fernsehen erfand, blieben alle Fernsehsysteme mechanisch – das heißt: Der abzubildende Gegenstand wird bei der Aufnahme Punkt für Punkt von einem Lichtstrahl abgetastet. Die Information, ob der Punkt hell oder dunkel ist, wird jeweils in verschieden starken Strom umgesetzt. Dieser Strom erzeugt auf der Empfängerseite einen hellen oder dunklen Lichtstrahl, der wieder Punkt für Punkt, zeilenweise auf eine Abbildungsfläche gelenkt wird. Dieses System ist langsam und erzeugt zu wenig Punkte, als daß der Eindruck eines vollständigen, gut erkennbaren Bildes entstehen könnte. Erst die Kathodenstrahlröhre, die einen Elektronenstrahl erzeugt und damit auf einer Glasfläche Phosphorpartikel zum Leuchten bringt, ist schnell genug, in einer Sekunde so oft hin- und herzufahren, daß das Auge nicht mehr in der Lage ist, den ständig sich wiederholenden Bildaufbau zu erkennen. – Das so erzeugte, elektronische Fernsehbild wird vom Gehirn als vollständiges Bild wahrgenommen – Fernsehen ist damit eine optische Täuschung. Heute in Europa gebräuchliche Fernsehsysteme erzeugen in jeder Sekunde auf dem Bildschirm 25 Bilder in 625 Zeilen.

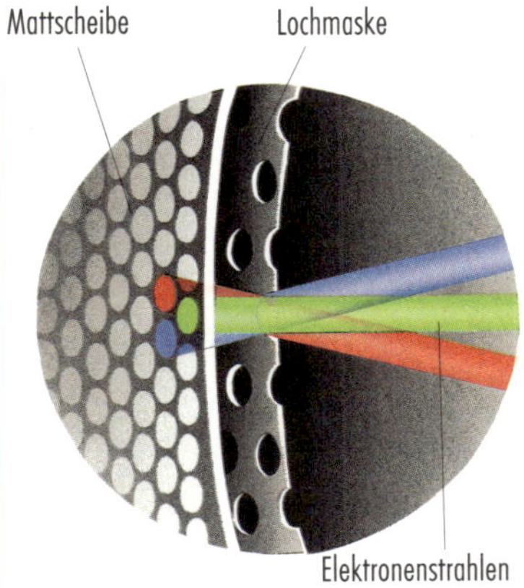

Beim Farbfernsehen werden in der Aufnahmekamera die Bildinformationen Zeile für Zeile abgetastet und die Farbinformationen der einzelnen Bildpunkte mit Filtern in die Grundfarben Rot, Grün und Blau aufgeteilt. Das Bild wird anschließend mit der Information über die drei Farben ausgesendet. Im Fernseher wird die Farbinformation wieder in drei Farben umgesetzt. Dazu wird beim in Europa üblichen PAL-Verfahren für jede der drei Grundfarben ein Elektronenstrahl erzeugt und zeilenweise auf die mit Leuchtstoffen beschichtete Mattscheibe geworfen (unten). Der Aufprallpunkt der Strahlen auf der Mattscheibe wird von Elektromagneten gesteuert, die die Strahlen hin- und herlenken. Um zu verhindern, daß die sich ständig bewegenden Strahlen falsche Punkte zum Leuchten bringen, befindet sich vor der Mattscheibe eine Lochmaske (oben). – Die Strahlen durchdringen sie nur an bestimmten Punkten. So aktivieren alle drei Farbstrahlen nur den vorgesehenen Punkt auf der Mattscheibe. Ohne Lochmaske würde der rote Strahl bei einer Bewegung von links nach rechts den grünen Bildpunkt erneut zum Leuchten bringen und so falsche Farben und Farbschlieren erzeugen.

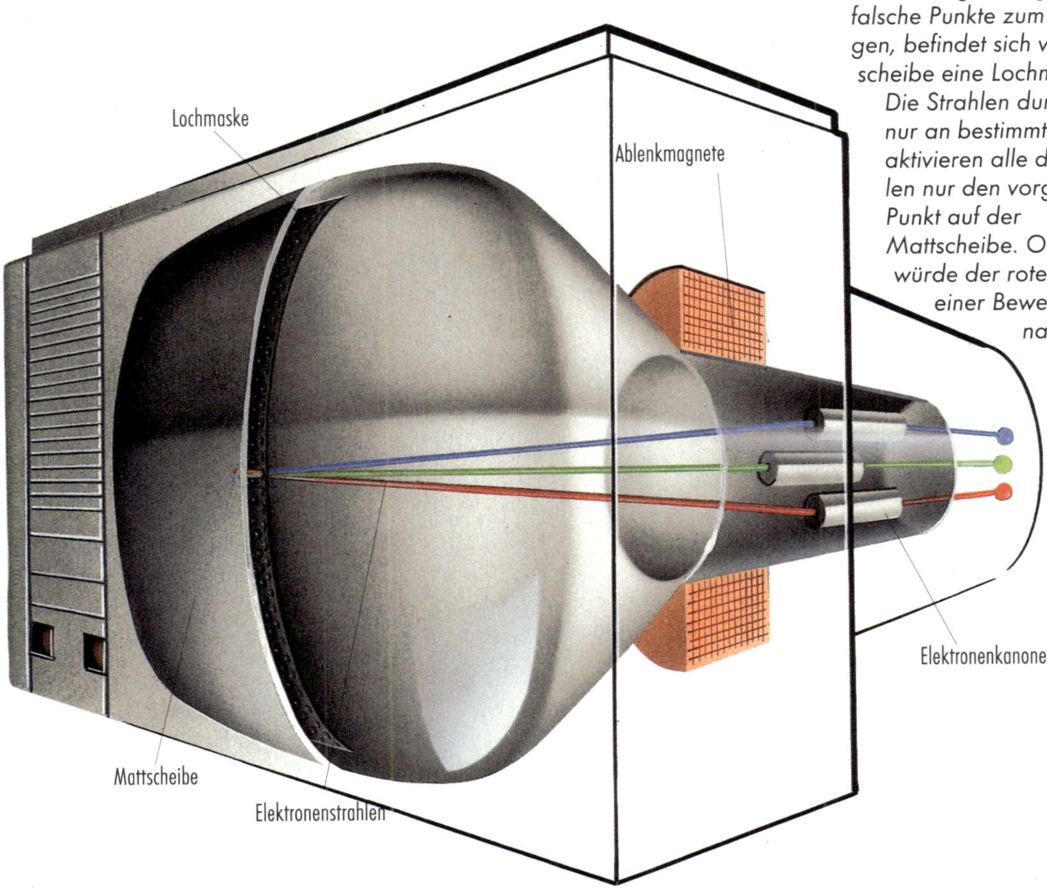

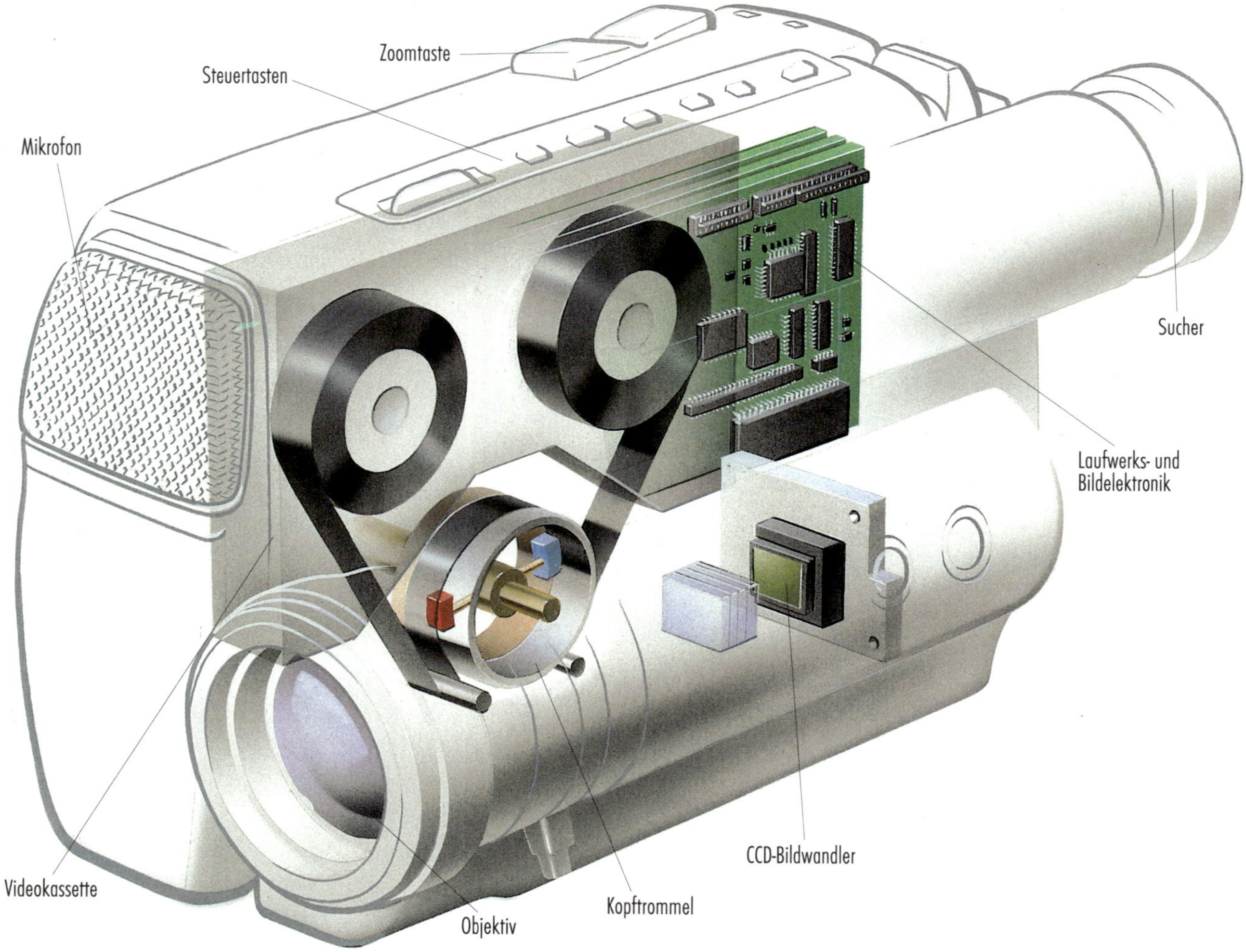

Videokamera
Bei einer Videokamera wird das Licht von der Objektivlinse auf einen speziellen Chip geleitet. Dieser ladungsgekoppelte Baustein, der CCD-Chip (Coupled Circuit Device) setzt – in meist 470 000 Punkten – Punkt für Punkt die Helligkeitsinformation in Strom um. Je heller das Licht ist, das auf einen der Punkte des CCD auftrifft, desto stärker ist der Strom, der von diesem Punkt zur Kameraelektronik geleitet wird. Diese Information wird zum schnell rotierenden Bild- und Tonkopf weitergeleitet und zusammen mit der akustischen Information, die das Mikrofon liefert, auf ein Videoband aufgespielt. Während der Aufnahme und beim Abspielen kann das Bild über den Sucher, in den eine kleine Bildröhre eingebaut ist, betrachtet werden.

Koaxial-Kabel

Die Wellen, die von der Radio- oder Fernsehantenne empfangen und dann verstärkt werden, haben eine sehr hohe Frequenz. Sie müssen in speziellen Kabeln zum Gerät transportiert werden, da normale Kabel wie Sende- und Empfangsantennen wirken können. Solche einfachen Drahtkabel strahlen Wellen aus, wenn sie von Hochfrequenzstrom durchflossen werden, und nehmen solche Wellen aus der Umgebung auf. Solche Kabel können also andere Radios und Funkgeräte durch Abstrahlung von Wellen stören, wenn sie Hochfrequenzstrom transportieren. Das Kabel, das die Abstrahlung verhindert, heißt Koaxialkabel. Der stromleitende Draht ist beim Koaxialkabel von einer Kunststoffisolierung umgeben. Um diese herum ist die eigentliche Isolierung gegen hochfrequente Wellenstrahlung gelegt: eine geerdete Drahtfolie oder ein Drahtgeflecht. Um diesen »Strahlenpanzer« herum befindet sich eine weitere Kunststoff-Schutzschicht des Kabels.

Nachrichten-Satellit
Funksignale können auf der Erde wegen Krümmung des Planeten nicht über sehr weite Entfernungen übertragen werden. Um die gerade laufenden, schnellen Funkwellen an einen weit entfernten Ort auf der Erde zu senden, werden daher Satelliten (rechts) benutzt. Vom Boden aus können Funksignale ungehindert zum Satelliten ausgestrahlt und vom Satelliten empfangen werden. Ein Satellit besteht aus einer Empfangsantenne, einem Verstärker und einer Sendeantenne. Den Strom für den Verstärker bezieht ein Satellit aus Sonnenenergie. Auf »Sonnenpaddeln« befinden sich Solarzellen, die das Sonnenlicht in Strom umwandeln (siehe S. 46).

Chronik der Haushaltselektronik

1877 Thomas Alva Edison erfindet in den USA das Grammophon. Er kommt auf die Idee, es müsse möglich sein, mit den Luftschwingungen der Sprache einen Metallstift in Bewegung zu setzen. Dieser Stift überträgt die Schwingungen auf eine weiche, sich drehende Zinnfolie. Dort hinterlassen die Bewegungen des Stiftes eine Schlangenlinie. Wird umgekehrt die Nadel durch die Schlangenlinien geführt, setzen sie den Stift in gleiche Schwingungen, die mit einem Trichter verstärkt werden. Erst 50 Jahre später wird diese Aufnahmetechnik durch die elektrische Aufnahme abgelöst. Ebenfalls 1877 erfindet der Deutsche Ernst Werner den Lautsprecher.

1884 Paul Nipkow erfindet in Deutschland ein System, einen abzubildenden Gegenstand in Zeilen zu zerlegen. Seine Nipkow-Scheibe besteht aus einer rotierenden Platte mit spiralartig angeordneten Löchern. Er entwickelt daraus ein mechanisches Fernsehsystem, bei dem er eine lichtempfindliche Selenzelle als Aufnahmegerät verwendet. Diese Zelle reagiert aber zu langsam, um damit ein Fernsehbild zu erzeugen.

1888 Édouard Branly entdeckt in Paris, daß elektromagnetische Wellen in Strom umgewandelt werden können. Sein »Detektor« bereitet den Weg für die drahtlose Telegrafie und den Radioempfang.

1895 Guglielmo Marconi gelingt die gezielte Erzeugung elektromagnetischer Wellen zur Funkübertragung.

1897 Karl Ferdinand von Braun erfindet in Deutschland die Braunsche Röhre, den Vorläufer der für elektronisches Fernsehen nötigen Kathodenstrahlröhre.

1899 Ein Morsezeichen wird von Guglielmo Marconi 3500 km weit übertragen. – Die technischen Grundlagen für Rundfunksendungen sind geschaffen.

1905 Marconis Mitarbeiter John Ambrose entwickelt mit der Diode die erste Radioröhre. Deren Verstärkung elektromagnetischer Signale ist aber schwach.

1906 Robert von Lieben entwickelt in Deutschland die Vakuumröhre mit drei Elektroden, mit der elektromagnetische Wellen empfangen und stark verstärkt werden können. Diese Röhre, die gleichzeitig als Gleichrichter und Verstärker arbeitet, ist der Vorläufer des Transistors. Reginald Aubrey sendet im US-amerikanischen Massachusetts erstmals Sprache als Funksignal.

1917 Der Franzose Lucien Lévy erfindet den Radioempfänger mit Drehkondensator. Dieser verstellbare Kondensator ermöglicht es, die Empfangsfrequenz am Radio zu wechseln und erlaubt den Empfang mehrerer Radiostationen.

1923 Wladimir Zworykin baut in den USA den Vorläufer der elektronischen Fernsehkamera. Sechs Jahre später erfindet er dafür eine Empfangsröhre.

1926 Der Brite John Logie Baird überträgt das erste Fensehbild. Es beruht jedoch auf einem mechanischen Verfahren unter Nutzung der 1884 erfundenen Nipkow-Scheibe. Das aufgenommene und in elektrische Impulse zerlegte Bild kann auf der Empfängerseite nur mit einer in gleicher Geschwindigkeit rotierenden Scheibe wieder sichtbar gemacht werden. In Japan erfindet K. Takayanagi das erste elektronische Fernsehen.

1934 Die erste Fernsehübertragung per Funk findet in Berlin statt.

1935 Die Bandaufnahme wird von den deutschen Firmen Telefunken und IG Farben erfunden, nachdem Magnetbänder aus Kunststoff hergestellt werden können. Im gleichen Jahr werden Koaxialkabel für Telefonverkehr in Betrieb genommen.

1936 Kenjiro Takayanagi stellt eine Weiterentwicklung seines 1926 erfundenen elektronischen Fernsehens vor. Es erzeugt eine Bild aus 441 Zeilen. In Berlin finden anläßlich der Olympiade die ersten regelmäßigen Fernseh-Direktübertragungen statt.

1948 John Bardeen, Walter Brattain und William Shockley erfinden den Transistor, der die Radioröhre ersetzt. Ein Transistor braucht wesentlich weniger Strom und ist viel kleiner als eine Röhre. Die ersten Transistorempfänger werden 1955 gebaut.

1951 Die Firma Mincom stellt in den USA ein Videorecorder-Modell vor. 1954 werden die ersten ausgereiften Modelle dieser Bauart gebaut.

1953 Charles Ginsburg und Charles Anderson erfinden für die US-Firma Ampex die Videoaufzeichnung mit quer zum Band liegenden Aufzeichnungsköpfen, die auf einer rotierenden Trommel montiert sind. 1956 kommt der erste Videorecorder dieser Art auf den Markt.

1956 In Frankreich erfindet Henri de France des erste Farbfernsehsystem »SECAM«. Das System, das 1967 in Frankreich eingeführt wird, hat 819 Bildzeilen.

1958 Ampex baut in den USA den ersten Farb-Videorecorder.

1965 Die japanische Firma Sony verkauft das erste Heim-Videosystem. 1970 folgt die holländische Philips mit ihrem »VCR«-System, das erste System, das allein für den Heimbedarf vorgesehen ist.

1966 Walter Bruch erfindet das »PAL«-Farbfensehsystem, das 1967 in Deutschland eingeführt wird.

1967 Die Firma Ampex stellt ein Video-System vor, bei dem kein Tonband, sondern eine mit Magnetpartikeln beschichtete Metallplatte die Informationen speichert. – Der Vorläufer der Computer-Festplatte ist geboren.

1976 Die japanische Firma JVC bringt das VHS-System (Video Home System) auf den Markt. Es verdrängt die anderen Video-System Betamax und Video 2000.

Informationsübermittlung

Methoden, Nachrichten über weite Strecken zu übertragen, entstanden in vielen Kulturen. Lange Zeit war der Brief- oder Botenverkehr die einzige Möglichkeit, Informationen über weite Strecken zuverlässig zu transportieren. Daneben existierten Mittel wie Rauch- und Trommelzeichen oder Brieftaubenverkehr. Erst mit der Erfindung der Telegrafie, des Funkverkehrs und des Telefons standen Techniken zur Verfügung, Informationen praktisch ohne Zeitverzögerung von einem Ort zum anderen weiterzugeben.

Das Zeitalter der elektrischen Telekommunikation – lateinisch für »Mitteilung über Entfernungen« – begann 1832 mit der Erfindung der Telegrafie durch Samuel Morse. Erstmals konnten mit dem Fernschreiber durch elektrischen Strom Informationen weitergeleitet werden. In der Anfangszeit konnten mit dieser Technik nur sieben Buchstaben pro Minute übertragen werden. – Im Vergleich zum Botendienst war sie trotzdem schon schnell, weil mit der Telegrafie große Entfernungen zurückgelegt wurden.
Die Erfindung des Fernschreibers war vor allem für die Geschäftswelt des 19. Jahrhunderts bedeutend. So wurde 1870 eine Telegrafenlinie von Großbritannien nach Indien

Telefonvermittlung

Für die Dauer eines Gesprächs sorgen Telefonvermittlungen dafür, daß eine Verbindung zwischen den sprechenden Personen besteht. Wenn sie den Telefonhörer aufgelegt haben, kann die eben noch von ihren Telefonen belegte Leitung von anderen Telefonen benutzt werden. – Wenn es diese Vermittlungsstellen nicht gäbe, müßte zwischen allen Menschen, die miteinander telefonieren wollen, eine Leitung aus zwei Drähten gelegt werden – bei heute weltweit Milliarden Telefonanschlüssen ein Ding der Unmöglichkeit.

Telefon

Ein Mikrofon nimmt Schall auf und ein Lautsprecher gibt ihn wieder. Die Schallwellen werden in elektrische Signale umgesetzt, die über Leitungen und Funkwellen übertragen und am verbundenen Apparat wiedergegeben werden.

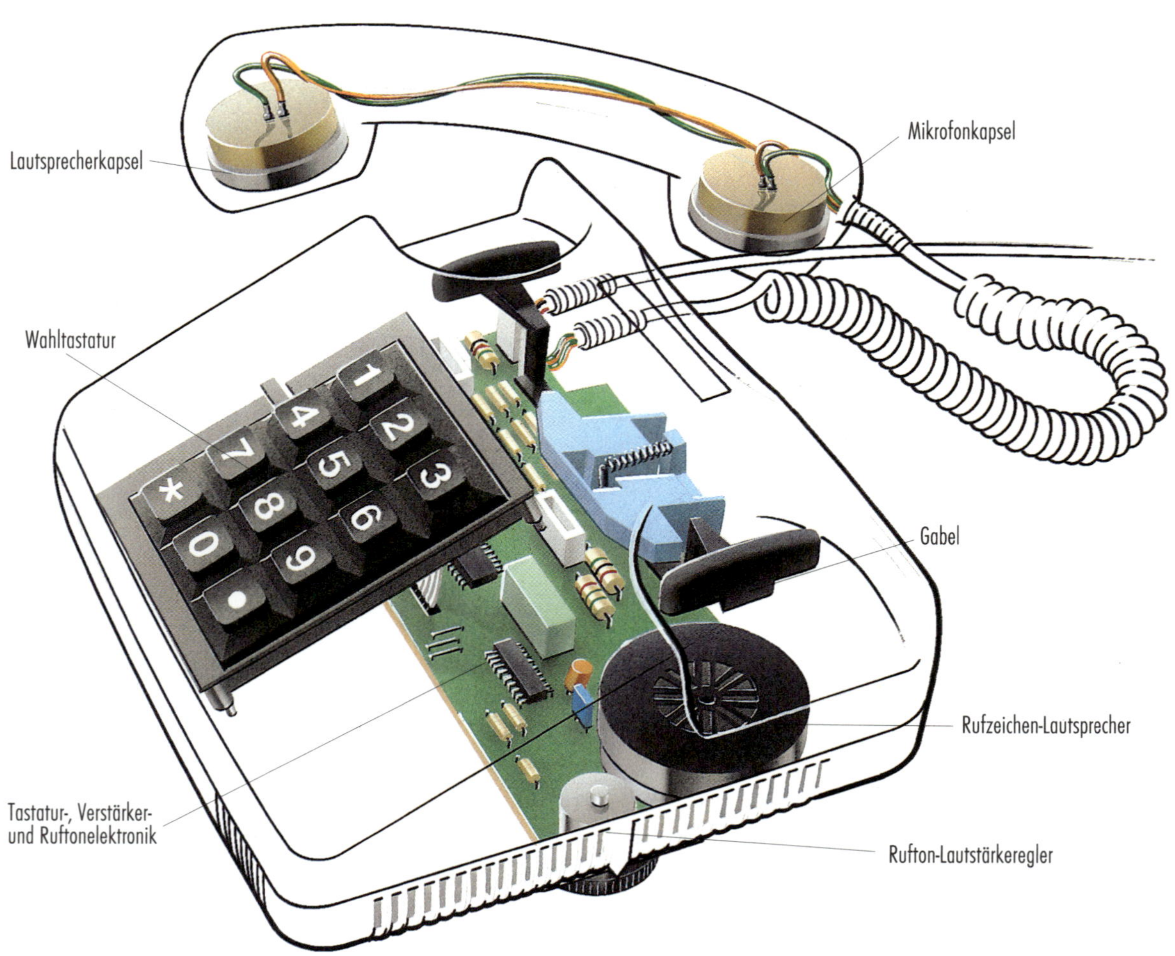

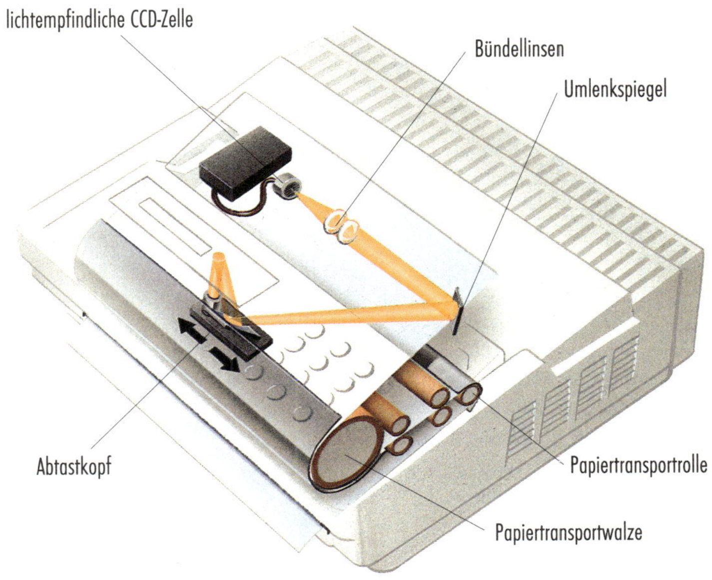

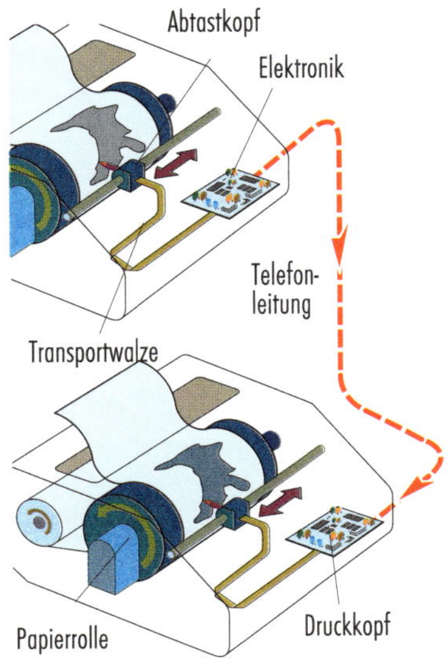

Telefaxgerät

Mit einem Telefaxgerät, kurz Fax, können Texte und Bilder über das Telefonnetz übermittelt werden. Dazu wird ein Blatt Papier über eine Transportwalze in das Faxgerät eingezogen. Von einer lichtempfindlichen CCD-Zelle (siehe Videokamera, S. 90) werden die Hell-Dunkel-Werte des vom Gerät beleuchteten Dokuments Zeile für Zeile und Punkt für Punkt abgetastet. Die dabei gewonnenen elektrischen Impulse werden elektronisch in Töne umgewandelt und über das Telefonnetz an das Empfängerfax gesandt. Dort werden die Töne wieder in elektrische Impulse gewandelt und die durch sie repräsentierten Hell-Dunkel-Werte zeilen- und punktweise auf ein Papier übertragen.

eröffnet, um die Kolonie und den Warenverkehr aus ihr besser kontrollieren zu können. Lange Zeit konzentrierte sich die Weiterentwicklung der Kommunikation auf die Telegrafie. Die Erfindung des Mikrofons, mit dem Töne in elektrische Signale umgewandelt werden können, gab dann den entscheidenden Impuls zum Bau von Geräten, die nicht nur Zeichen, sondern Sprache übertragen können – den Telefonen. 1876 wurde das Telefon von Alexander Graham Bell erfunden. Seitdem wurde dessen Bauprinzip nicht mehr verändert. Ständige Verbesserungen gab es in der Übertragungstechnik von Telegrafie und Telefon: Die Reichweite der Verbindungen war bei beiden stark eingeschränkt, bis der Italiener Guglielmo Marconi 1895 den drahtlosen Funkverkehr und der amerikanische Physiker Michael Idvorsky Pupin 1899 die Telefon-Induktionsspule erfand. Ende des 19. Jahrhunderts entstanden auch erste automatische Vermittlungsstellen, die das handbetriebene Vermitteln von Telefonverbindungen, das Zusammenstecken von Kabeln, überflüssig machten. Mit dem Bau von Telefonkabeln quer durch den Atlantik und die Erfindung der Fernmeldesatelliten in der Mitte des 20. Jahrhunderts begann der Ausbau des Telefonnetzes zum weltweiten Kommunikationsmittel. Heute ist es damit möglich, von jedem Ort der Erde aus zu einem anderen Ort zu telefonieren.

Chronik der Telefonkommunikation

1793 Claude Chappe entwickelt in Frankreich ein System zur Nachrichtenübermittlung, das er Telegraf (Fernschreiber) nennt. Es ist ein rein optisches System, bei dem auf Masten montierte Flügel Zeichen darstellen. Chappes Telegrafie überwindet eine Strecke von 15 km.

1832 Samuel Morse erfindet den elektrischen Telegrafen. Sein erstes Modell besteht aus einem Elektromagneten, der ein Stück Eisen anzieht, sobald Strom zum Magneten fließt. Den Kontakt, der den Strom fließen läßt, stellt Morse mit einer Taste her. An dem Magnet ist ein Bleistift befestigt. Der Stift trifft – wird der Magnet aktiviert – auf einen Papierstreifen, der von einem Uhrwerk ständig gezogen wird. Mit diesem ersten Morse-Telegrafen können Signale 14 m weit übertragen werden.

1837 Das erste Telegramm wird durch Samuel Morse in New York von einem Universitäts-Hörsaal in einen anderen übertragen. Dessen Text lautete: »Erfolgreiches Telegrafie-Experiment, 4. September 1837.«

1851 Das erste Unterwasser-Telegrafenkabel wird durch den Ärmelkanal zwischen Großbritannien und Frankreich gelegt. Sieben Jahre später verbindet ein Telegrafiekabel quer durch den Atlantik Großbritannien und die USA.
Das erste dauerhafte Kabel durch den Atlantik wird 1866 zwischen Irland und Neufundland verlegt.

1861 Johann Philipp Reis stellt in Frankfurt am Main das erste Gerät zur Tonübertragung vor. Alexander Graham Bell erfährt 1863 davon in den USA durch die Berliner Zeitschrift »Die Gartenlaube«.

1872 Jean Maurice Emile Baudot erfindet das Zeit-Multiplexverfahren zur Telegrammübertragung. Damit können acht Telegramme gleichzeitig durch eine Leitung übertragen werden, indem an den Verbindungsstellen der Leitungen umlaufende Kontakte ständig verschiedene Verteilerleitungen miteinander verbinden.

1876 Alexander Graham Bell führt das erste Telefongespräch und erhält das Patent auf seinen Apparat. Dieses Patent muß er in über 600 Prozessen verteidigen.

1877 Die ersten Telefonapparate werden in den USA installiert und die erste Hand-Telefonvermittlung mit 21 Teilnehmern in Betrieb genommen.

1880 Alexander Graham Bell läßt das »Photophon«-Verfahren patentieren, mit dem Signale über Lichtwellenleiter übertragen werden können. Erst 1979 kann die Technik mit Glasfaserkabeln in Deutschland in die Praxis umgesetzt werden.

1888 Der Deutsche Heinrich Rudolf Hertz beginnt die Ausbreitung elektromagnetischer Wellen zu erforschen. Er erfindet einen »Resonator«, mit dem er erstmals elektromagnetische Wellen erzeugt.

1889 Der US-Amerikaner Almon Strowger läßt einen elektromechanischen Kontaktgeber, den Hebdrehwähler, patentieren. Damit ist der Wählvorgang in die Telefone zu verlegen und die Weiterschaltung von Telefongesprächen zu automatisieren.

1895 Guglielmo Marconi gelingt in der Villa seiner Eltern, nahe dem italienischen Bologna, die erste Funkübertragung über 2400 m. Er erfindet neben dem Funkapparat auch die Antenne.

Ein Vorläufer unseres modernen Telefons ist dieses Gerät der Firma Siemens.

1898 Karl Ferdinand Braun gelingt es, Funkwellen gezielt in eine bestimmte Richtung auszusenden.

1899 Das Morsezeichen »S« wird von Marconi 3500 km weit von Großbritannien nach Neufundland übertragen. Er beweist damit, daß Funkwellen rund um die Erde geschickt werden können. Der US-amerikanische Physiker Michael Idvorsky Pupin erfindet ein Verfahren, die Reichweite von Telefonen auf rund 2000 km stark zu verbessern.

1909 In Deutschland wird die erste automatische Telefonvermittlung in München-Schwabing gebaut.

1914 Der in die USA ausgewanderte Deutsche E. F. Kleinschmidt entwickelt einen mechanischen Fernschreiber ohne Tastatur. Zur gleichen Zeit baut die Firma Siemens & Halske in Deutschland erste Tastentelegrafen.

1915 Die erste transatlantische Funk-Telefonstrecke verbindet Paris mit der US-Stadt Arlington. Der Wellenfilter wird erfunden. Er erlaubt es, Signale unterschiedlicher Wellenlänge (Frequenz) gleichzeitig durch ein einziges Kabel zu übertragen. Die Signale werden mit unterschiedlicher Frequenz in die Leitung eingespielt.
Die Signale der Telegrafie können nun auch in der sogenannten Unterlagerungstelegrafie Telefonleitungen nutzen. Die Telegrafie nutzt dabei Frequenzbereiche der Telefonleitungen, die für Sprache nicht gebraucht werden, für bis zu 18 Telegrafieleitungen. Das Verfahren der Wellentrennung verbilligt die Telegrafenstrecken enorm, da der Kupferverbrauch für Kabel auf unter ein Zehntel reduziert werden kann.

1931 Die US-Firma Bell entwickelt das Telex-System, bei dem Fernschreiben per Telefonleitung und ohne Zeitverzögerung übermittelt werden. Jedes eingetippte Zeichen wird sofort beim Empfänger ausgedruckt.

1956 Das erst transatlantische Telefonkabel verbindet Großbritannien mit Kanada – es hat 36 Sprechkanäle. die Zahl wird 1960 auf 87 erhöht, indem durch die bei der US-Firma AT & T entwickelte »TASI«-Technik Sprechpausen erkannt und für andere Gespräche genutzt werden.

1965 Der erste reine Fernmeldesatellit, »Intelsat 1«, wird in Betrieb genommen. Er leitet Telefongespräche von Europa nach US-Amerika weiter.

1983 In Frankreich werden die ersten Kartentelefone aufgestellt.

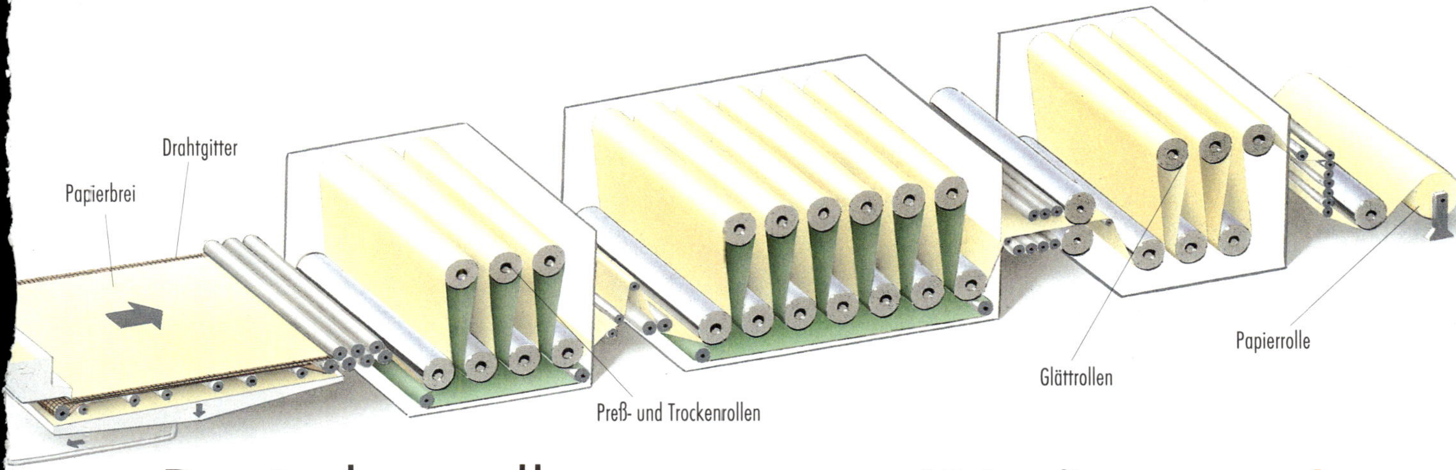

Papierherstellung

Als Material, Schriftzeichen aufzuzeichnen, standen lange nur schwere und unhandliche Tontafeln und Steinplatten zur Verfügung. Auf der Suche nach einem leichten und trotzdem haltbaren Schreibmaterial stellten Chinesen vor 2000 Jahren das erste Papier her.

Das frühe Papier wurde aus Pflanzen und Stoffen mit Wasser zu einem Brei gekocht, dann mit einem Drahtsieb abgeschöpft, dünn verstrichen und getrocknet. Nachdem das Wasser abgelaufen und das Papier gepreßt war, waren die Papierbögen fertig. Nach dieser Methode wurde auch das erste Schreibpapier hergestellt, das der chinesische Minister T'sai Lun im Jahre 105 erfand. Es bestand aus Stoff, Holz und Stroh. Bis heute wird Papier ähnlich, aber in riesigen Maschinen und aus Fichten- oder Kiefernholz hergestellt.
Das Papier auf Holzbasis soll um das Jahr 750 von Arabern in Spanien eingeführt worden sein. Von dort aus verbreitete es sich in ganz Europa, wo Anfang des 15. Jahrhunderts mehrere Länder Holzpapier herstellten. Die heutigen Papiermaschinen wurden im Jahre 1803 von den britischen Brüdern Henry und Sealy Fourdrinier erfunden. Bis dahin wurde Papier handgeschöpft. Das heißt: die zu Brei gekochte Papier-Rohstoffmischung wurde bis 1803 – wie Jahrtausende zuvor – mit einem Sieb abgeschöpft. Nachdem das Wasser abgetropft war, wurde das Papier Blatt für Blatt zwischen Stoffe oder Filzplatten gelegt und anschließend mit Pressen von weiteren Wasserresten befreit. Die noch immer leicht feuchten Papierbögen wurden anschließend auf einer Leine zum Trocknen aufgehängt. Da bis zum Anfang des 19. Jahrhunderts nur verhältnismäßig wenige Menschen lesen und schreiben konnten, bestand lange kein Bedarf, die Papierherstellung zu mechanisieren. Erst als die Wissenschaft begann, Texte in großer Zahl zu produzieren und immer mehr Menschen Lesen und Schreiben lernten, wurden Maschinen gebraucht, die viel Papier in kurzer Zeit und guter Qualität herstellen konnten.

Papiermaschine

Zur Papierherstellung wird Holz von der Rinde befreit, zerkleinert und zu gleichen Teilen mit Zellulose vermischt zu einem Brei gekocht. Chemikalien im Brei lösen die Holzfasern auf und bleichen sie.
Der fertige Papierbrei wird auf einem Drahtgitterband ausgelegt. Das Wasser tropft ab, und anschließend werden die entstandenen, noch mit Wasser vollgesaugten Papierbahnen gepreßt, getrocknet und geglättet. Das nun fertige Papier wird zu riesigen Rollen gewickelt, die je nach Bedarf zerschnitten werden können.
Heutige Papiermaschinen sind über 200 m lang.

Fotosatz und Druck

Vor rund 5500 Jahren wurden in Ägypten erste Schriften erfunden. Seitdem wurden Buchstaben in Tontafeln geritzt oder auf Papier geschrieben. – Sie wurden immer per Hand geschrieben. Auch zur Vervielfältigung wurden Texte per Hand abgeschrieben.

Vor allem die schreibkundigen Mönche in den Klöstern waren bis ins Mittelalter damit beschäftigt, wichtige Bücher abzuschreiben. Um diese mühevolle Arbeit zu vermeiden, wurde der Lettersatz – das Zusammenfügen einzelner Druckbuchstaben – erfunden. Eine erneute Umwälzung des Druckgewerbes fand in diesem Jahrhundert mit der Erfindung des Fotosatzes statt. Die Handarbeit in Setzereien wurde durch Computer ersetzt, die Buchstaben direkt auf Fotofilme belichten.
In Europa wurde der Lettersatz, die Herstellung von Buchseiten durch das Zusammenfügen einzelner Buchstaben oder Lettern, erst um das Jahr 1450 eingeführt. Als Erfinder gilt Johannes Gutenberg. Bis zur Erfindung des Letter-

Offsetdruckmaschine
Die meisten Drucksachen werden heute im Offsetdruck hergestellt (auch dieses Buch). Das Prinzip des Offsetdrucks besteht darauf, daß Fett und Wasser sich abstoßen. Eine Druckplatte aus Aluminium wird chemisch so behandelt, daß sie nur die zu druckenden Stellen Farbe (Fett) annehmen können. Die Druckplatte wird auf einen drehbaren Zylinder gespannt. Setzt sich der Zylinder in Bewegung, wird im sogenannten Feuchtwerk die Druckplatte leicht eingefeuchtet, im anschließenden Farbwerk übernimmt die Druckplatte die zu druckende Farbe. Vom ersten Zylinder wird die Farbe auf einen zweiten Zylinder übertragen, der mit einem Gummituch bespannt ist. Auf diesem Tuch haftet die Farbe als seitenverkehrtes Abbild der Druckplatte, das wiederum auf Papierblätter gepreßt wird und dort ein seitenrichtiges Abbild der Druckplatte hinterläßt.

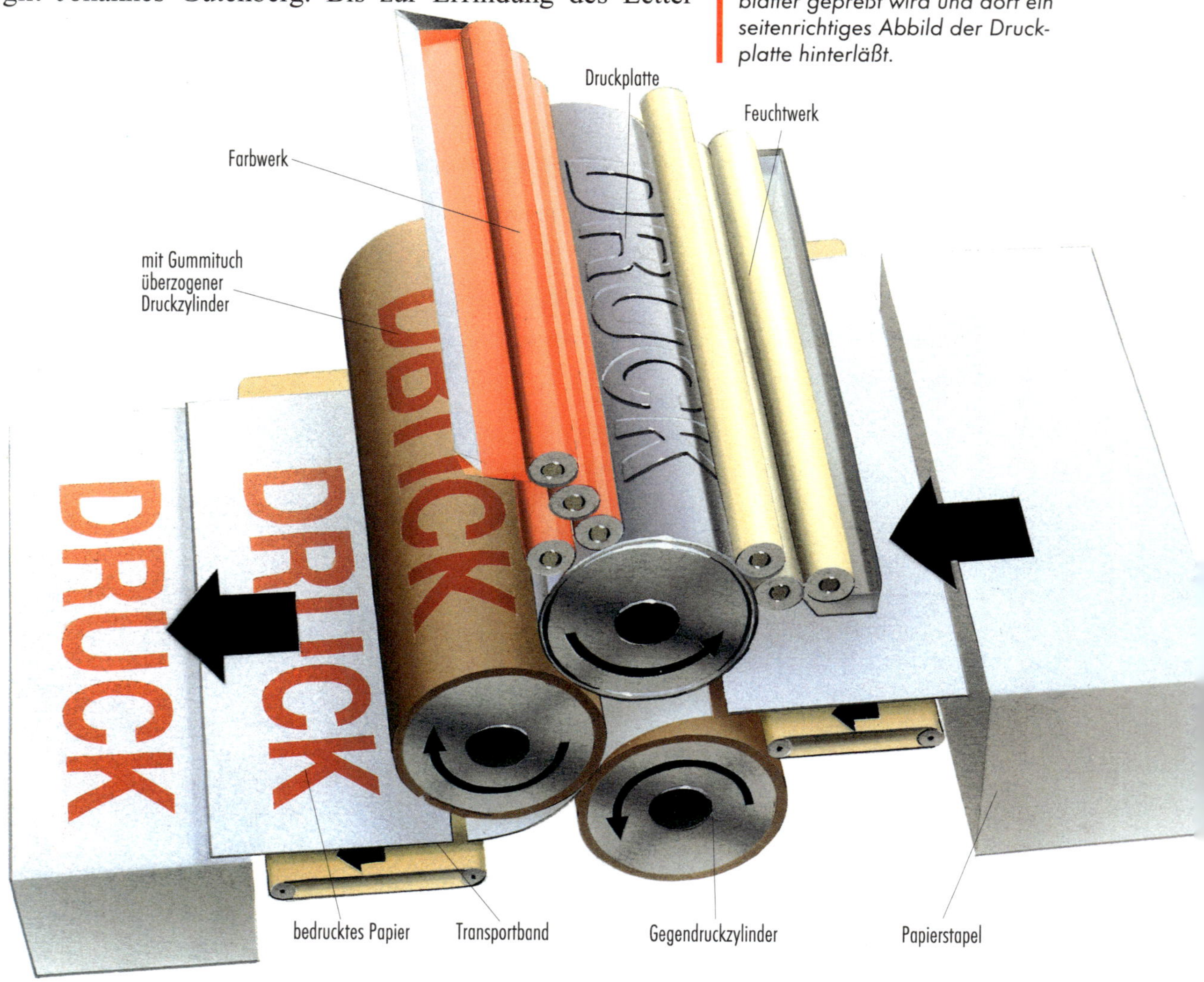

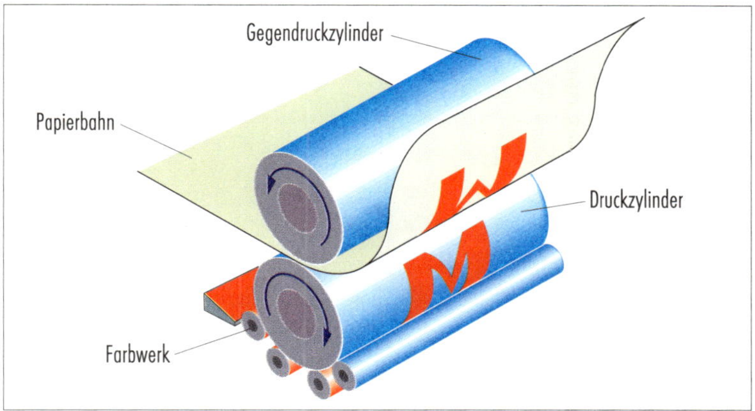

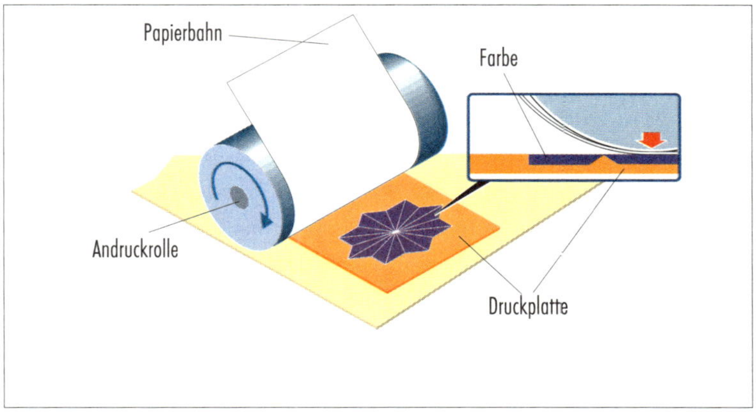

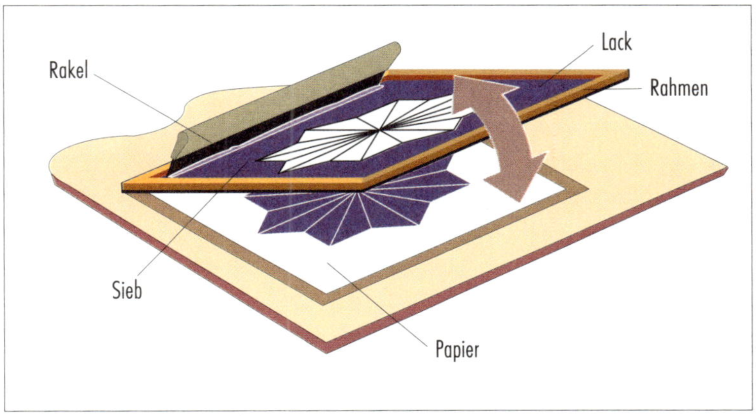

satzes mußte jede zu druckende Seite mühevoll und komplett in Holzplatten geschnitzt werden. – Ein falscher Buchstabe und die ganze Arbeit war umsonst. Dabei wurde eine Holzplatte so ausgeschnitten, daß Bilder und einzelne Buchstaben wie bei einem Stempel erhaben blieben. Diese wurden mit Farbe geschwärzt und anschließend auf ein Blatt Papier gepreßt. Nur bei hohen Auflagen lohnte sich der Zeitaufwand, deshalb wurden die meisten Seiten weiter von Hand abgeschrieben.
Erst mit der Erfindung der beweglichen Lettern trat die entscheidende Veränderung ein: Einzelne Buchstaben wurden hergestellt, die zu beliebigen Texten zusammengefügt und nach dem Druck wiederverwendet werden konnten. Schon um das Jahr 1000 war dieser Letterdruck in China bekannt.

Buchdruck

Der Buchdruck ist ein ***Hochdruck****-Verfahren. Hochdruck bedeutet, daß das Druckbild – wie bei einem Stempel – auf der Druckplatte erhöht steht. Nur die hochstehenden Stellen auf dem Druckzylinder werden eingefärbt und auf das Papier gepreßt.*

Tiefdruck

Der Tiefdruck ist ein Verfahren, bei dem das Druckbild durch Vertiefungen in die Druckplatte erzeugt wird. Nur die Stellen der Druckplatte, in der Vertiefungen eingraviert sind, können sich mit Farbe füllen. Diese Farbe überträgt sich auf das darüberlaufende oder daraufgepreßte Papier. Überschüssige Farbe an der nicht vertieften Oberfläche des Druckzylinders wird in Tiefdruckmaschinen automatisch weggewischt, bevor die Druckplatte mit dem Papier in Kontakt kommt.

Siebdruck

Beim Siebdruck wird ein engmaschiges Sieb aus Plastik oder Stoff in einen Rahmen gespannt. Alle Stellen, an denen das zu bedruckende Papier keine Farbe tragen soll, werden auf dem Sieb abgedeckt. Das kann mit Pappschablonen geschehen oder dadurch, daß das Gitter an diesen Stellen lackiert wird. Durch den Lack werden die Maschen des Gitters an den gewünschten Stellen verstopft. Wird das Sieb dann auf das Papier gelegt und Druckfarbe aufgetragen, kann die Farbe nur die nicht abgedeckten Gittermaschen durchdringen. Die Druckfarbe wird mit einer Rakel gleichmäßig verteilt und durch die offenen Maschen gedrückt, das Papier wird unterhalb der durchlässigen Stellen des Gitters eingefärbt.

In Korea wurde ebenfalls mit einzelnen Metallbuchstaben gedruckt, bevor der Lettersatz in Europa bekannt war. – Wahrscheinlich hatte Gutenberg die Idee, Lettern herzustellen, als er von dieser Hochdrucktechnik hörte.
Andere Drucker übernahmen die Technik, die sich nun schnell verbreitete und immer weiter verbessert wurde. Besonders die Erfindung der Setzmaschine durch Ottmar Mergenthaler im Jahre 1884 führte zu einer großen Beschleunigung der Satztechnik – die Setzmaschine machte die Handarbeit der Setzer überflüssig.
Nachdem lange Zeit Bücher, Zeitungen und Zeitschriften im Lettersatz hergestellt wurden, folgte im 20. Jahrhundert erneut eine entscheidende Wende in der Drucktechnik: 1939 erfand William Huebner den Fotosatz, der es möglich macht, Druckplatten von jedem vorliegenden Dokument oder Bild herzustellen, ohne dafür einzelne Typen zusammenzusetzen.
Eine erneute Verbesserung der Fotosatztechnik wurde möglich, als Rudolf Hell 1965 einen Computer erfand, der die Druckfilme erstellt. Diese Erfindung sorgte dafür, daß in der industrialisierten Welt Anfang der 70er Jahre die meisten Setzer überflüssig wurden.
Seit Anfang der 90er Jahre ist es möglich, auch auf den Fotosatz zu verzichten. Es wurden computergesteuerte Maschinen entwickelt, die die Druckplatten direkt mit einem Laserstrahl bearbeiten. Bei dieser sogenannten »direct to plate-Belichtung«, der direkten Plattenbelichtung, kann der Umweg über eine fotografische Reproduktion der Druckseiten entfallen.

Gutenberg

Johannes Gutenberg erfand in Europa den Lettersatz, der den Buchdruck revolutionierte. Er kam auf die Idee, die Buchstaben einzeln in kleine Metallblöcke, die sogenannten »Lettern«, zu gießen. Finanziert wurden Gutenbergs Experimente am Lettersatz von Johannes Fust und seinem Schwiegervater Peter Schöffer, die beide Metallgießer waren. Ohne deren Geld und Hilfe wäre Gutenberg nicht in der Lage gewesen, den Letterdruck zu erfinden. Eigene Erfahrungen in der Metallverarbeitung sammelte er als Goldschmied und als Hersteller von Spiegelrahmen aus Blei.
Gutenberg mußte längere Zeit experimentieren. Anfangs stellte er einzelne Buchstaben aus Messing her. Dieses Metall war jedoch zu weich, um dem Druck der Pressen standzuhalten. Schließlich fand er mit einer Mischung aus Blei, Zinn und Antimon eine Metallmischung, die hohen Druck aushielt und trotzdem leicht zu schmelzen und zu verarbeiten war.

Chronik des Drucktechnik

700 In China werden erste Bücher gedruckt. Die Druckplatten werden als Holzschnitte hergestellt.

1041 Der Chinese Bi Sheng erfindet bewegliche Lettern, die er aus gebranntem Ton herstellt.

1448 Johannes Gutenberg kehrt von Straßburg in seine Heimatstadt Mainz zurück und entwickelt dort den Lettersatz weiter. Der holländische Drucker Lourens Coster erfindet zur gleichen Zeit ebenfalls eine Drucktechnik mit beweglichen Lettern.

1455 Johannes Gutenberg druckt die »Gutenberg-Bibel« in einer Auflage von 200 Exemplaren. Sie ist das erste Buch Europas, das mit beweglichen Lettern – auf 42 Zeilen pro Seite – hergestellt wurde.

1803 Henry und Sealy Fourdrinier erfinden in Großbritannien die Papiermaschine. Nun ist es möglich, Papier auf Rollen statt einzelne Blätter herzustellen.

1845 Der US-Amerikaner Richard Hoe läßt die Rotationspresse patentieren. Bei dieser Druckmaschine wird die Druckplatte um einen Zylinder gelegt, der in hoher Geschwindigkeit drehend eine unter ihm entlanglaufende Papierbahn in einem Stück bedruckt. Erst nach dem Druck werden die Papierbahnen zu Seiten geschnitten. Im Vergleich zum Druck einzelner Seiten, die Blatt für Blatt in eine Presse gelegt werden, ist dieses Verfahren wesentlich schneller.

1884 Ottmar Mergenthaler, ein in die USA ausgewanderter Deutscher, erfindet die »Linotype«-Setzmaschine. Die Setzer müssen nur noch eine Tastatur – ähnlich der von Schreibmaschinen – bedienen. Auf Knopfdruck fallen Bleibuchstaben auf eine Schiene, wo sie, sobald die Zeile fertiggeschrieben ist, mit flüssigem Blei vergossen werden. 1886 wird die New York Tribune als erste Zeitung der Welt mit dieser Maschine hergestellt.

1939 William Huebner erfindet in den USA den Fotosatz. Anstelle der Bleizeilen werden Fotofilme als Abbild der Druckseiten erstellt. Mit diesen Filmen werden Druckplatten belichtet, die mit Fotochemikalien beschichtet sind. Dort, wo auf dem Film keine Buchstaben sind, fällt Licht auf die Platte und wandelt die Beschichtung der Druckplatte so um, daß sie weggewaschen werden kann. Anschließend wird die Platte chemisch behandelt: Dort, wo die schützende Fotoschicht fehlt, ätzt eine Säure die Platte an – es entsteht eine Druckplatte mit erhabenen Buchstaben.

1965 Der Deutsche Rudolf Hell erfindet den Computersatz. Es ist eine Fotosatztechnik, bei der die Satzfilme von einem Computer erstellt werden. Die Buchstaben und Abbildungen auf dem Filme werden wie beim Laserdrucker von einem hin- und herbewegten Laserstrahl erzeugt.

Technik-Museen

DEUTSCHLAND

Automuseum Bad Rothenfelde
Parkstr. 7A
49214 Bad Rothenfelde
Telefon 05424/1659
täglich 10-17 Uhr
In einem alten Bauernhaus gelegen werden über 40 Autos, sowie rund 40 historische Schreibmaschinen und 20 Kameras ausgestellt.

Auto+Technik Museum
Obere Au 2
74889 Sinsheim/Kraichgau
Telefon 07261/64780
täglich 10-18 Uhr
Mehr als 1000 Austellungstücke - vor allem Auto-Oldtimer - umfaßt die Sammlung des Museums.

BMW Museum
Petuelring 130
80809 München
Telefon 089/38223307
täglich 9-17 Uhr
Hauptsächlich geht es im BMW Museeum um die Fahrzeugtechnik der Firma. Daneben ständig Austellungen mit wechselnden Themen zu Verkehrsmitteln, Verkehrsplanung

Daimler Benz Museum
Mercedesstr.
70327 Stuttgart-Untertürkheim
Telefon 0711/3022915
täglich 9-17 Uhr
Rund 80 Oldtimer und 100 Motoren finden sich in dem Firmenmuseum.

Deutsches Museum
Museumsinsel 1 (Ludwigsbrücke)
80538 München
Telefon 089/21791
Ansagedienst 089/2179433
täglich 9-17 Uhr
Eines der größten technisch-wissenschaftlichen Museen der Welt. Die Sammlung deckt in einzelnen Abteilungen von Bergbau bis Raumfahrt den gesammten Bereich der Erfindungen ab. Zu fast allen Bereichen aus Technik, Physik und Chemie stehen Modelle bereit, an denen Experimente vollzogen werden können. Im obersten von acht Stockwerken findet sich eines der modernsten Planetarien der Welt.

Deutsches Zweirad Museum
74172 Neckarsulm
Telefon 07132/351
täglich 9-12 Uhr und 13.30-17 Uhr.
Das Museum beherbergt rund 50 Fahrräder, 100 Serienmotorräder sowie Rennmotorräder. Unter anderem ist hier ein Drais'sches Laufrad aus dem Jahre 1817 zu sehen.

Gutenberg-Museum
Liebfrauenplatz 5
55116 Mainz
Telefon 06131/122640
Di.-Sa. 10-13 Uhr und 15-18 Uhr, So. 10-13 Uhr. Montags und Feiertags geschlossen.
Im diesem Museum der Heimatstadt Gutenbergs findet sich eine auf vier Stockwerke verteilte Sammlung der Buchgeschichte ab dem 15ten Jh. Eine umfangreiche Bibliothek zum Thema Druck ergänzt die ausgestellten Objekte. Zu den Ausstellungsstücken gehört unter anderen eine nachgebildete Gutenberg-Werkstatt.

Historisches Nähmaschinen- und Bügeleisenmuseum
Heimeranstraße 68-70
80339 München
Telefon 089/510880
Mo.-Fr. 10-16 Uhr. Führungen nach telefonischer Anmeldung.
Privatsammlung der Haushaltsmaschinen rund um die Bekleidung, die neben vielen Maschinen auch historische Werbeplakate, Kunstobjekte, sowie ein umfangreiches Quellen-Archiv umfaßt.

Museum für Verkehr und Technik
Trebbiner Str. 9
10963 Berlin
Telefon 030/254841-10
Di.-Fr. 9-18 Uhr , Sa.und So. 10-18 Uhr
Erst 1983 eröffnet gehört es zu den jüngeren technischen Museen. Zu sehen sind in der großen Sammlung Ausstellungsstücke zu allen Bereichen des Verkehrs und der Verkehrsmittel. 1988 wurden die Lokschuppen fertiggestellt in dem sich der Schwerpunkt Eisenbahntechnik befindet.

Porsche Museum
Porschestr. 42
70435 Stuttgart-Zuffenhausen
Telefon 0711/8203-1
Mo.-Fr. 9-12 Uhr und 13.30-16 Uhr
Rund 25 Sport- und Rennwagen der berühmten Autofirma, die heute zum Volkswagen-Konzern gehört, sind ausgestellt. Die ältesten Porsches stammen aus dem Jahr 1922. - Das Museum befindet sich im Werk 2 .

SiemensMuseum
Prannerstraße 10
80333 München
Telefon 089/2342660
Mo.-Fr. 9-16 Uhr, Sa. und So. 10-14 Uhr, jeden ersten Di. im Monat bis 21 Uhr. Feiertags geschlossen.
Hauptsächlich ist im SiemensMuseeum die Elektrotechnik der letzten 150 Jahre ausgestellt. So sind hier beispielsweise die Anfänge der Telefonvermittlung zu sehen. Der weitaus größte Teil der Austellung widmet sich moderner Elektronik. Da das Museum »Technik zum Anfassen« bieten will, stehen Computer in der Abteilung Mikroelektronik zur freien Verfügung.

Verkehrsmuseum Karlsruhe
Werderstr. 63
76137 Karlsruhe
Telefon 0721/691571
Mi 15-20 Uhr, So. 10-13 Uhr
Vor allem Autoverkehr wird im Museum als Verkehr angesehen. Neben den rund 70 ausgestellten Autos ist aber auch eine große Modelleisenbahnanlage zu besichtigen.

Verkehrsmuseum Nürnberg
Lessingstr. 6
90443 Nürnberg
Telefon 0911/2195428
täglich 10-17 Uhr. Von Oktober bis März Mo.-Fr. bis 16 Uhr.
Eines der modernsten Museen seiner Art, das den Schwerpunkt Eisenbahnverkehr hat. Daneben findet sich eine kleinere Ausstellung zum bayerischen Postwesen. Die Eisenbahnabteilung umfaßt rund 7500 qm Ausstellungsfläche.

ÖSTERREICH

Technisches Museum Wien (Technisches Museum für Industrie und Gewerbe mit **Österreichischem Eisenbahnmuseum** und **Post- und Telegrafenmuseum**)
Mariahilfer Straße 212
1140 Wien
Telefon 0222/833610
So.-Fr. 9-16.30 Uhr
Auf drei Stockwerken verteilt findet sich eine umfangreiche Sammlung vor allem der österreichischen Technikgeschichte. Das 1908 gegründete Museum ist eines der weltältesten technischen Museen. Seine Sammlungsbestände gehören daher zu den bedeutendsten. Sie reichen von ersten Kraftmaschinen bis zur Datenverarbeitung. Das 1891 gegründete Post- und Telegrafenmuseum wurde 1923 teilweise ins Technische Museum integriert. Seit 1980 ist auch das Eisenbahnmuseum Teil des Technischen Museums.

Uhrenmuseum der Stadt Wien
Schulhof2
1010 Wien
Di-So 9-16.30
In 20 Räumen des 1921 gegründeten Museums zur Geschichte und Entwicklunbg der Zeitmessung findet sich ein große Uhrensammlung mit rund 3000 Ausstellungsstücken.

SCHWEIZ

Historisches Museum Basel
Haus zum Kirschgarten
Elisabethstr. 27
4051 Basel
Telefon 061/221333
Di-So. 10-17 Uhr
Besonders sehenswert ist in diesem Museum die Uhrensammlung, die zu den umfangreichsten und besten der Welt zählt.

Musee de l'Automobile
Chateau de Grandson
1392 Grandson
Telefon 024/22926
täglich 9-18 Uhr. Von November bis Februar nur Sonntags.
Rund 25 Oldtimer werden hier in einer 1000 Jahre alten Festung ausgestellt. Weltbekannt ist das Museum, da hier ein Rolls-Royce-Auto aus dem Jahre 1927 ausgestellt ist, das der Schauspielerin Greta Garbo gehörte.

Verkehrshaus der Schweiz
Lidostr. 5
6006 Luzern
Telefon 041/314444
täglich 9-18 Uhr. Von Dezember bis Februar nur Mo.-Sa. 10-16 Uhr, So. 10-17 Uhr
Das größte und vielseitigste Verkehrsmuseum Europas beherbergt z.B. Autos ab 1898, historische Eisenbahnen sowie andere Verkehrsmittel. Es ist das mit den meistbesuchte Museum der Schweiz. Die Sammlung des privat betriebenen Museums ist in 14 Gebäuden auf insgesamt 40000 qm Fläche untergebracht.

Index